SCHADUWEN BOVEN ULLDART

De Donkere Tijd 1

Van Markus Heitz zijn verschenen:

De Dwergen
De Strijd van de Dwergen
De Wraak van de Dwergen

Ritus

Markus Heitz

SCHADUWEN BOVEN ULLDART

De Donkere Tijd 1

LUITINGH FANTASY

Oorspronkelijke titel: *Schatten über Ulldart*
Vertaling: Jan Smit
Omslagontwerp: Karel van Laar
Omslagillustratie: Sally Long / Bragelonne
Kaarten: Erhard Ringer

ISBN 978 90 245 2781 6
NUR 334

www.boekenwereld.com
www.dromen-demonen.nl

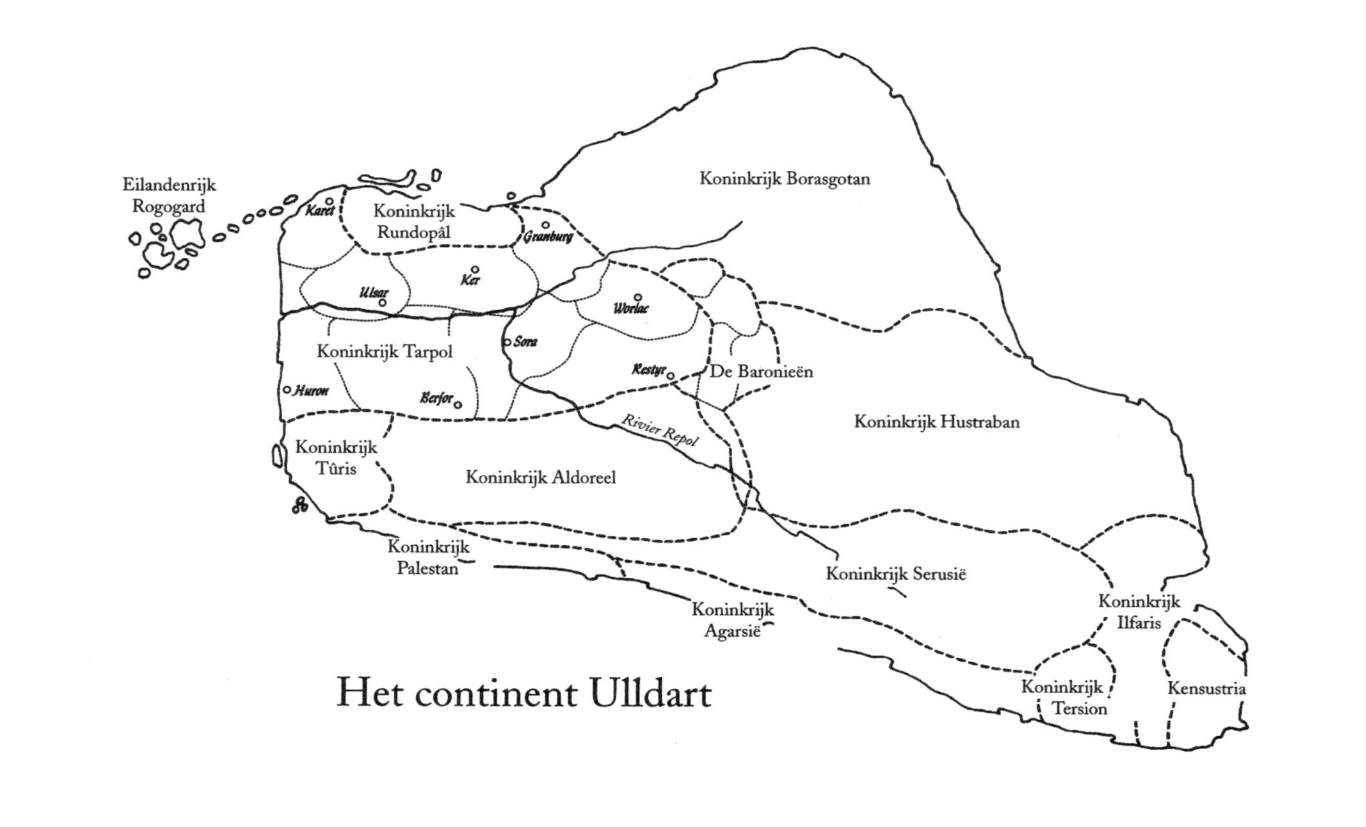

Het continent Ulldart

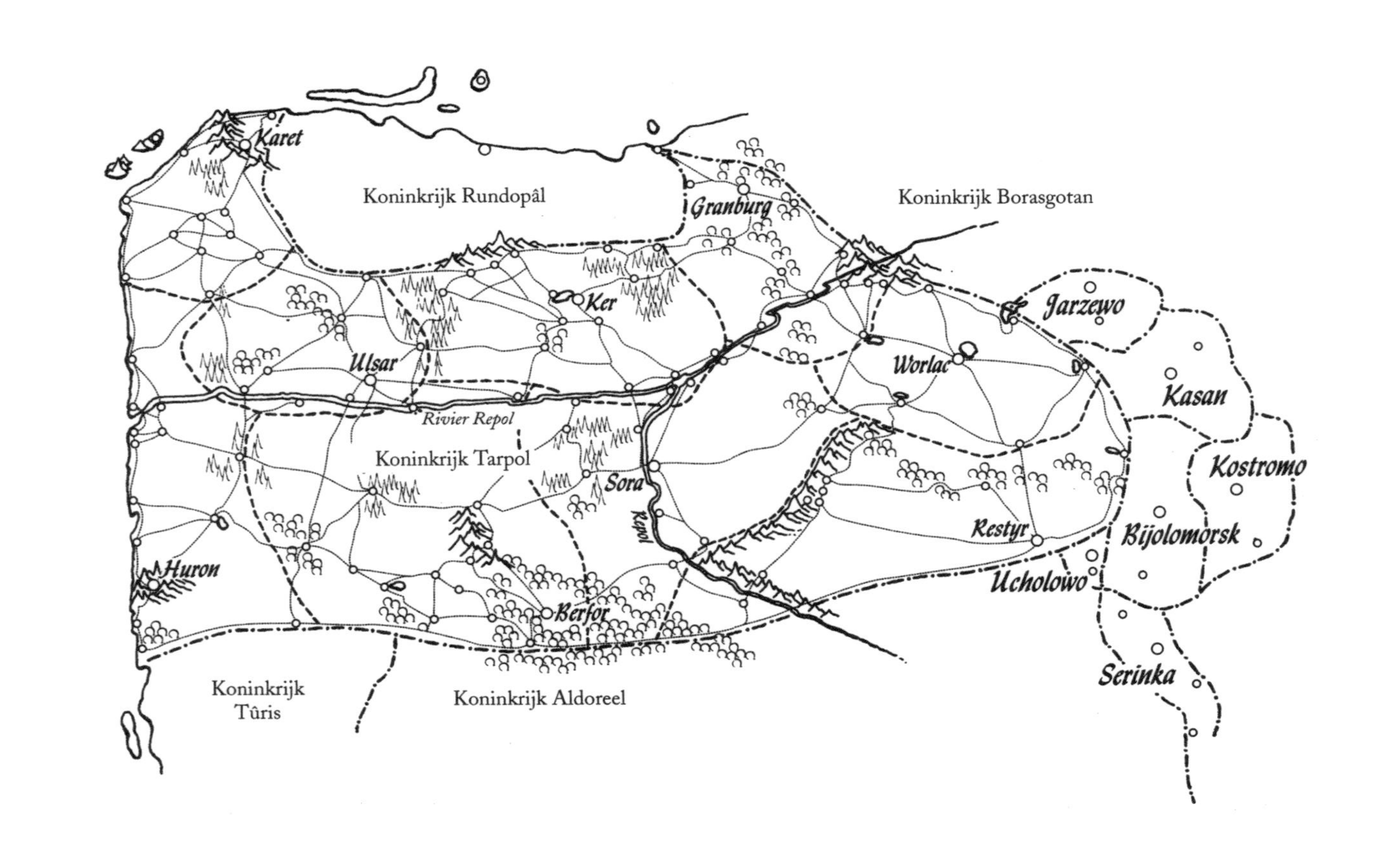
Karet
Koninkrijk Rundopâl
Granburg
Koninkrijk Borasgotan
Ker
Jarzewo
Ulsar
Worlac
Kasan
Rivier Repol
Koninkrijk Tarpol
Kostromo
Sora
Repol
Restyr
Bijolomorsk
Huron
Ucholowo
Berfor
Serinka
Koninkrijk
Tûris
Koninkrijk Aldoreel

PROLOOG

Tscherkass, koninkrijk Tarpol, 436 n. S.

'Kipkipkip,' lokte broeder Matuc de kippen die op de binnenplaats van de kleine hofstede vorstelijk rondstapten en in de drek scharrelden alsof dat een heel verheven bezigheid was. De dieren herkenden de monnik onmiddellijk als hun dagelijkse verzorger en liepen kakelend naar de man in de donkergroene pij.

'Dat is voor jullie,' mompelde Matuc, terwijl hij met gelijkmatige, sikkelvormige bewegingen van zijn rechterhand het voer uit een buidel om zijn middel op de aangestampte aarde strooide. 'Eet maar lekker. Dan worden jullie dikke, vette kippen, die grote eieren leggen.'

Verder was het rustig op de hofstede. De dagloners werkten op de akkers en de andere broeders van de orde hielden zich bezig met gebed of schrijfwerk. Alleen op Matuc rustte het buitengewoon inspirerende toezicht op het welzijn van het pluimvee, een taak waar hij overigens veel plezier in had.

Zachtjes praatte hij tegen de kippen, die krijsend en klapwiekend om hem heen dromden, vechtend om het kleinste zaadje.

Ondanks de zon begon het 's middags al kouder te worden, constateerde de monnik van Ulldrael, een duidelijk voorteken van de naderende winter.

Het laatste koren was al weken geleden van het land gehaald, de stoppels lagen verbrand en de akkers waren geploegd. Er hing een vage geur van verschroeid aardappelloof en een paar bijen zoemden loom in het bleke zonlicht. De bladeren van de grote Ulldrael-eik op de binnenplaats, de machtigste boom uit de wijde omgeving, begonnen te verkleuren.

Matuc, een man van middelbare leeftijd met de eerste sporen van grijs in zijn zwarte haar, dankte Ulldrael de Wijze voor de rust van het klooster en schudde de laatste graankorrels uit zijn linnen buidel.

Eén moment bleef hij roerloos staan, knipperde met zijn ogen tegen de zonnen en dacht met spijt aan de ijzige temperaturen die ze hier in het noorden van Tarpol konden verwachten.

'Ik zal jullie missen in de koude dagen,' zei de monnik zachtjes tegen de twee stralende bollen voordat hij terugslenterde naar het oude, bakstenen hoofdgebouw, dat net als de orde zelf al vele eeuwen had doorstaan.

Toen het gedempte gemompel van talloze stemmen vanuit de hal tot hem doordrong versnelde Matuc zijn pas. Om deze tijd hoorde zich niemand buiten de aangewezen ruimtes te bevinden. Dit gedrang kon alleen maar slecht nieuws betekenen.

Haastig opende de broeder de zware buitendeur, die op een kier stond, en keek tegen de ruggen van de novicen, die naar iets op de grond stonden te staren.

'Uit de weg,' beval de monnik en hij wrong zich naar voren. 'Laat me erdoor, waardeloze kerels!'

Tot zijn schrik zag hij op de lemen vloer de uitgestrekte gestalte van broeder Caradc, met wijd open ogen en schuim om zijn mond. Dun speeksel liep in brede strepen over zijn wangen, hij ademde moeizaam en zijn borst ging snel en onregelmatig op en neer.

'Heeft hij weer een visioen?' vroeg Matuc en hij knielde naast de half bewusteloze man.

'We weten het niet, broeder Matuc. We hoorden hem schreeuwen vanuit de hal en toen we gingen kijken vonden we hem op de grond,' antwoordde een van de novicen onzeker. 'We wisten niet goed wat we moesten doen.'

De monnik vouwde zijn buidel tot een kussen, dat hij voorzichtig onder Caradc' hoofd legde. 'Zoiets heb ik van hem nog nooit meegemaakt. Normaal krijgt hij een glazige, afwezige blik in zijn ogen, maar dit is wel heel extreem. Haal de abt. Misschien wil Ulldrael een belangrijke boodschap doorgeven.' Matuc veegde het speeksel van het gezicht van zijn medebroeder en streelde geruststellend zijn hoofd. 'En vlug een beetje. Zeg dat er haast bij is,' vervolgde hij met een ontstemde blik naar de anderen, die nog steeds nieuwsgierig om hen heen dromden. 'De rest gaat weer aan de studie. Vooruit!'

Gehoorzaam, maar met tegenzin verdwenen de jongemannen en lieten de monnik bij de ziener achter.

De gladde muren van de hal weerkaatsten elk geluid, waardoor Caradc' moeizame ademhaling nog extra zwaar leek te gaan.

'Wat is er aan de hand? Wat mankeert je?' fluisterde hij.

De man op de grond greep Matucs hand en opende zijn mond, maar hij wist niets anders uit te brengen dan een hees gerochel en een wanhopig gekreun.

Opeens veranderde de kleur van zijn speeksel in lichtrood. Caradc kreeg een hoestbui en sperde zijn ogen nog verder open.

'De Tadc... voorzichtig... doden,' stamelde hij onduidelijk. Elke lettergreep kostte hem zichtbare moeite.

'Rustig maar, Caradc.' Matuc wiste hem het zweet van zijn voorhoofd. 'Wat wil Ulldrael van ons?'

'Tadc... doden... Donkere Tijd,' wist de ziener moeizaam uit te brengen. Hij klemde Matucs hand zo krampachtig in de zijne dat het pijn deed. Dunne slierten bloed sijpelden uit zijn oren en neusgaten. Opeens begon hij te kermen en te sidderen. Hij schokte over zijn hele lichaam en kronkelde als een slang over de vloer.

Matuc had alle moeite hem in bedwang te houden. Hulpeloos en ontzet moest hij toezien hoe zijn medebroeder helse pijnen leed. Welke boodschap wilde Ulldrael hen sturen dat hij zijn trouwe dienaar zo martelde?

Caradc gaf bloed op, dat dieprood over zijn kleren naar de vloer droop en daar alle kleine oneffenheden en kieren vulde.

'Tadc... gevaar... iemand... doden,' jammerde de ziener. Hij kromp ineen, greep Matuc toen bij zijn nek en trok hem bij zijn oor naar zijn lippen toe. 'De Donkere Tijd... komt terug,' fluisterde hij.

Het hoofd van de man lag nu in een grote plas bloed, die steeds groter werd door de bloedingen uit zijn mond, zijn oren, zijn ogen en zijn neus.

'Heer abt! Help dan toch,' schreeuwde Matuc in paniek. Zelf zat hij nu ook onder het bloed, alsof hij zojuist een varken had geslacht. 'Caradc ligt op sterven!'

De seconden tikten weg, en nog altijd was er niemand te bekennen.

De ziener begon weer te kreunen van pijn en slaakte een kreet, die aanzwol tot een ijselijke gil.

Matuc dacht dat zijn trommelvliezen zouden scheuren. Ergens hoorde hij het splinteren van glas, totdat Caradc' stem verstomde.

De echo galmde nog even door het gebouw, totdat er een onheilspellende stilte viel.

De ziener was dood.

Nu pas naderden er snelle voetstappen en vlogen de deuren van de studeerkamers open. De abt rende met wapperende pij de trap af, op de voet gevolgd door de verschrikte monniken en novicen.

Matuc staarde naar zijn met bloed besmeurde handen. 'Ulldrael heeft hem gedood,' herhaalde hij fluisterend. 'De macht van de god was te groot voor zijn lichaam en geest.'

'Wat is er gebeurd?' Abt Tradja, een voorname man in de herfst van zijn leven, haalde diep adem en zette zijn leren tas met verbandmiddelen op de grond. 'Wat heeft hij gezegd?'

Matuc richtte zich op. Kleine rode druppeltjes gleden langs zijn pij omlaag en vielen met een hoorbaar getik in de plas bloed.

'Ulldrael wilde ons waarschuwen voor de terugkeer van de Donkere Tijd.'

'Dat gevaar is toch voorgoed geweken? We hebben het Kwaad uit Ulldart verdreven.' De abt streek over zijn baard en keek peinzend naar het lichaam van de dode. 'Wat heeft hij nog meer gezegd?'

'Als de Tadc sterft, lopen we allemaal gevaar, zei Caradc.' Matuc liet zijn handen zakken. Het warme bloed aan zijn vingers begon kleverig te worden. 'Ik denk dat iemand wil proberen de troonopvolger te vermoorden.'

Tradja knikte, nauwelijks waarneembaar. 'Dat mag niet gebeuren. We zullen de Kabcar en zijn zoon onmiddellijk moeten waarschuwen.' Hij keek naar de groep novicen. 'Span een koets in. Er is geen tijd te verliezen.'

'Maar over een paar uur is het donker, en de weg naar het paleis...' wilde een van de jongemannen protesteren, maar de abt onderbrak hem met een handgebaar.

'Al zou het stenen regenen, dan nog moesten we gaan. De toekomst van het hele continent staat op het spel als de Tadc iets zou overkomen.' Haastig verdween er een groepje naar buiten om alles gereed te maken voor het vertrek. 'De anderen brengen Caradc naar het bedehuis en baren hem daar op. Hij is een martelaar voor de godheid, die zijn leven heeft gegeven voor het welzijn van alle mensen op Ulldart. Ulldrael is rechtvaardig, machtig en wijs.' De abt verliet de hal en liep naar de stallen.

Matuc, nog steeds ontdaan door de gebeurtenissen van de afgelopen minuten, gaf als verlamd instructies om de dode te wassen en te balsemen.

'Die bloedvlek blijft,' beval hij, toen hij een novice zag aankomen met een emmer en een dweil. 'Die zal ons voor altijd herinneren aan Caradc en zijn offer.'

Verdrietig en in gedachten verzonken keek hij naar de rode, vochtig glinsterende vlek. Nooit mocht Ulldart meer onder de knoet van een krijgsheer vallen. Met zijn waarschuwing had zijn vriend hen allemaal gered.

I

'Sinured was bevelhebber van het glorieuze Barkidische leger, behaalde tientallen overwinningen voor het rijk en koesterde zich in zijn roem. Immers, hij genoot veel aanzien bij het eenvoudige volk, dat hem als een held vereerde.

Maar diep in zijn hart verlangde Sinured naar nog meer macht, en in het geheim streefde hij naar de positie van koning, die hem van rechtswege niet vergund was. Om zijn doel te bereiken was hij tot elk offer bereid, en aangezien Ulldrael de Rechtvaardige niet reageerde op zijn dringende smeekbeden, zocht hij naar andere bondgenoten.

En zo sloot Sinured een verbond met de Gevreesde.

"Als gij me helpt, machtige Tzulan, zal ik een rijk voor u veroveren en uw naam met het bloed van mijn tegenstanders op de muren van de vestingen schrijven," zwoer de Barkiet. "Niemand mag nog wagen mij de voet dwars te zetten. Ik zal mijn vijanden aan u offeren en mij een troon oprichten van hun schedels en beenderen."

Met voldoening hoorde Tzulans geest de smeekbede van de machtige krijgsheer aan. "Ge zult de oude goden verbieden, hun tempels en cultuscentra vernietigen en slechts mij als enige god laten vereren. Daartoe geef ik u een grotere macht dan enige sterveling ooit heeft bezeten."

En Tzulans geest rustte zijn dienaar uit met de meest uitzonderlijke en afschrikwekkende krachten, die hem onoverwinnelijk maakten in de strijd...'

Historische Almanak van Ulldart,
deel xxi, blz. 1045

Ulsar, hoofdstad van het koninkrijk Tarpol, late herfst 441 n. S.

Zoals altijd stapte de trompetter bij zonsopgang het kazerneterrein op, zette de klaroen aan zijn lippen en blies de reveille.

Luid en helder schetterden de klanken over het terrein, en de kazerne met zijn vijfhonderd soldaten kwam tot leven.

Even later brulden de sergeants ook de laatste slaperige manschappen uit hun harde bedden.

De schoorstenen van de keuken braakten dikke rookpluimen uit naar de zachtroze hemel. De weinig geliefde pap van havermout, gedroogde vruchten, melk en veel water stond al een halfuur in de reusachtige ketels te pruttelen.

De dag begon volgens het bekende patroon. Overal rinkelden koppelriemen en dreunden zware laarzen over de binnenplaats omdat geen van de soldaten te laat op het appel wilde verschijnen.

Maar in één kamer van de kazerne bleef het angstig stil.

Vanonder een stapel kussens, dekens en een donzen dekbed klonk een regelmatig gesnurk, soms onderbroken door enig gesmak als de slaper werd gestoord door het lawaai op de binnenplaats.

De zachte klop op de deur had geen effect. Zelfs een luide roffel bracht nauwelijks beweging in de hoop beddengoed.

Stoiko stond voor de deur van zijn heer, met in zijn ene hand een volgeladen blad met brood, koeken, kaas, worst, honing en nog veel meer. De knokkels van zijn andere hand deden pijn van het bonzen op de deur. Ten slotte stapte hij de slaapkamer binnen en liet de deur opzettelijk met een klap achter zich dichtvallen.

De zware, donkere gordijnen, die elk zonnestraaltje moeiteloos opzogen, wapperden zachtjes heen en weer, maar het gesnurk op de berg kussens ging door.

De dienstknecht, zowel vertrouweling als mentor, zette het blad voorzichtig op het nachtkastje en trok de gordijnen open om het daglicht en de frisse ochtendlucht binnen te laten.

De onzichtbare slaper gromde wat en kroop nog dieper onder de dekens weg.

'Goedemorgen, heer,' zei Stoiko poeslief, terwijl hij aan een punt van het donzen dekbed trok. 'Tijd om op te staan.'

'Ik ben de Tadc! Ik laat me niet commanderen,' klonk het onduidelijk vanuit de hoop dekens. 'Ik kan slapen hoe en zo lang als ik wil.'

'Natuurlijk, heer.' De trouwe bediende en raadsman van de troonopvolger zuchtte zacht. Dit ochtendritueel kende hij maar al te goed. 'Maar u hebt om tien uur een afspraak met de belastingontvangers en daarna moet u met uw lijfwacht exerceren. Na het middagmaal staan er schermlessen en paardrijden op het programma.'

De dekens bewogen, maar de slaper kroop nog verder naar het voeteneind. 'Ik heb geen zin. Ga weg. Zeg maar dat ik ziek ben of zo.'

'Dat gaat niet, heer.' Stoiko grijnsde en schonk warme melk in de zilveren beker. 'Bovendien wil uw vader u zien. U bent toch niet vergeten dat hij Kabcar van Tarpol is en heel ontstemd kan reageren als zijn bevelen in de wind worden geslagen?'

De bediende gooide zijn schouderlange, bruine haar uit zijn

gezicht en streek het weg achter zijn oren. Zoals altijd glinsterde er een schalks lichtje in zijn ogen. 'Heer, de koeken zijn nog warm en de melk is heerlijk, met een lepel honing. Ik heb er een snufje kaneel bij gedaan. Mmm.' Hij snoof vol verrukking, waardoor zijn machtige snor enigszins trilde, en maakte een slurpend geluid.

De berg van kussens leek te exploderen. De Tadc van Tarpol, een jongeling met een fors overgewicht, dun, vlasblond haar en een breed vollemaansgezicht, verrees uit zijn nest als een walvis uit zee.

'Handen af van mijn ontbijt, Stoiko!' Het snerpende, onaangenaam hoge stemgeluid van de troonopvolger deed Stoiko pijn aan de oren. De bediende maakte een grimas. 'Jij hebt vast al gegeten.'

'Drie uur geleden, heer,' zei de man met de machtige snor, tevreden dat zijn list had gewerkt.

'Hoe kun je zo vroeg opstaan? Dan is het toch nog donker buiten?' Gulzig propte de blaag twee koeken in zijn mond en nam er een slok melk achteraan.

'Ik laat u in alle rust ontbijten,' zei Stoiko met een buiging. 'U moet maar schellen als u klaar bent. Dan zal ik u helpen bij het aankleden.' De Tadc wuifde genadig en zette zijn tanden in een stuk gedroogde worst.

'Iemand zou de kleine prins eens een schop onder zijn achterste moeten verkopen,' mompelde de trouwe dienaar toen hij weer op de gang stond.

De Tadc, die – als het hem zo uitkwam – naar de naam Lodrik luisterde, was inmiddels vijftien, en al sinds zijn geboorte was Stoiko belast met de zorg voor de troonopvolger. Hij had zijn luiers verschoond en hem leren lopen en praten. Niemand wist beter dan hij wat een ramp de jongen was.

Het scheen Lodrik geen snars te kunnen schelen dat hij uit een trots geslacht van soldaten en legeraanvoerders stamde.

Op een paard sloeg hij net zo'n goed figuur als een hond op het ijs, een sabel was hem te zwaar en met rekenen had hij grote moeite.

Voorzichtigheidshalve werd hij bij alle banketten, galabals en recepties weggehouden, en als hij om een of andere reden toch aanwezig moest zijn, kreeg hij een plaats in een hoge loge of op een galerij, zodat hij zijn vader niet in verlegenheid kon brengen.

De Kabcar van Tarpol, een militaire veteraan en een echte houwdegen, was diep teleurgesteld in zijn enige spruit en maakte daar geen geheim van. Door het gewone volk werd de dikke jongen spottend *Tras Tadc* of 'Koekjesprins' genoemd.

Nog kort geleden was Lodrik bijna in een van zijn geliefde peperkoeken gestikt toen hij de sieramandelen zonder kauwen had doorgeslikt. Sindsdien werden de koeken ontdaan van noten, amandelen of andere decoraties die in de prinselijke keel konden blijven steken.

Als laatste redmiddel had de Kabcar zijn zoon ondergebracht in de kazerne in de hoofdstad om hem wat enthousiasme voor het leger – of in elk geval enige discipline – bij te brengen. Stoiko had er een hard hoofd in.

Een kwartiertje later begon de bel in het bediendenvertrek luid te rinkelen.

'Hoor je het niet? Zijne hoogheid is klaar met eten,' zei Drunja, die uitsluitend als kokkin voor de troonopvolger was aangesteld, bezorgd. Stoiko verroerde zich niet.

'Hopelijk heeft hij het dienblad niet voor een grote koek aangezien en een tand gebroken,' grijnsde Kalinin, de staljongen, rollend met zijn ogen. 'Als hij nog zwaarder wordt, moet ik een boerenknol voor hem kopen, anders zakt hij door zijn paard.'

'Kop dicht, of ik laat jóú als paard zadelen. Dan piep je wel anders.' Stoiko kwam langzaam overeind. Hij voelde zich loodzwaar. 'Volgens mij kan er nog best iets worden uit die jongen als niet iedereen altijd kritiek op hem heeft. Maak vanmiddag zijn lievelingskostje klaar, Drunja. Na de lessen van de belastingontvangers is hij altijd onhandelbaar, en daar is mijn humeur en dat van zijn schermleraar niet tegen bestand.' De kokkin knikte en inspecteerde de provisiekast.

'Wat die jongen nodig heeft is een flink pak slaag, als je het mij vraagt.' Kalinin sloeg met een vlakke hand zo hard op de tafel dat de broodkruimels op en neer dansten. 'Klits, klats, links en rechts. Dan leert hij zich wel gedragen.'

Stoiko liep naar de deur. 'Dat heb ik ook al eens gezegd, maar het mocht niet van de Kabcar. En als jullie me nu willen excuseren? Ik moet hem in zijn kleren hijsen.'

'Die passen allang niet meer,' grinnikte de staljongen, en hij bootste de waggelende gang van de troonopvolger na. 'De stof is gekrompen. Haal de kleermaker!'

Drunja proestte en Stoiko verdween hoofdschuddend.

Lodrik was al begonnen zich aan te kleden toen de bediende de kamer binnenkwam. Hij was zijn rechterkous vergeten, zijn hemd zat scheef dichtgeknoopt en zijn pruik gleed over zijn hoofd heen en weer.

'Waar zat je nou? Ik kon mijn andere kous niet vinden!' jammerde de Tadc met een ongelukkig gezicht. Zijn bleekblauwe varkensoogjes staarden Stoiko zielig aan.

'Ach, heer.' Met een geoefend gebaar trok de bediende de ontbrekende kous uit de warrige hoop kleren tevoorschijn. 'Hier heb ik iets voor u.'

Het duurde ettelijke minuten voordat Lodriks omvangrijke gestalte in een rok, een hemd, een tuniek, een mantel en schoenen was gehesen.

De belastingontvangers begroetten de twee laatkomers met onverholen ergernis, als rechters die twee haveloze landlopers voor zich zagen verschijnen.

Hun hoge, gepoederde pruiken roken doordringend naar parfum en lavendel, om de motten op afstand te houden.

Stoiko verontschuldigde zich uitvoerig voor de vertraging en trok zich schielijk terug, terwijl de troonopvolger aan zijn rekenles begon en zich een paar uur in de berekening van rentepercentages verdiepte.

Nadat Lodrik de belastingambtenaren tot wanhoop had gebracht probeerde hij vervolgens de vijftig leden van zijn lijfwacht met onduidelijke bevelen en onmogelijke instructies in het gareel te houden. Het had slechts als resultaat dat de mannen als kippen zonder kop over het exercitieterrein holden, in een oprechte poging hun orders uit te voeren.

Kolonel Soltoi Mansk, commandant van de koninklijke lijfwacht en de kazerne, stond achter het raam van zijn werkkamer en volgde het pijnlijke tafereel met toenemende ontzetting. Helaas kon hij de jongeman niet publiekelijk tot de orde roepen, want zo'n vernedering van de Tadc voor het oog van alle troepen zou het einde van zijn carrière betekenen.

Maar toen drie soldaten van de lijfwacht met de koppen tegen elkaar knalden en een van hen zijn hellebaard liet vallen, waar de vierde over struikelde, moest hij toch ingrijpen, ongeacht de gevolgen.

'Sergeant, sla alarm. We houden een onverwachte oefening om de snelheid van de troepen te testen,' riep hij tegen de grijnzende bazuinblazer op de binnenplaats.

Het muzikale, door onderdrukte vrolijkheid wat bibberig geblazen signaal onderbrak de circusvoorstelling op het exercitieterrein. De lijfwacht was de eerste eenheid die rechtsomkeert maakte en terugrende naar zijn post.

Lodrik keek de verdwijnende soldaten na, liet zijn sabel zakken, haalde zijn schouders op en verdween naar binnen.

'Die troonopvolger moet hier weg.' De kolonel keek naar de stralende gezichten van zijn mannen, zichtbaar opgelucht dat ze aan de klauwen van het joch waren ontkomen. 'Voordat iemand het plan opvat om te deserteren.'

'Mijn zoon is een nietsnut.' Onheilspellend bleef het zinnetje in de salon van de Kabcar hangen. Het rook er naar kruiden en sterke tabak. In de asbak gloeide de pijp van de vorst nog even na en doofde toen.

Kolonel Mansk roerde in zijn koffie en staarde neutraal naar het vergulde schoteltje.

'Hij is nergens goed voor. Een koekjes vretende schertsfiguur, meer is hij niet! Heel Tarpol maakt zich vrolijk over hem.' Grengor Bardri¢, vorst van Tarpol, heerser over negen provincies, overwinnaar bij talloze boerenopstanden en strateeg van een omvangrijk leger, liet moedeloos zijn schouders zakken. 'De andere koningshuizen lachen zich heimelijk een ongeluk als hij bij een feestelijk banket verschijnt en zich daar volpropt zonder een fatsoenlijk woord met iemand te wisselen.'

'Hij heeft ongetwijfeld ook goede kanten, hoogheid,' protesteerde de kolonel zwakjes, zonder zijn vorst aan te kijken.

'Wat ik ervan hoor weet hij die voortreffelijk te verbergen.' De Kabcar legde zijn armen op zijn rug en staarde uit het raam.

Donkere regenwolken pakten zich samen boven de horizon, een kille wind blies door de kieren van het venster en deed de kandelaars flakkeren. Het land leek slaperig, bijna apathisch de komst van de winter af te wachten.

'Op de een of andere manier moet ik toch een man van die bengel zien te maken. Bij Ulldrael! Hoe moet hij het rijk besturen als hij alleen maar interesse in eten heeft? Ik ben bang dat het Tarpoolse rijk nog met mij zal uitsterven, Mansk.'

De officier schraapte zijn keel. 'Toch niet, hoogheid. Het leger is sterker dan ooit, er heerst een zekere rust in de provincies en de bevolking lijkt tevreden.' De kolonel zette zijn kopje neer en keek de koning aan. 'Geef hem nog wat tijd...'

'Maar liever niet in uw kazerne?' Grengor maakte zijn blik van de wolken los en draaide zich op zijn hakken om. 'Niemand houdt het langer dan een maand met hem uit. Overal waar hij komt wekt hij ergernis. De klachten en geruchten nemen toe. Ik weet eerlijk gezegd niet wat ik met hem beginnen moet.'

De Kabcar schonk zich nog een kop thee in en volgde de opstijgende damp met zijn ogen. 'En je moet er niet aan denken dat een of andere gek zou proberen hem te vermoorden, sinds dat bericht over het visioen van de monnik ook buiten het paleis is uitgelekt. De wachtposten hebben al een Tzulani in zijn kraag gegrepen die met een dolk naar binnen wilde sluipen. Drie dagen geleden heeft een onbekende een vergiftigde taart voor Lodrik bezorgd die een voorproever het leven heeft gekost. Om wanhopig van te worden.'

Mansk bracht het kopje weer naar zijn lippen en nam een slok van de sterke zwarte thee, waarin hij een lepeltje kersenmarmelade had gedaan.

'Misschien heeft hij te weinig ervaring met verantwoordelijkheden, hoogheid. Wat voor kans heeft hij om iets te presteren? Bij alles krijgt hij hulp. Stoiko helpt hem zelfs bij het aankleden. Hoe moet hij dan ooit iets leren? Een man ontwikkelt zich immers door zijn ervaringen.'

'Wat een geklets! Het enige wat zich ontwikkelt is zijn buik, omdat hij van louter ellende nog meer koek, taart en gebak naar binnen werkt.' Grengor pakte een glazen karaf uit een kastje boven de haard en gooide een borrel in zijn thee. Na een korte aarzeling schonk hij er nog een flinke scheut achteraan. Toen nam hij aandachtig een slok. 'Maar misschien moeten we hem eens op de proef stellen.'

Er was niets anders te horen dan het geknetter van het haardvuur. De dikke, donkerblauwe wandkleden absorbeerden alle storende geluiden – de belangrijkste reden waarom de Kabcar zo op deze kamer gesteld was. Hier kon hij een paar uur afstand nemen van de mensen, de last van zijn verplichtingen en zijn positie als heerser over Tarpol. Zonder zijn rijkelijk met alcohol aangelengde thee kon en wilde hij niet meer werken, laat staan beslissingen nemen.

Gebukt onder het verdriet dat zijn vrouw bij de geboorte van Lodrik was gestorven. Ook zij had van de geborgenheid van deze kamer gehouden. Wat een ironie dat zijn nietsnut van een zoon juist hier was verwekt.

Er werd zachtjes geklopt, maar Mansk en Grengor reageerden geprikkeld op de ongepaste interruptie.

'Wát?' blafte de Kabcar. Een lakei stak voorzichtig zijn hoofd naar binnen.

'Uw zoon wacht op u in de ontvangstkamer, hoogheid.'

'Zeg maar dat ik eraan kom.' En de bediende verdween.

Grengor trok zijn donkergrijze uniform recht, sloeg wat stofjes van het goudstiksel, pakte zijn sabel, die hij als wandelstok gebruikte, en liep naar de deur. 'Kolonel, u komt met mij mee. Ik heb uw hulp nodig in deze situatie.'

Mansk dronk in één teug zijn kopje leeg en sprong overeind. 'Natuurlijk, hoogheid.' Haastig liep hij naar de deur en hield die open voor de Kabcar. 'Wat bent u van plan? Is er een idee bij u opgekomen?'

'Niet zo nieuwsgierig, man.' Opeens begon Grengor te grinniken en hij legde een hand op de schouder van de officier. 'Maar u hebt me wel op het goede spoor gezet. Erger dan het nu is, kan het niet worden.'

'Behalve als de Tadc iets zou overkomen,' wierp de kolonel tegen, terwijl hij de vorst van Tarpol liet voorgaan en de deur van de salon achter zich dichttrok.

'Er zijn dagen dat ik de terugkeer van de Donkere Tijd een minder grote ramp zou vinden dan deze zoon – bijna een opluchting, neem dat maar van me aan, Mansk.'

Met verende tred ging Grengor op weg naar de ontvangstkamer, terwijl kolonel Mansk nog eens zorgelijk nadacht over de woorden van de plotseling zo goedgeluimde Kabcar.

De ontvangstkamer, een grote, lichte zaal met veel gouden ornamenten, indrukwekkende pilaren en reusachtige schilderijen van vroegere vorsten, zat zoals altijd vol met griffiers, ambtenaren en schrijvers. Voor de deur wachtte een lange rij onderdanen met allerlei verzoekschriften.

Kooplui, bedelaars, boeren of gewone burgers, elke dag kwamen er grote groepen naar het paleis om hun wensen kenbaar te maken, het liefst aan de Kabcar persoonlijk.

Toen Grengor en kolonel Mansk langs de rij wachtenden liepen, waagden sommigen het de koning aan te klampen met verzoeken om belastingverlaging, klachten tegen landheren of 'winstgevende plannen voor de staatskas', zoals dubieuze loterijen, pandbrieven en dat soort zaken.

Grengor Bardri¢ stak een vorstelijke hand op, zwaaide met zijn sabel en liep haastig verder naar de ontvangstkamer, terwijl Mansk en een paar bedienden de grootste lastposten de deur uit zetten.

Na enkele minuten was de rust in de gang hersteld. De officier fatsoeneerde zijn kleren en stapte de zaal binnen.

De Kabcar troonde op een hoge, rijkbewerkte houten zetel, bekleed met bont en zachte stoffen. Hovelingen en schrijvers dromden om hem heen.

De lakei bij de deur sloeg drie keer met zijn staf op de grond en riep: 'Kolonel Mansk, bevelhebber van het Eerste Regiment, commandant van de koninklijke lijfwacht en...'

'Ja, ja, ik weet het. Ik heb net nog thee met hem gedronken,' zei Grengor nuchter en hij wenkte de officier. 'Kom achter me staan, dan heb ik rugdekking.' Een bediende bracht de Kabcar een beker die verdacht naar grog rook. 'En laat nu de Tadc binnenkomen. Ik kan niet wachten om mijn zoon te zien.' Er werd zachtjes gelachen om de spottende toon van de vorst.

De officier beet op zijn onderlip om niet in lachen uit te barsten toen de troonopvolger de ontvangstkamer binnenkwam. Hij wilde het protocol niet verstoren, maar het tafereel dat zich aandiende was echt te zot.

Op het voorhoofd van de dikke jongeling prijkte een stevige buil, hij had zijn rechterarm in een mitella, zijn hand in het verband, en zijn ogen waren rood behuild.

Een paar ambtenaren trokken haastig hun zakdoek, anderen draaiden zich om, met schokkende schouders. Een vrolijk gemompel ging door de zaal, dat aanzwol toen de Tadc, ondersteund door zijn trouwe Stoiko, naar zijn vader toe hinkte.

'Rijles?' vroeg Grengor, schijnbaar geamuseerd. Zijn zoon knikte zwijgend en probeerde zich een houding te geven.

'U had moeten zien hoe hij met die half wilde moor tekeerging, koninklijke Kabcar,' deed Stoiko een zoveelste poging om de situatie te redden. Hij maakte een buiging. 'We hebben het hem allemaal afgeraden, maar de Tadc was zo moedig dat hij hem zonder hulp besteeg. Het beest verzette zich tot het uiterste en heeft hem vijf keer uit het zadel geworpen, maar uiteindelijk kreeg de Tadc hem toch in bedwang.'

De rij van griffiers en ambtenaren applaudisseerde beleefd en de schrijvers bogen het hoofd om een nieuw avontuur van de troonopvolger te noteren.

Lodrik snoof en lachte onzeker. 'Ja, zo ging het.'

'Het doet me deugd dat mijn zoon opeens zo'n dapper man geworden is.' De Kabcar proostte met zijn beker. 'Misschien is er nog hoop voor hem. Ooit.' Hij knikte naar de verbonden hand. 'Gebroken?'

Stoiko schudde het hoofd. 'Een sneetje met de sabel, toen hij een bijzonder dappere manoeuvre uitvoerde en de kling van zijn leraar met zijn blote hand opving. Hij is nergens bang voor, koninklijke Kabcar.'

Weer een applaus van het hof, en opnieuw doopten de schrijvers hun pennen in de inkt voor een notitie.

'Hij gaat met de dag vooruit, nietwaar, kolonel?' Lachend

wendde Grengor zich tot de officier, die zijn handschoen voor zijn mond hield om een grijns te verbergen.

'O, zeker, koninklijke Kabcar.' Mansk hoestte even. 'Hij is een bijna volleerde bevelhebber. Mijn mannen raakten... hoe moet ik het zeggen?... geheel buiten zichzelf.'

Lodrik straalde en richtte zich enigszins op, om met een kreet van pijn weer in elkaar te krimpen.

De Kabcar zette zijn grog neer en klapte in zijn handen. 'En laat ons nu alleen. Mijn zoon en ik hebben nog een vertrouwelijke kwestie te bespreken. De audiëntie is beëindigd.'

Grengor knikte naar de lakei bij de deur, die de boodschap naar buiten doorgaf. De hovelingen en beambten trokken zich haastig uit de zaal terug.

Even later was de heerser van Tarpol alleen nog in gezelschap van zijn zoon Lodrik, kolonel Mansk en Stoiko.

'En nu de waarheid, Stoiko. De schrijvers en het nieuwsgierige volk zijn verdwenen.' Het gezicht van de Kabcar stond ijzig. Langzaam leunde hij naar achteren op zijn troon en slurpte van zijn beker.

Mansk had een onbehaaglijk voorgevoel. Hij vreesde een woede-uitbarsting van de vorst. In de verte klonk een gerommel, dat heel passend een naderend onweer aankondigde.

'En leg het er de volgende keer bij je rapport niet zo dik bovenop. Dat je liegt, weet iedereen, maar overdrijf het niet.'

De raadsman van de Tadc maakte een grimas. 'Excuus, hoogheid,' zei hij met een buiging, 'maar ik wilde een gunstiger beeld schetsen van de troonopvolger. Het wordt immers ook voor het nageslacht vastgelegd. En als Lodrik eenmaal volwassen is geworden, een leider die uw rijk met krachtige hand bestuurt, zou het toch vreemd zijn om te lezen dat hij als jongen van vijftien in de koninklijke stallen van een tamme knol was gevallen omdat hij zijn voet niet in de stijgbeugel kon krijgen.'

'Absoluut,' viel Grengor hem bij. 'Dat zou niet passen. En ik waardeer je goede zorgen om mijn zoon. Maar wat is er met zijn hand gebeurd? Was dat werkelijk een roekeloze manoeuvre?'

'Ik wilde...' begon Lodrik, maar de Kabcar viel hem in de rede.

'Stil! Jou spreek ik straks nog wel. Stoiko, geef antwoord.'

'De instructeur is ernstig van streek, hoogheid.' Stoiko maakte nog een buiging. De tranen liepen de Tadc over de wangen. 'Lodrik moest een aanvallende actie uitvoeren, een slag tegen het hoofd, maar daarbij verloor hij zijn evenwicht, zodat zijn rechterspoor zich in zijn linkerteen boorde. Van schrik liet hij zijn sabel vallen, en toen hij die wilde oprapen greep hij per ongeluk de scherpe punt, hoogheid.'

'Het was niet de schuld van de instructeur, vader. U moet hem niet straffen, alstublieft.' Lodrik had zijn stem weer terug.

Grengor keek hem koeltjes aan. 'Als ik iedereen ter dood zou veroordelen bij wie jij je tijdens je lessen hebt verwond, zou ik de laatste overlevende zijn in heel Tarpol.' De stem van de koning schoot uit. 'Dan zouden er zelfs geen paarden, honden, roofvogels of andere dieren meer over zijn. Hij houdt zijn sporen aan bij het zwaardvechten! Hij loopt te hinken omdat hij zich met zijn eigen sporen in zijn teen heeft gesneden!'

Grengor boog zich naar voren en greep de leuningen van zijn stoel. Zijn knokkels trokken wit weg, zijn armen beefden en de aderen in zijn hals zwollen op. Mansk deed wijselijk een stap terug.

'Hoe moet mijn zoon in vredesnaam ooit een rijk besturen? Hóé, vraag ik u!' Lodrik staarde zijn vader aan. Zijn onderlip trilde en zijn ogen stonden vol tranen. 'Moet je hem zien, met zijn vollemaansgezicht, zijn dikke pens en zijn twee linkerhanden! Hij kan niet paardrijden, niet vechten, geen leger leiden.' Grengor sloeg met zijn vuist tegen het hout van de stoel. 'En het ergste is dat de hele toekomst van Ulldart in handen ligt van zo'n sukkel! Het continent loopt al gevaar zodra mijn zoon één voet buiten deze kamer zet!' De hoge zaal versterkte zijn woedende gebrul en de laatste zin galmde nog een tijdje tussen de muren en pilaren.

De Tadc stond nu onbeheerst te jammeren en te grienen, waardoor zijn vader in een nieuwe tirade uitbarstte.

De officier zag het medelijden in Stoiko's ogen en had zelf ook met de jongen te doen. Zijn aanvankelijke leedvermaak was verdwenen.

'Hij is een blamage voor ons, voor Tarpol en misschien wel voor heel Ulldart. Wat bezielde Ulldrael de Wijze toen hij ons die voorspelling zond?' Na een tijdje kalmeerde de Kabcar enigszins, zocht een gemakkelijker houding en greep de grogbeker van het tafeltje.

'Maar ik zal hem leren hoe een toekomstig heerser zich heeft te gedragen. Kolonel Mansk heeft me op een idee gebracht.' De officier keek zijn koning verbaasd aan. 'U zei toch dat een man alleen kan leren van zijn eigen ervaringen?'

Mansk knikte aarzelend en vroeg zich af wat voor lot hij met zijn woorden over de jonge Tadc had afgeroepen. Ook Stoiko keek vragend.

Lodrik snotterde nog eens, haalde een zakdoek uit de mouw van zijn uniform en snoot luidruchtig zijn neus. Zijn voorouders, al die dode regenten op hun schilderijen, leken verwijtend op de dikke jongen neer te zien.

'Ik heb een opdracht voor mijn zoon die een goede voorbereiding kan zijn op zijn toekomst als vorst en bestuurder van dit rijk.'

'Maar dat wil ik helemaal niet,' klonk het koppig uit de mond van de Tadc, die nog eens zijn neus snoot en zijn vader uitdagend aankeek.

'Niks mee te maken. In het belang van Tarpol heb ik overwogen om je in de diepste kelder van het paleis te laten opsluiten, maar ik heb een beter plan.' Grengor stond op. 'Niemand zal ooit kunnen zeggen dat het geslacht van de Bardri¢s na mij een ongeschikte Kabcar op de troon heeft gezet.' Hij daalde de treetjes af en stelde zich voor zijn zwaarlijvige nazaat op. 'Jij vertrekt morgen.'

De Tadc sperde zijn ogen open. 'Waarheen dan? Ik wil niet weg. Het wordt winter en dan is reizen veel te zwaar.'

'Hou op met jammeren, of ik sla je zo hard met mijn beker voor je kop dat je ervan suizebolt, heer zoon!' snoerde de Kabcar hem de mond, terwijl hij met zijn sabel op de marmeren vloer bonkte. De kolonel en Stoiko stonden als verstijfd, maar de Tadc kromp ineen alsof de bliksem was ingeslagen. 'Je gaat in alle vroegte op weg, samen met Stoiko, een lijfwacht en instructeur.'

Mansk hield zich muisstil, om vooral niet de aandacht van de vorst op zich te vestigen. Zei Grengor daar iets over een instructeur?

'Je vertrekt naar de provincie Granburg om daar de gouverneur te vervangen. Wasilji Jukolenko is me al te lang een doorn in het oog.'

Mansk liet van schrik zijn handschoenen op de grond vallen, de trouwe bediende trok ongelovig zijn wenkbrauwen op en Lodrik staarde zijn vader met open mond onnozel aan.

'Ja, maar hoe... Ik bedoel...' stotterde de Tadc, maar hij zweeg toen Grengor gebiedend een hand ophief.

'Ik was nog niet uitgesproken, heer zoon. Je gaat daar niet heen als Tadc, maar je geeft je uit voor de zoon van een hara¢ die dat ambt gekocht heeft. Niemand kent mijn zoon in dat afgelegen oord, zo ver in het noordoosten, dus hoef je niet bang te zijn voor moordaanslagen.' De vorst zette zijn lege beker neer en keek de troonopvolger recht in zijn knipperende varkensoogjes. 'Als je terugkomt, verwacht ik dat er een man uit je is geworden, die alles beheerst wat van een toekomstige Kabcar mag worden verwacht. Stoiko zal daarop toezien.'

Grengor ging weer zitten en Lodrik staarde naar de neuzen

van zijn schoenen. Ver weg van zijn lievelingskoeken, warme melk en een warm bed... De toekomst zag er niet zonnig uit.

'Hoogheid, met permissie, het lijkt me een geweldig idee.' De trouwe bediende glimlachte weer. 'Maar bent u niet bang dat het een te grote verantwoordelijkheid voor hem is, zo opeens?'

'Als ik morgen zou sterven, zit hij op de troon. Dát zou me een te grote verantwoordelijkheid voor hem lijken,' antwoordde Grengor. 'Als hij die proeftijd in Granburg goed doorstaat, zal hij ook in staat zijn om Tarpol waardig te besturen. Lukt hem dat niet, dan is de kelder van het paleis nog altijd vrij en zet ik een andere opvolger op de troon, al zou ik die van de straat moeten plukken. Heeft mijn zoon dat goed begrepen?'

De Tadc slikte hoorbaar en knikte haastig.

'Wie zullen we als persoonlijke lijfwacht en instructeur met hem meesturen, kolonel Mansk?'

Aan de toon hoorde de officier dat hij daarvoor kandidaat was. Maar hij had weinig zin in de koude winter van het noordoosten, waar je adem tot wolkjes ijs bevroor. Hij besloot zich netjes en gewiekst van de zaak af te maken.

'Hoogheid, het spijt me verschrikkelijk, maar ik heb verplichtingen in de hoofdstad.' De Kabcar keek hem bij die woorden verwonderd aan. 'Maar ik weet iemand die bijzonder geschikt zou zijn,' ging Mansk haastig verder, 'een ervaren en moedige militair, die iedere vijand van zijn paard heeft gestoten of met zijn sabel naar de andere wereld heeft geholpen. Hij lijkt me de juiste man voor deze vertrouwenspositie.'

Stoiko wierp Mansk een afgunstige blik toe. Hij begreep ook wel dat de officier onder de lange reis en het onafzienbare verblijf in zo'n uithoek van het land probeerde uit te komen.

Grengor dacht even na. 'U staat voor hem in?'

Mansk knikte. 'Ik zou geen betere kandidaat weten, hoogheid.'

'Goed, dan vertrouw ik op u.' De Kabcar stond op en liep naar de deur. 'Als mijn zoon iets overkwam, zou dat waarschijnlijk de terugkeer van de Donkere Tijd betekenen, bedenk dat wel. In elk geval zou het u de kop kosten, hoe het ook met Ulldart afloopt. Ik hoop dus voor u dat die militair zijn reputatie kan waarmaken.' De trouwe bediende grijnsde de officier toe en knipoogde vrolijk. 'Tot ziens. Morgen wil ik het gezicht van mijn zoon niet meer tegenkomen in deze stad.' En de vorst verdween, zonder nog een groet.

'U hebt geluk gehad,' zei Stoiko tegen de kolonel, die bleek was weggetrokken. 'U kunt rustig thuisblijven, terwijl de Tadc en ik in Granburg mogen blauwbekken. De hemel weet wat daar allemaal kan gebeuren. Je hoort verschrikkelijke verhalen over wilde dieren.' De officier werd nog bleker en streek verstrooid met een hand langs zijn hals.

'Is het echt zo koud in Granburg?' vroeg Lodrik, en hij plukte wat aan het verband om zijn hand. 'Dan heb ik echt geen zin. Bovendien doet alles pijn als ik in een koets moet rijden.' De Tadc betastte voorzichtig zijn arm en maakte een grimas. 'Hoe ver is het eigenlijk naar Granburg, kolonel?'

'Ongeveer vierhonderd warst.' Mansk overwoog of hij misschien toch met de troonopvolger mee moest gaan, dan kon hij tenminste ter plekke zelfmoord plegen als de dikke, stuntelige jongen van zijn paard zou vallen en zijn nek brak. Maar de reis en het vooruitzicht van de koude wintermaanden schrikten hem toch af. Hij kon beter Waljakov sturen.

'Wat? Zo ver? Dan wil ik helemáál niet.' Lodrik trok een pruilmond, waardoor zijn vollemaansgezicht in elk geval enige uitdrukking kreeg. 'Kunnen we niet doen alsof we vertrekken en dan stiekem weer terugkomen, Stoiko?'

De raadsman schudde zijn hoofd. 'Ik wil geen problemen met uw vader. Hij zal zeker verspieders sturen om vast te stellen of u werkelijk in Granburg bent aangekomen. Hij is een zeer behoedzaam man.'

'Wat een ellende.' De troonopvolger zocht met zijn gewonde hand in de gordel om zijn buik en viste er een verkruimeld koekje uit, dat hij haastig in zijn mond propte.

Lodrik waggelde weg. Stoiko en de kolonel slaakten gelijktijdig een zucht toen ze hem zagen vertrekken.

'Ik zie mijn kop al rollen,' mompelde de officier met een onheilspellend voorgevoel.

'Wie beweerde dan ook dat een man moet leren van zijn eigen ervaringen?' wierp de bediende hem voor de voeten.

'Ik bedoelde het heel anders dan de Kabcar het opvatte.' Mansk raapte zijn handschoenen op en wenste dat hij een anonieme novice in een Ulldrael-klooster was.

'Wees blij. U mag hier blijven, terwijl ik kan doodvriezen. Dat schijnt geen prettige dood te zijn, heb ik gehoord.' Stoiko klappertandde en sloeg zijn armen om zich heen.

'Wat doe je? Zo koud is het hier niet.'

'Ik oefen alvast, kolonel. Ik oefen alvast.'

II

'Tzulans geest lokte Ulldrael met een list naar een plek voorbij ruimte en tijd, sprak een machtige bezwering over hem uit en dwong hem honderd jaar te slapen, zodat hij niet kon ingrijpen op zijn continent.

Eigenhandig en op verraderlijke wijze doodde Sinured de wijze koning Hultras, vorst van Barkis. Daarna bracht hij diens vrouw en zijn vier kleine kinderen naar de hoogste toren van de burcht en wierp hen van de tinnen, zodat Hultras geen wettige nakomelingen meer zou hebben. Vervolgens betichtte Sinured een van de raadslieden van deze afschuwelijke daad, legde valse bewijzen over en dwong de ongelukkige met folteringen tot een bekentenis.

Toen het volk hoorde dat de koning dood was en geen levende erfgenamen meer had, verlangde het dat Sinured de troon zou bestijgen. De krijgsheer, listig als altijd, wees dit verzoek eerst af, maar gaf na ogenschijnlijk grote aarzeling toch toe.

En de mensen bejubelden de nieuwe heerser van Barkis, van wie zij veel verwachtten.'

Historische Almanak van Ulldart,
deel xxi, blz. 1046

Provincie Granburg, koninkrijk Tarpol, winter 441 n. S.

De eerste driehonderd warst verliepen voorspoedig. Het reisgezelschap had plaatsen geboekt aan boord van enkele handelsschepen over de rivier de Repol. Maar daarna moest de tocht te voet worden voortgezet.

De winter, die in Ulsar nog pas zijn schaduw vooruitwierp, strekte verder naar het noordoosten zijn ijzige hand al uit, en hoe dichter ze in de buurt van Granburg kwamen, des te kouder het werd. Lodrik had het gevoel dat ze de provinciehoofdstad nooit zouden bereiken.

Afgezien van de kleinere vlakten werd het landschap gedomineerd door loofwouden. Vanachter de raampjes van zijn koets zag de Tadc niets anders dan eindeloze rijen kale bomen.

Somber en levenloos regen de bossen zich aaneen, met nauwelijks een spoor van menselijke bewoning. Slechts hier en daar kringelde een rookpluim naar de grijze hemel, die de aanwezigheid van een verscholen dorp, een boerderij of een eenzame kolenbrander verried. Tot overmaat van ramp dreigde het ieder moment te gaan sneeuwen.

Het groepje reisde door een gebied dat blijkbaar weinig voeling had met het wegenbouwprogramma van Tarpol. De boeren en edelen trokken zich niets aan van de orders van de Kabcar, of de instructies over het onderhoud van de wegen waren hier nog niet doorgedrongen. Vermoedelijk lag de boodschapper met een gebroken nek in een greppel, omdat zijn paard een kuil over het hoofd had gezien.

Ingepakt in een dikke bontmantel en met dekens over zich heen zat de Tadc in de hobbelende koets, die bij elke oneffenheid vervaarlijk kreunde en knarste, en probeerde de verveling te verdrijven. De bijtende kou drong zelfs door al die lagen kleding, en zijn adem vormde witte wolkjes.

'Kijk, Stoiko, ik ben een draak,' zei de jongen, en hij blies zijn adem naar zijn raadsman.

Stoiko, die zich ook dik had ingepakt, deed alsof hij schrok. 'Ulldrael, sta me bij! Dat beest stinkt verschrikkelijk uit zijn bek. Ik zit hier dood te gaan.'

'Dat is niet waar.' De Tadc was beledigd. 'Ik stink niet uit mijn bek.'

'Jawel, heer. We stinken allemaal, en niet alleen uit onze bek. Wat zou ik nu graag in een heerlijk groot bad liggen, met heet water en jonge meisjes die ik...'

De dienstknecht zag het vragende gezicht van de troonopvolger en zweeg. Hij was even vergeten dat zijn pupil nog nooit interesse had getoond in het vrouwelijke geslacht.

Iedere boerenzoon van vijftien had al eens met een meisje geslapen. Soms vroeg Stoiko zich af of de Tadc wel ooit belangstelling zou krijgen voor andere zaken dan eten.

'Laat maar, heer.'

'Wat wil je met jonge meisjes? Die doen alleen maar gek en lachen je uit.' Lodrik staarde hem vol verwondering aan. 'Ik heb liever een bootje in het bad.'

'Natuurlijk, heer,' zuchtte de dienstknecht. Hij sloot zijn ogen en droomde verder over een heet bad en meisjes. Veel meisjes.

'Stoiko, ik heb honger.'

De raadsman nam weer afscheid van zijn droom. De meisjes

sprongen op en renden weg, het bad verdween en hij zat naakt in de sneeuw.

'Heer, pak de tas onder uw stoel. Daar zitten nog koekjes in,' zei hij zacht, in de hoop dat de jongedames zouden terugkeren.

'Nee, niet waar,' zeurde Lodrik. 'Die heb ik al opgegeten toen jij zat te slapen.'

'Dan zijn ze op.' Stoiko had geen zin in een discussie met de Tadc. De 'noodvoorraad' zat in de bagage op het dak en hij was niet van plan om de koets daarvoor te laten stoppen. 'U zult tot later moeten wachten.'

'Maar ik heb nú honger, en niet later. Haal nieuwe koekjes, Stoiko. Nu meteen!' toeterde de troonopvolger met zijn hoge stem in het oor van zijn mentor, die geërgerd zijn ogen opensperde.

'Ik heb van de Kabcar opdracht gekregen een man van u te maken. Mannen eten geen koekjes, tenminste niet voortdurend. En ze zeuren ook niet zo.' Stoiko zag het stomverbaasde gezicht van de Tadc. 'Uw vader heeft gezegd dat ik u wat harder moest aanpakken, heer, en dat zal ik doen ook.'

'Maar dat wil ik...' begon Lodrik.

'En niet steeds "dat wil ik niet"!' De raadsman keek strak in de varkensoogjes van de jongen tegenover hem. 'Zo is het wel genoeg. Als u straks gouverneur bent, moet u een beetje geloofwaardig overkomen als zoon van een hara¢. Die zit niet de hele dag koekjes te kauwen! Dus beheers u een beetje. Ulldrael de Rechtvaardige weet dat ik de laatste ben om kritiek te hebben, maar u kunt beter mijn raad ter harte nemen.'

Lodrik slikte hoorbaar, vocht tegen zijn tranen en staarde uit het raampje. 'Ik zal het proberen, Stoiko,' mompelde hij. 'Is het echt zo erg met me?'

'U moet nog veel leren, heer. Dat is alles.' Stoiko klonk al wat milder en klopte de Tadc bemoedigend op zijn schouder. 'Het zal best lukken, allemaal.' De raadsman vreesde dat hij voor een deel ook schuldig was aan de slappe houding van de troonopvolger. Misschien had hij hem al die jaren te veel verwend. Hij nam zich voor daar iets aan te veranderen.

Opeens brulde de koetsier een verwensing. Er klonk een zware klap, de passagiers werden van hun bank gesmeten en de koets helde naar rechts.

De rolgordijntjes voor de ramen vielen door de klap omlaag, waardoor het plotseling aardedonker was in de koets. Lodrik lag half over Stoiko heen, die kreunend probeerde zich van het gewicht van de troonopvolger te bevrijden.

'Heer, wilt u van me af gaan? Ik krijg geen lucht meer.'

Langzaam kwam de koets tot stilstand. De voerman slaakte een aantal vloeken die Lodrik nog nooit van zijn leven had gehoord, en Waljakov, de grote, gespierde lijfwacht, riep luide bevelen tegen de soldaten.

'Ik zie niks meer.' De Tadc probeerde overeind te komen, maar in zijn dikke bontjas bewoog hij zich nog moeilijker dan gewoonlijk. 'Het lukt niet, Stoiko.'

Toen Waljakov de deur openrukte, tuimelde Lodrik weinig koninklijk de koets uit en landde in de prut. Met de scherpe woorden van zijn mentor nog in zijn oren hees hij zich haastig op de been en probeerde een gezaghebbende indruk te maken, ondanks de geelbruine drek die aan zijn kleren kleefde.

Ook Stoiko klauterde half struikelend uit de koets. 'Wat is er gebeurd? Lag er een koe op de weg of hebben we een reus overreden?'

De lijfwacht wees naar het verbrijzelde rechtervoorwiel. 'De koetsier zag een kuil te laat. Door de klap zijn de spaken gebroken.' Acht man waren al bezig de koets omhoog te krikken, zodat de negende een boomstam onder de zijkant kon schuiven. De overige soldaten bemoeiden zich niet met de reparatie van de koets en bleven in het zadel, terwijl ze scherp de omgeving in de gaten hielden. 'We mogen nog van geluk spreken dat de as niet is gebroken.'

Lodrik wierp een tersluikse blik op de man die kolonel Mansk als zijn persoonlijke lijfwacht had aangesteld.

Waljakov, die minstens een kop groter was dan Stoiko, droeg een glad ijzeren borstschild en arm- en beenkappen over zijn winterkleren. Een helm met een vederbos beschutte zijn kaalgeschoren hoofd tegen de ijzige kou.

De staalgrijze ogen van de gespierde militair, voortdurend speurend naar mogelijke gevaren, hadden iets onheilspellends, vond de Tadc. Eventuele overvallers hadden van deze man geen genade te verwachten.

Tegen de gewoonte van het land in had Waljakov geen volle baard, maar een kort, zilvergrijs ringbaardje. Eigenaardig was zijn gewoonte om zijn linkeronderarm bijna roerloos ter hoogte van zijn broekriem te houden, met zijn hand vlak bij de greep van zijn sabel.

En Lodrik was nog iets anders opgevallen. De lijfwacht liep, reed en bewoog zich net zo vanzelfsprekend onder het gewicht van zijn wapenrusting en zijn dikke winterkleren alsof hij een zomerbroek en een zijden hemd droeg. Stoiko, toch ook een man met een rijzige gestalte, leek naast Waljakov niet meer dan een opgeschoten knaap.

'Als de mannen snel doorwerken, kunnen we over een uur weer onderweg zijn, heer. Gelukkig hebben we een reservewiel bij ons,' zei Waljakov. Met een lichte buiging draaide hij zich om en liep naar voren om de bijrijders te helpen de paarden kalm te houden.

Stoiko had de gedachten van zijn pupil geraden. 'Het verhaal gaat dat hij meer dan vijftig tegenstanders in het duel heeft verslagen en tientallen gevechten voor uw vader heeft gewonnen.'

'Dat geloof ik meteen.' Lodrik probeerde het vuil van zijn berenvacht te vegen, maar de vochtige aarde bleef kleven. 'Hij zal me heel wat meer kunnen leren dan mijn oude instructeur.'

De raadsman hield zijn hoofd schuin. 'Hij schijnt geen makkelijk mens te zijn. Nogal driftig. Dat moet u wel weten als u les van hem wilt krijgen.'

'Dan zullen we elkaar goed begrijpen, want ik ben ook geen makkelijk mens,' verklaarde de Tadc vol vertrouwen en hij deed een paar stappen op en neer.

Stoiko deelde de visie van de troonopvolger niet onmiddellijk en zag in gedachten de akeligste conflicten opdoemen.

'Wat is er met zijn hand, die hij steeds zo onbeweeglijk houdt?' vroeg Lodrik. 'Een beetje vreemd is dat wel.'

'Dat moet een onvoorzichtigheid zijn geweest. Voor zover ik weet heeft hij die hand als jongen verloren, tijdens zijn opleiding. Binnen de garde gaat het verhaal dat hij door een strijdbijl is getroffen.' Stoiko trok zijn eigen hand in de mouw van zijn jas terug om een stomp na te bootsen. 'Zijn familie liet de beste geneesheer komen die er was, en die heeft hem een mechanische hand aangemeten uit een soldatenhandschoen. Met de afgehakte spieren van zijn onderarm schijnt hij de vingers te kunnen buigen en strekken. Een ijzeren vuist, zo krachtig dat een paar van zijn tegenstanders een klap tegen hun hoofd niet hebben overleefd.'

'Het komt nogal griezelig over.' De Tadc bewoog zijn vingers. 'Zou het nog pijn doen?'

Stoiko haalde zijn schouders op en draaide zich om. 'In elk geval laat hij er niets van blijken.'

De koets was gestrand op een kleine heuvel, waar de reizigers van het uitzicht hadden kunnen genieten als het niet zo'n onvriendelijke, koude dag was geweest.

Wolkensluiers benamen het zicht en de lichte nevel die in de toppen van de kale, starre bomen hing, maakte de omgeving ook niet gastvrijer.

'Ik geloof niet dat Granburg me bevalt.' Lodrik liet zijn blik over het troosteloze landschap glijden. 'Waarom heeft mijn vader me juist aan het begin van de winter hierheen gestuurd? En waarom niet naar zee, of naar een provincie waar echt iets aan de hand is?'

Stoiko hoorde de verzuchting van de troonopvolger, die heel goed wist waarom hij hier was, maar draaide zich toch naar hem toe. 'Wacht maar op het voorjaar, heer. Dan ziet het er hier veel mooier uit.' De raadsman besloot er nog een schepje bovenop te doen. 'En de keuken is uitstekend, zoals ik heb gehoord.'

'O ja?' Het gezicht van de Tadc klaarde op.

Stoiko knikte nadrukkelijk en hoopte van harte dat zijn belofte niet al te ver bezijden de waarheid was.

'Kijk daar,' viel Waljakov hen in de rede en hij wees naar de rand van het bos, waar een gedaante naderde, die struikelde maar zich haastig weer herstelde.

De soldaten spanden onmiddellijk hun kruisbogen en hielden de figuur die wankelend hun kant op kwam met argusogen in de gaten. Lodrik meende hulpgeroep te horen.

'Wat krijgen we nou?' mompelde de jongen.

Opeens doken er twee grote, zwarte honden uit het kreupelhout op, die de vluchteling geruisloos achtervolgden.

De lijfwacht kneep zijn ogen tot spleetjes. 'Dat zijn Borasgotanische vechthonden. Woestere honden vind je niet. Ik heb eens gezien hoe twee van die beesten een volwassen stier aan stukken scheurden.' Bijna terloops hief hij zijn rechterarm op en de soldaten legden hun kruisbogen aan. 'Ze zijn nog niet binnen schootsafstand, maar als ze dichterbij komen laat ik ze zonder aarzelen neerschieten.'

De man was opnieuw gestruikeld. Met grote moeite krabbelde hij overeind, maar meteen viel hij weer. Binnen luttele seconden zouden de honden hem hebben ingehaald.

'Kun je niets doen, Waljakov?' Lodrik balde zijn vuisten, gefascineerd door de ongelijke en onrechtvaardige wedren.

'Die vechthonden zijn duur, heer. Ze moeten van een edelman zijn,' antwoordde de lijfwacht, zonder zijn blik een moment los te maken van wat zich verderop afspeelde. 'Ik denk dat het een strafexpeditie is, en u bent nog niet in functie als gouverneur. Het lijkt me niet verstandig dat u zich ermee bemoeit.'

Het zwakke hulpgeroep klonk nu wat duidelijker. De gedaante bleek geen man te zijn, maar een vrouw, die voor haar leven rende.

'Maakt me niet uit, Waljakov. Doe iets. Dat is een bevel!' De jonge Tadc fronste zorgelijk zijn voorhoofd. Dat had Stoiko nog nooit bij de troonopvolger gezien.

Een kort bevel van de lijfwacht, en tien soldaten renden de heuvel af om binnen schootsafstand te komen.

Maar nog voordat de eerste pijl was afgeschoten hadden de honden – groter nog dan kalveren – de vrouw bereikt. Ze sleurden haar tegen de grond en boorden hun messcherpe tanden in haar vlees.

De jammerkreten van het slachtoffer drongen tot Lodrik door toen de honden haar kleding openscheurden en grote lappen vlees uit het lichaam rukten. De bevroren grond kleurde zich bloedrood en het gekerm van de vrouw verstomde.

Toen de dieren de ruiters in de gaten kregen, aarzelden ze een moment. Ze hapten nog één keer toe, maakten rechtsomkeert en renden het bos weer in. De pijlen van de kruisbogen sloegen in de grond zonder hun doel te raken.

Het opengereten slachtoffer bleef achter in de kou. Damp steeg op van het warme lichaam.

Lodrik staarde ernaar, vol ontzetting en onbegrip. Een mens, een vrouw, was zojuist voor zijn ogen door gruwelijke roofdieren aan stukken gescheurd.

Opeens meende hij het bloed te ruiken en voelde hij zijn maag in opstand komen. Happend naar adem begon hij te braken, en als Stoiko – zelf wit weggetrokken – hem niet had tegengehouden zou hij van de helling zijn gerold.

Ook de soldaten keken vol afschuw naar het veldje beneden.

De tien te hulp geschoten soldaten reden naar de vrouw toe. Een van hen steeg af om haar te onderzoeken. Na enkele ogenblikken stapte hij weer op en reed naar het groepje terug.

'Niets meer aan te doen, heer,' riep de man die het lichaam had onderzocht. 'De honden hebben haar halve hoofd en nek weggerukt, en haar darmen puilen uit haar buik.' Weer boog de Tadc zich voorover en begon luidruchtig te kotsen.

Waljakov knikte. Zijn markante gezicht stond uitdrukkingsloos.

'O, en nog iets, heer.' De soldaat stak de lijfwacht een klein zilveren ringetje toe. 'Dit droeg ze aan haar vinger. Over een paar weken zou ze een kind hebben gekregen.'

Lodrik zakte bewusteloos in elkaar. Stoiko wist het gewicht van de jongen niet in zijn eentje overeind te houden.

'Help me even, Waljakov. Hij is verrekt zwaar,' kreunde de trouwe bediende.

Alsof het een zak veren was, trok de lijfwacht Lodrik omhoog en gooide hem zonder zichtbare inspanning over zijn schouder om hem naar de koets te dragen.

'Stap maar in. De koets is klaar,' zei hij onverstoorbaar tegen Stoiko, schijnbaar niet onder de indruk van de gebeurtenissen, maar de raadsman zag de kille, woedende blik in de ogen van de soldaat. 'We kunnen nog voor het donker bij de volgende herberg zijn. Misschien krijgen we daar te horen wie die vrouw was.' Nonchalant stak Waljakov de ring in zijn jaszak.

'Je wilt haar daar toch niet laten liggen?' Stoiko had zijn braakneigingen overwonnen, maar hij zag nog altijd bleek. Bijna was hij zelf ook van zijn stokje gegaan.

De grote man schudde zijn hoofd. 'Nee. Ik zal het regelen. Daarna haal ik jullie wel in. Het hoeft niet lang te duren.'

De raadsman zag hoe Waljakov zijn paard beklom en rustig op de heuvel wachtte totdat de koets vertrokken was. Algauw verdween de militair achter een bocht uit het zicht.

Stoiko tuurde over zijn schouder naar de horizon. Even later zag hij een dunne rooksliert opstijgen en klonk er hoefgetrappel achter de koets.

Ter hoogte van Stoiko's raampje hield de lijfwacht zijn paard weer in en heel even snoof de raadsman de lucht van petroleum op.

'Geen vos of wolf zal zich aan haar te goed doen.' Waljakov gaf zijn paard de sporen en koos weer positie aan het hoofd van de groep.

De raadsman leunde even tegen de voering van de bank en keek naar de bewusteloze Tadc. Toen zocht hij naar zijn heupfles. Na deze weerzinwekkende ervaring kon hij wel een flinke slok gebruiken.

'Op Granburg! Welkom, Stoiko. Welkom, gouverneur!'

Na drie warst was de heupfles leeg, Stoiko ingedommeld en Lodrik nog altijd in dromenland.

III

'Sinured besefte de wens van de mensen naar een nieuwe glorietijd. In elke Barkiet leefde het verlangen naar oorlog en strijd. Het was een trots en krijgslustig volk, gehard in talloze conflicten. Alras meldden zich talloze vrijwilligers voor het leger, en de vloot werd aanzienlijk uitgebreid en het koninkrijk bouwde een veel grotere krijgsmacht op dan alle andere landen in de omgeving.

In een donkere nacht liet Sinured vier grenspalen langs de Tarpoolse grens naar het gebied van Barkis terugzetten en wachtte op een patrouille uit Tarpol. Bij het eerste ochtendlicht verscheen er een gewapende eenheid, die onmiddellijk door Sinured werd overvallen. De Tarpoolse soldaten, in de veronderstelling dat ze zich nog op hun eigen grondgebied bevonden, verdedigden zich als leeuwen, maar het mocht niet baten.

Na afloop van het gevecht zette Sinured de grenspalen weer op hun oorspronkelijke plaats terug en stuurde Tarpol een bericht om de koning de oorlog te verklaren. Immers, zijn troepen hadden een invasie voorbereid, maar waren door Sinured teruggeslagen. Sinureds getrouwen zwoeren dat dit de waarheid en niets dan de waarheid was, want de sporen spraken voor zich.

De roep om oorlog schalde door heel Barkis en de mannen waren bereid om Sinured te volgen...'

Historische Almanak van Ulldart,
deel xxi, blz. 1047

De westkust van Tarpol, winter 441 n. S.

'Zeil, recht vooruit!' kwam de melding van de uitkijk, luid en enthousiast. De mannen die net aan dek bezig waren hieven een gejuich aan bij dat hoopvolle bericht. 'Ongeveer drie mijl voor ons uit. Een zware Palestaanse koopvaarder, zo te zien. Jongens, wat ligt die schuit diep in het water!'

Torben Rudgass, de kapitein van de *Grazie*, bracht zijn verrekijker naar zijn rechteroog en gromde tevreden toen hij het schip wat beter bekeek.

De man in het kraaiennest had zich niet vergist. De boeg rees en daalde log in de golven, die tegen de houten spanten sloegen als tegen een massieve kademuur.

Een koopvaarder met kruiden, zijden stoffen of graan aan boord kwam op het juiste moment, want de mannen begonnen te morren. Al acht weken voeren ze langs de noordwestkust van Tarpol zonder dat ze iets van belang hadden gekaapt.

'Wat doet onze passagier?' Torben, een sterke vent van rond de dertig, met kortgeknipt lichtblond haar en een gevlochten baard, vroeg zich af of hij toestemming moest geven voor een kleine omweg langs de Palestaan.

Zoals alle Rogogarders beschouwde hij zichzelf en zijn mannen als kapers. De term 'piraat' werd in het eilandenrijk niet graag gehoord.

Weliswaar had de merkwaardige passagier benedendeks veel geld betaald om hem bij de volgende Rundopâlische haven af te zetten, maar de waarde van die munten verbleekte bij de opbrengst van een buitgemaakt schip. De kapitein had de man ontmoet aan het begin van de reis, toen hij vier dagen geleden in Gustroff met twee zware plunjezakken aan boord was gestapt en voor zijn overtocht had betaald. Daarna was hij hem nog maar één keer tegengekomen, midden in de nacht.

De man was niet groot, eerder tenger van postuur. Hij stond in een mantel aan dek en tuurde zwijgend naar de sterren. Toen de kapitein een praatje wilde aanknopen om zijn nieuwsgierigheid te bevredigen, was de passagier met een knikje naar zijn hut verdwenen, waar hij ook zijn maaltijden gebruikte. De bemanning maakte zich al zorgen om dat geheimzinnige gedoe en was bang voor een boze geest.

'Hij slaapt,' antwoordde zijn bootsman, Krenzen, die naast de kapitein stond. 'En hij wil niet gestoord worden.'

'Denk je dat het enteren van die koopvaarder hem zou storen?' grijnsde Torben, en hij spuwde met kracht over de reling.

'Als de jongens niet te veel herrie maken bij het gevecht zal hij er weinig van merken.'

Torben lachte zo luid dat de ringetjes aan zijn oorwarmers zachtjes rinkelden, en hij bracht de verrekijker weer naar zijn oog.

'Wat vind je van hem? Ik hou hem voor een edelman die in ongenade is gevallen, of een officier die zijn eer heeft verloren en in het diepste geheim smadelijk zijn land is ontvlucht.'

'Misschien vlucht hij wel voor een buitenechtelijk kind, kapitein.' Krenzen krabde zich aan zijn achterwerk en keek eens naar de piraten, die oplettend hun kant op staarden, in afwachting van een bevel. 'Nee, u hebt gelijk. Ik kan geen accent bij hem bespeuren. Zijn Ulldarts klinkt goed genoeg. Bekakt, zelfs. Alsof hij gestudeerd heeft. En zijn postuur past niet echt bij een soldaat. Dus ik hou hem eerder voor een edelman dan voor een militair.'

'Het zal me een zorg zijn waarom hij passage heeft geboekt. Hij heeft zijn reis betaald, dus we zetten hem in Rundopâl aan land.'

'Zo snel mogelijk, zei hij toch?'

'Dat doen we toch – zo snel mogelijk?' Torben wees naar de koopvaarder, met een vrolijke blik in zijn grijsgroene ogen. 'We enteren die boot zo snel mogelijk en we verdwijnen weer zo snel mogelijk om de buit en onze geheimzinnige vriend zo snel mogelijk in Rundopâl te lozen.' De mannen lachten.

'Wat heeft die verrekte schuit aan boord?' mompelde de kapitein zacht, toen hij opnieuw constateerde hoe diep het schip lag.

'Zou het een valstrik kunnen zijn, kapitein?' De bootsman krabde aan zijn baard, waarin de luizen weer een vreugdedansje maakten. 'Geen enkele Palestaan is zo dom om op deze breedte zo dicht langs Rogogard te varen en ook nog die ellendige Palestaanse vlag te hijsen.'

'Daar zeg je zo wat, Krenzen. Waarschijnlijk zit dat ruim vol soldaten en wachten ze op een overval.' Torben tuurde omhoog naar de uitkijk. 'Hebben ze ons gezien?'

'Aye! Ze zetten zeil bij, kapitein,' brulde de man vanboven. 'Maar dat maakt ze niet veel sneller.'

Heel even vocht de schipper van de *Grazie* met een onheilspellend gevoel in zijn maag, maar zijn aarzeling legde het af tegen het vooruitzicht van een rijke buit.

'Dan moeten we maar eens kijken of ze het op ons voorzien hebben of dat ze echt zo onnozel zijn.' De kapitein legde een koers voor die het Rogogardische schip, maar half zo groot als de Palestaan, parallel aan de koopvaarder zou brengen.

Een paar mijl verder hadden ze de vluchteling, die *De Vrolijke Groet* bleek te heten, ingehaald. De twee schepen voeren nu naast elkaar, op enige afstand.

De bemanning van het vrachtschip stond aan de reling en keek onzeker naar de Rogogardische piraten, die scheldwoorden en obsceniteiten brulden.

'Kan het wat zachter, schreeuwlelijken? Anders wordt onze passagier nog wakker.' Torben keek nog eens door zijn verrekijker, speurend naar verdachte bewegingen aan dek, die op de aanwezigheid van wapens duidden.

'Daag ze maar uit,' zei hij tegen Krenzen. 'Kom dichterbij en schiet wat brandende pijlen af. Dan kunnen we zien hoe ze reageren.'

Toen de *Grazie* van koers veranderde probeerde de Palestaan afstand te bewaren, maar het Rogogardische schip was veel wendbaarder en dus in het voordeel. Algauw zweefden er tien of twaalf brandende pijlen door de lucht die zich in de zeilen, het dek en de tuigage van de koopvaarder boorden.

Er werd wel teruggeschoten, maar zonder veel succes, terwijl van het Palestaanse vrachtschip al de eerste rookpluimen opstegen.

'Ze hebben stalen zenuwen, of ze houden iets achter de hand. Of dit is gewoon de rijkste buit die we ooit zijn tegengekomen,' zei de bootsman, die nerveus met zijn enterdolk speelde.

Aan de andere kant seinde een van de Palestaanse matrozen driftig met een paar vlaggen. Krenzen had grote moeite het haastige bericht te ontcijferen.

'Ze bieden ons de helft van hun vracht aan, als wij ze daarna ongemoeid laten. Klinkt niet onredelijk, wat?'

'Dat staat nog te bezien. Ik vertrouw het zaakje niet.' Torben verloor de koopvaarder geen moment uit het oog.

Matrozen renden heen en weer om het vuur te blussen dat zich dreigde uit te breiden in het want. Anderen bekommerden zich om de gewonden die slachtoffer waren geworden van de pijlenregen.

'Als ik maar wist wat er niet klopt.' Oplettend liet hij zijn blik over de romp van het andere schip glijden, en opeens ontdekte hij iets dat op een zware ijzeren bout leek.

Haastig stelde hij de lens scherp op dat punt.

Het zag er inderdaad uit als een massieve, duimdikke bout, die van binnenuit door de planken was geboord en een paar centimeter naar buiten stak.

'Waarvoor zou die bout daar dienen?' vroeg hij aan de bootsman, die weer peinzend aan zijn baard krabde.

'Om iets aan vast te maken?' opperde Krenzen en hij pakte de verrekijker aan die de kapitein hem zwijgend aanreikte om het vreemde ding wat beter te bekijken.

De piraten werden onrustig. Op maar enkele touwlengten bij hen vandaan voer een vrachtschip dat duidelijk zwaar geladen was, terwijl zij nog steeds werkeloos toekeken.

'Hé, wat doen we?' riep iemand. 'Moeten we eeuwig op dat goud wachten?'

'Straks is die Palestaan nog zo gek om ons te rammen,' voegde iemand anders daaraan toe. De mannen begonnen te morren.

'Kop dicht,' beval Torben. 'We worden belazerd, en zolang ik niet weet wat er aan de hand is, wachten we af.'

'Kapitein, daar zit er nog een.' De bootsman wees naar een punt op ongeveer acht meter links van de eerste bout. 'En is het u opgevallen dat geen van de matrozen gewapend is?'

Natuurlijk had hij dat gezien, maar er geen aandacht aan besteed.

'Dit deugt niet.' Torben draaide zich om naar de stuurman. 'We gaan ervandoor. Zet alle zeilen bij en maak dat je wegkomt.'

Geen van zijn mannen verroerde een vin. 'Wat nou? Maar, kapitein, dat...'

'Kop dicht en omhoog! Het want in!' bulderde Torben, terwijl hij dreigend zijn vuist hief.

Het luide bevel was ook aan boord van *De Vrolijke Groet* gehoord, en opeens onderging de zogenaamde koopvaarder een dodelijke gedaanteverandering.

De zijkant van de romp klapte open over een lengte van acht meter, en twee meter hoog. De verbijsterde piraten zagen een batterij van pijl- en speerwerpers op zich gericht, en hun hoop op een rijke buit maakte plaats voor ontzetting. Als verlamd stonden ze aan dek.

'Krijg de vissenziekte!' fluisterde Torben, en op het laatste moment ontwaakte hij uit zijn verstarring en wierp zich plat achter de reling.

Een ogenblik later hoorde hij een luid gezoem boven zijn hoofd, het geluid van splinterend hout en het gejammer van zijn mannen.

De kapitein hield zich gedekt en luisterde tot er een eind kwam aan het dodelijke geruis. Maar bijna onmiddellijk volgde een tweede aanval van onheilspellend zoevende pijlen en speren.

Pas na het vierde salvo verstomde het hartverscheurende gekerm van zijn bemanning.

Met een doffe klap sloeg een laatste speer in de reling waarachter Torben lag en boorde zich op een vingerbreedte van zijn hoofd door het hout.

Toen viel er een doodse stilte, die alleen werd verstoord door het kraken van de schepen, die zachtjes op de golven deinden.

'Nog iemand aan boord?' klonk een spottende stem vanaf *De Vrolijke Groet*. 'Ik zou graag een paar woorden wisselen met de kapitein van die boot. Leeft hij nog?'

De piraat overwoog of hij zich dood moest houden, maar het vooruitzicht om tussen de lijken, roofvissen en andere monsters in zee te worden gesmeten trok hem ook niet aan.

'Aye!' riep Torben ten slotte, terwijl hij vol afschuw naar zijn bootsman staarde. Krenzen was door een speer in zijn borst getroffen en aan de grote mast genageld. Een paar andere mannen waren door de vuistdikke projectielen aan elkaar vastgespiest en riepen bij de Rogogarder het ongepaste beeld op van een stel braadkippen aan een spit. 'Wat is er?'

'Laat je maar zien, dan zullen we je leven sparen. Je bent immers de leider. Maar als het te lang duurt, bedenken we ons misschien.'

Torben kwam voorzichtig overeind en stak zijn hoofd boven de reling uit.

De bouten die hij had gezien behoorden bij dikke ijzeren ringen aan de binnenkant van de scheepswand, waaraan de kettingen waren bevestigd van het ophaalmechaniek waarmee het grote luik negentig graden naar buiten kon klappen. Benedendeks stond een lange rij pijl- en speerwerpers opgesteld, die een vrij schootsveld hadden zodra de wand openviel.

Aan dek waren inmiddels veertig bewapende mariniers verschenen, van wie de helft bovendien met kruisbogen was uitgerust.

Een man in het uniform van een Palestaanse officier, opvallend rood-zwart met geel stiksel, nam zijn hoed met veren af en begroette hem hoffelijk. 'Ik ben commodore Erno DeRagni, de commandant van dit goede schip. Met wie heb ik het genoegen?'

'Kapitein Torben Rudgass van de Rogogardische vloot,' antwoordde de piraat met een wantrouwende blik. Hij verwachtte ieder moment door een pijl te worden getroffen. 'Wat gaat er met mij gebeuren?'

'Van de Rogogardische vloot, zei u?' DeRagni lachte honend. 'U maakt nog grappen, ondanks de nederlaag. We brengen u bij ons aan boord en slaan u in de boeien. Dan varen we naar de dichtstbijzijnde Tarpoolse haven om met de plaatselijke rechter een snelle zitting te regelen. U bevindt zich nog altijd in Tarpoolse wateren en u hebt recht op een eerlijk proces – een voorrecht waarvan uw mannen helaas geen gebruik meer kunnen maken.'

De officier knikte naar zijn entergroep, die de *Grazie* met bootshaken naar zich toe trok, een paar brede planken uitschoof en overstak naar het met bloed besmeurde dek van het Rogogardische schip.

De mariniers lieten er geen gras over groeien en gingen efficiënt te werk. Iedere gewonde piraat kreeg van de Palestanen een genadestoot en de doden werden achteloos door het vrachtluik gesmeten.

Torben wendde zich niet af toen hij zijn gewonde mannen een voor een zag sterven. Hun dood raakte hem dieper dan het vooruitzicht van zijn eigen einde. De woede om de onnozele manier waarop hij in de Palestaanse val was gelopen sneed als een mes door zijn ziel.

'Ik heb nog een passagier aan boord,' zei de Rogogarder gelaten, terwijl twee soldaten hem zijn handen op zijn rug bonden. 'Hij heeft hier niets mee te maken. Laat hem met rust.'

Commandant DeRagni, die nauwelijks ouder was dan Torben, sprong soepel over de reling en keek om zich heen op het dek van het kapersschip. 'Wie is er zo wanhopig dat hij een reis met een stelletje zeerovers riskeert?' Met zijn rechtervoet rolde hij een liggende man op zijn rug, die een licht gesteun liet horen en de enkel van de officier vastgreep.

Met een snelle beweging trok DeRagni zijn degen uit de schede en stak het wapen door het hart van de gewonde piraat. Torben deed een dreigende stap naar voren, maar zijn bewakers hadden hem in een ijzeren greep en trokken hem achteruit.

'Ach, kijk. U bent begaan met het lot van uw bemanning, kapitein?' Met gespeelde verveling veegde DeRagni zijn degen schoon aan de kleding van de dode. 'Dat had u eerder moeten bedenken, toen u aanviel. Palestan laat zich niet eeuwig ringeloren.'

'Ik spuug op dat kruideniersIandje.' En Torben voegde de daad bij het woord. 'Ik zal altijd kaper blijven en jacht maken op dat arrogante handelsvolk, tot ze allemaal van deze zee verdreven zijn.'

'Vertelt u dat maar aan de rechter,' zei de commandant. 'Maar ik heb uw bekentenis met genoegen genoteerd. Het zal u geen strafvermindering opleveren.' De Palestaanse soldaten lachten.

De entergroep haalde inmiddels de proviand- en watervoorraden uit het ruim van de *Grazie* en bracht alles over naar *De Vrolijke Groet.* Ook de wapens, speren en pijlen verwisselden van eigenaar. Onder de buit herkende Torben de twee zware plunjezakken van zijn passagier.

Een van de Palestanen maakte zich uit de drukte los en kwam vertwijfeld naar DeRagni toe.

'We hebben geen passagier kunnen ontdekken, commandant. Niet in het ruim, niet in de kombuis of in de hutten benedendeks.'

'Hebben jullie ook in de vaten gekeken voordat ze werden overgeladen?'

De soldaat dacht even na. 'Ja, commandant. Daar zat ook niets in, behalve haring, augurken, scheepsbeschuit en reuzel.'

Torben keek net zo verbaasd als de marinier. Hij had gedacht dat ze de man al te pakken zouden hebben. 'Vreemd,' mompelde hij. DeRagni draaide zich naar hem om.

'Uw gast weet zich handig te verbergen, schijnt het. Maar hij schiet er niet veel mee op, want we zullen het schip hier tot zinken brengen.'

De commandant gaf zijn mannen bevel weer aan boord te komen. Rudgass werd weinig zachtzinnig over de loopplank van *De Vrolijke Groet* geduwd.

Uit het ruim van de *Grazie* klonken doffe bijlslagen, gevolgd door het splinteren van hout en een paar vloeken, als teken dat de mannen een gat in de bodem hadden geslagen.

Enkele ogenblikken later verschenen de laatste Palestaanse matrozen aan dek, doorweekt tot op hun hemd en met zware bijlen in hun handen. In looppas kwamen ze terug naar de omgebouwde vrachtvaarder.

De Vrolijke Groet duwde af en zeilde weg, terwijl de mariniers nog een laatste regen brandende pijlen op de *Grazie* afschoten om alles aan dek wat het Rogogardische schip boven water zou kunnen houden te vernietigen.

Torben Rudgass moest toezien hoe de *Grazie*, waarop hij vijf jaar als kapitein had gevaren, langzaam onderging.

Met donderend geraas stortte de rokende ra op het dek en sloeg er een groot gat in. Brandende flarden van het zeil zweefden gracieus naar het water en doofden daar met luid gesis.

Het schip maakte slagzij. Toen de romp kreunend naar stuurboord helde vielen een paar dode piraten uit het vrachtluik en plonsden in het water.

'Geen prettige aanblik, is het wel?' DeRagni dook naast de Rogogarder op en tuurde naar de doodsstrijd van het kapersschip. 'Ik heb dit al te vaak meegemaakt met Palestaanse vrachtvaarders om nog medelijden te hebben met een zeerover. Mijn vader is vermoord door figuren zoals jij, Rudgass.' De officier gaf bevel om alle zeilen bij te zetten en verdween toen naar zijn kapiteinshut.

Torben kon zijn blik niet losmaken van de brandende *Grazie*. Met een mengeling van afschuw en fascinatie was hij getuige van het einde van zijn schip.

En ondanks zijn verdriet en woede vroeg hij zich af wat er van zijn geheimzinnige passagier geworden was.

Na acht dagen benedendeks in de vochtigste hoek van het Palestaanse schip waren de woede en de haat in Torbens hart allang verdampt.

De Rogogarder was tot op het bot verkleumd, het koude zeewater spoelde om zijn voeten en deed zijn huid opzwellen. De scherpe ijzeren schakels van de ketting schuurden het vlees van zijn gewrichten en bij elke beweging ging er een scheut van pijn door hem heen. De piraat bespeurde al de eerste tekenen van koudvuur.

De ratten hielden zich betrekkelijk rustig en vraten alleen zijn scheepsbeschuit op als hij niet uitkeek. Blijkbaar hadden ze nog geen trek in mensenvlees.

Plotseling viel er licht in het afgesloten ruim. Er kwamen twee Palestanen binnen, die de ketting van de ring in de planken losmaakten, zodat Torben overeind kon komen.

'De commandant wil je spreken,' zei de man met de lantaarn, terwijl zijn collega de Rogogarder op de been hees.

'Hoe ver is het nog naar de Tarpoolse kust?' vroeg Torben. 'Ik heb geen zin nog langer in dit vochtige gat te liggen wegrotten. Knoop me dan maar meteen op.'

'Dat zal de commandant wel uitmaken.' De piraat kreeg een duw in zijn rug, in de richting van de smalle houten ladder, waar hij zijn hoofd stootte. 'We varen naar Ludvosnik, een van de grotere havens, waar een koninklijk gerechtshof is. Het zal nog wel even duren voordat je bungelt.'

Moeizaam beklom Torben de ladder, totdat hij op het dek van de Palestaan stond. De frisse bries en het opspattende schuim werkten verfrissend. Hij ademde diep in en genoot een moment van zijn schijnbare bevrijding uit de donkere, natte, houten cel.

Op het bovendek was het een drukte van belang. *De Vrolijke Groet* had alle zeilen bijgezet en sneed voor zo'n breed en zwaar vrachtschip met redelijke snelheid door de golven.

De Palestaanse matrozen klommen in het want, sjorden touwen vast en zetten nog een fok bij. Geen twijfel mogelijk, *De Vrolijke Groet* had haast.

Zijn bewakers trokken hem aan de ketting met zich mee naar de kapiteinshut. De bemanning wierp de piraat vijandige blikken toe waar hij voorbijkwam.

Ze zouden hem het liefst ter plekke hebben geëxecuteerd, vermoedde Torben, die spitsroeden liep.

Even later stond hij in de ruime kapiteinshut. De commandant zat peinzend achter een groot bureau, waarop een paar voorwerpen in oliepapier lagen, en kauwde op een stuk zoethout.

De Palestaanse bewakers drukten de Rogogarder op een stoel voor het bureau en stelden zich bij de deur op.

DeRagni zei niets en scheen Torbens aanwezigheid niet op te merken. Hij bewerkte het zoethout met zijn tanden en tuurde naar zijn bureaublad. De piraat wachtte af.

Alsof hij diep in gedachten was geweest rekte de commandant zich plotseling uit, knikte naar de Rogogarder en zette een houten beker, die hij uit een la van zijn bureau had gehaald, voor zijn gevangene neer. Toen pakte de Palestaan uit de diepe la een karaf met goudgeel vocht en schonk eerst Torben en toen zichzelf in.

'Wat weet u over uw voormalige passagier?' De commandant hief uitnodigend zijn glas en nam een slok.

Torben nipte voorzichtig aan het drankje, dat naar zware alcohol rook. Toen hij een slok waagde, gleed die als vloeibaar vuur door zijn keel en bezorgde hem een prettig warm gevoel in zijn maag, dat zich algauw door zijn hele lichaam verspreidde.

'Dat is een heel goede brandewijn, commandant,' zei de Rogogarder. 'U hebt er zeker gif in gedaan en zelf al een tegengif genomen? Alle Palestanen zijn gluiperds, dat weet ieder kind in Rogogard.'

'U doet me onrecht, Rudgass.' DeRagni glimlachte, trok met zijn vrije hand zijn krullende pruik van zijn hoofd en gooide die behendig op de daarvoor bestemde standaard. 'Ik heb u beloofd dat u een proces zou krijgen. Waarom zou ik u dan van tevoren willen vermoorden? Dat heeft weinig zin. Bovendien hebt u nog geen antwoord gegeven op mijn vraag.'

Torben vermoedde wat er komen ging en sloeg de brandewijn in één keer achterover. De commandant vulde hem bij.

‘Ik kan u weinig vertellen over die passagier, behalve dat het een man was, iets kleiner dan ik, en wat schrieler van postuur. We hebben hem in Gustroff aan boord genomen. Ik hield hem voor een edelman of officier, die om een of andere reden was gevlucht.’

DeRagni boog zich naar voren. Zijn eigen, zwarte haar plakte tegen zijn schedel en zijn pupillen vernauwden zich toen hij de Palestaan nieuwsgierig aankeek. ‘Hoe kon u dat weten? Droeg hij een uniform?’

‘Nee, dat niet, maar hij sprak een soort Ulldarts alsof hij die taal gestudeerd had. Zonder accent of tongval. Als uit het leerboekje van een ambtenaar.’ De Rogogarder fronste zijn wenkbrauwen. ‘Maar waarom interesseert u dat? De man is dood.’

De commandant wees op de ingepakte voorwerpen. ‘Ik denk dat hij geen gewone passagier was, als ik zo zijn spullen eens bekijk.’ Hij sloeg een van de oliedoeken open en haalde een brede, uit verschillende elementen opgebouwde, gesp tevoorschijn, die glansde in het binnenvallende zonlicht.

‘Valt u hier iets aan op?’ DeRagni schoof de gesp over het bureau. ‘Kijk eens goed. Neem hem maar in uw hand.’

Torben zette zijn beker neer en pakte de gesp aan.

Het gegraveerde metaal lag zwaar in zijn hand. De piraat draaide het alle kanten op, maar kon er niets bijzonders aan ontdekken.

‘Wie het ook heeft gemaakt, hij moet een vakman zijn geweest.’ Torben legde de gesp weer terug. ‘Persoonlijk vind ik hem wat te groot en te zwaar.’

‘Dat was ook mijn gedachte, Rudgass.’ De Palestaan klapte een palletje omhoog en de hele gesp viel uit elkaar.

Het kostte DeRagni enige tijd en verscheidene pogingen voordat hij de gesp in elkaar had gezet, maar toen hij klaar was hield hij een gevaarlijk uitziend mes met een smal heft en een vlijmscherp lemmet in zijn hand.

'Interessant, nietwaar?'

Torben had de handelingen van de commandant met groeiende belangstelling gevolgd en staarde verbluft naar het eindresultaat. 'Hoe hebt u dat ontdekt?'

'Zuiver toeval.' DeRagni wikkelde een andere doek los, waarin een kostbare ring zat. 'Toen ik deze steen wilde onderzoeken, merkte ik dat je hem kon draaien in de vatting.' Hij demonstreerde het aan de Rogogarder. De edelsteen en de vatting klapten weg en de verbaasde piraat zag een kleine holte die met een bleek, bijna kleurloos poeder was gevuld.

'Het zal wel geen geneesmiddel zijn.' Torben krabde zich op zijn hoofd, waardoor de ketting rinkelde en de schakels pijnlijk in zijn vlees sneden, maar de Rogogarder lette er niet op. Hij had alleen aandacht voor de ontdekkingen van de Palestaanse officier.

'O, het helpt vast wel tegen slapeloosheid,' zei de commandant, terwijl hij de ring sloot en weer teruglegde. 'Maar toen ik dit ontdekte, heb ik ook de andere voorwerpen onderzocht die in de twee plunjezakken zaten.'

Hij sloeg de volgende doek open. Torben zag weer vier ringen, nu met kostbare robijnen.

'Een mooie combinatie. Die moet aardig wat waard zijn.' Het was eruit voordat de Rogogarder het wist. DeRagni grijnsde, schoof de ringen aan zijn vingers en hield ze in het licht.

'Onbetaalbaar, denk ik, maar deze juwelen hebben nog een ander geheim.' De Palestaan balde zijn vuist, drukte die met de ringen op het bureaublad en trok ze van rechts naar links.

Met een krassend geluid lieten de robijnen diepe groeven na in het hout. 'Als ik iemand hiermee in het gezicht zou slaan, zou zelfs zijn eigen vader hem daarna niet meer herkennen.' De commandant hield Torben zijn vuist onder de neus. 'Deze stenen zijn zo scherp geslepen dat ze iemand bij een goed gerichte klap een zware verwonding kunnen toebrengen, met veel bloed.'

De piraat deinsde terug voor de dodelijke sieraden.

'U hebt gelijk,' zei hij. 'Onze passagier was dus een gevaarlijk man. Gewone mensen bezitten dit soort dingen niet, los van het feit dat bijna niemand ze kan betalen. Ik vermoed dat hij een huurmoordenaar is geweest. Zo heet dat toch?'

DeRagni knikte. 'Waarschijnlijk heeft de Palestaanse vloot een hooggeplaatste persoon het leven gered door de *Grazie* tot zinken te brengen. Maar ik was nog niet klaar met mijn kleine demonstratie. Want afgezien van deze merkwaardige wapens, vergiften en andere zaken, heb ik ook nog iets anders gevonden.'

Hij tilde de tweede plunjezak op het bureau en haalde hem leeg: drie pruiken, valse baarden in alle soorten en maten, drie verschillende Tarpoolse kostuums, poeder, haarverf, muntgeld in diverse valuta's en een gedragen, donkerbruine jurk met een bijpassende stola en vest.

'Het wordt steeds vreemder.' DeRagni haalde de stop uit een klein flesje en onmiddellijk zweefde de zware, zoete geur van parfum door de hut. 'De moordenaar heeft werkelijk aan alles gedacht. Gelooft u nog steeds dat u een mán aan boord van uw schip hebt gehad, Rudgass?'

De piraat haalde weifelend zijn schouders op. 'Ik geloof helemaal niets meer.'

De commandant keek hem weer aan met die nieuwsgierige, doordringende blik. 'Zal ik u eens wat zeggen? Ik denk dat u heel goed weet wie u hebt meegenomen.' De man speelde met de haren van de donkere pruik. 'Waarschijnlijk heeft Agarsië een moordenaar ingehuurd om zo de rijke kooplui van de beste Palestaanse handelshuizen in het noorden van Rundopâl te elimineren. En de Rogogarders helpen hen daarbij, boeven als ze zijn. Of heeft Rogogard misschien zelf die moordenaar betaald?'

'Wat een onzin.' Torben wilde overeind komen, maar zijn cipiers grepen in en drukten hem weer op zijn stoel terug. 'Wij huren geen moordenaars in. Wij enteren schepen en snijden de bemanning eigenhandig de keel af.'

'U kletst maar een eind weg. Ik zal uw geheugen een handje helpen. En mocht u zich in de tussentijd nog iets herinneren, zeg het dan vooral.' DeRagni schonk zich nog eens bij en wenkte de matrozen. 'Breng de piraat aan dek en geef hem twintig zweepslagen met de karwats. Misschien komt dan zijn geheugen weer terug, of weet hij iets meer te bedenken dan nu. Ik wens u een prettige dag, kapitein.'

'Vuile smeerlap! Palestaanse hond!' De Rogogarder verzette zich tegen de sterke handen die hem omhoogsleurden en naar de deur sleepten. Maar de dagen in het ruim hadden hem verzwakt.

De twee matrozen brachten hem weer in de frisse lucht, waar ze hem over de balustrade op het houten dek wierpen.

Het was geen diepe val, en normaal zou het Torben niet hebben gedeerd, maar de kettingen verhinderden hem zichzelf op te vangen.

Hij sloeg languit tegen de planken en de ijzeren boeien schuurden de verwondingen op zijn polsen en enkels weer open. Kreunend probeerde de piraat overeind te komen, maar de ketting hield hem tegen, zodat hij als een vastgebonden kalf op het dek bleef liggen.

Een van de twee cipiers sleepte hem naar de grote mast, terwijl de ander de zweep van een haak nam en in een emmer met pekel doopte.

De bemanning van *De Vrolijke Groet* had de voorbereidingen opgemerkt en slenterde naderbij om het schouwspel te volgen.

Torben wierp een blik op de leren riemen, waarvan de uiteinden om glasscherven, spijkers en stukken ijzer waren geknoopt. Na twintig slagen met dit martelwerktuig zou er van zijn huid niet veel meer over zijn, en hij hoopte vurig dat hij na de vijfde of zesde klap bewusteloos zou raken.

Alles was nu gereed. De Rogogarder stond met zijn borst tegen de grote mast, zijn handen om het gladde hout gebonden. De matrozen en mariniers spoorden de man met de zweep aan, die een aanloop van twee stappen nam en vanuit de draaiing toesloeg.

De pijn kondigde zich niet aan, maar schoot zonder waarschuwing als een vlammende bliksem door zijn hele rug. Torben klemde zijn kaken op elkaar en gaf geen kik. De mannen joelden toen de zweep voor de tweede keer neerdaalde, nu met nog meer kracht. Het voelde alsof iemand een brandende kabel over zijn huid trok.

De slagen volgden elkaar in hoog tempo op. Woedend ranselde de matroos hem af, om de Rogogarder eindelijk een kreet van pijn te ontlokken. Na de vijftiende klap pauzeerde hij even, wreef de zweep nog eens met pekel in en schudde zijn arm los voor de laatste vijf slagen.

Torben voelde niets anders meer dan pijn. Zijn blik was wazig en het kon niet lang meer duren voordat hij misschien wel voorgoed het bewustzijn zou verliezen. Zijn huid hing in rode flappen van zijn rug, het bloed druppelde langs zijn broekspijpen op de planken.

De laatste slagen nam hij nog slechts waar als speldenprikken. Pas toen de emmer met pekel over hem werd uitgestort, lieten zijn krachten hem in de steek en zakte hij geluidloos in elkaar.

De matrozen maakten hem los, droegen hem weer benedendeks en maakten zijn ketting aan de scheepswand vast.

De piraat kromp niet eens ineen toen het zeewater, dat door kieren zijn vochtige cel binnendrong, over zijn opengereten rug spoelde.

IV

'Sinured liep het argeloze Tarpol onder de voet, doodde de koning en zijn hele familie en zette zijn oudste zoon als heerser op de troon. Daarna viel hij Rundopâl, de bondgenoot van Tarpol aan, en bezette ook dat land. En opnieuw kwam een van zijn zonen op de troon.

Talloze mensen uit Rundopâl en Tarpol werden afgevoerd naar Barkis, om daar als slaven aan de bouw van de nieuwe hoofdstad van de despoot te werken.

Sinured verklaarde dat de geest van Tzulan hem in de strijd had bijgestaan. Ulldrael zou een te zwakke godheid zijn, die niets kon klaarspelen. Als bewijs had de machtige oorlogsgod hem beloofd hem voortaan op al zijn veldtochten te begeleiden en hem de overwinning te brengen. De Barkidische troepen, nog altijd in de roes van hun triomfen, riepen jubelend om nog meer veldslagen.

Sinured viel nu achtereenvolgens Borasgotan, Hustraban en Serusië aan, die hun krachten probeerden te bundelen, maar de macht van Tzulan scheen groter dan die van Ulldrael de Rechtvaardige. Duizenden soldaten sneuvelden in de strijd, anderen werden naar Barkis overgebracht.

Een grote wanhoop maakte zich meester van de overige volkeren op Ulldart, want niemand kon zich tegen Sinured verzetten...'

Historische Almanak van Ulldart,
deel xxi, blz. 1048.

Twintig warst ten oosten van Umanjansk, provincie Granburg, koninkrijk Tarpol, winter 441 n. S.

Kort na het invallen van de duisternis zagen ze de herberg opdoemen in de nevelige schemering. Uit de ramen viel een mat licht naar buiten, dat reizigers lokte met de belofte van een gezellig onderdak, met vooral warmte en licht.

Aan het einde van de rit waren de mistflarden nog dichter geworden, zodat ten slotte niemand in de groep nog geloofde dat ze op tijd zouden zijn. Afgezien van de kou daalde over alles nu ook een dun laagje nattigheid neer. Op de jassen van de soldaten en de paardendekens parelde het vocht, dat na enige tijd druppelsgewijs omlaag begon te glijden.

Na het akelige incident in de omgeving van het berkenwoud hadden Stoiko en Lodrik diep en vast geslapen, de een vanwege te veel drank en de ander omdat hij voorlopig geen behoefte had de kennismaking met de provincie Granburg te hernieuwen.

Zo nu en dan was de troonopvolger wakker geworden, om zich onmiddellijk weer om te draaien en verder te slapen.

Half slaperig zag hij soms weer de vrouw voor zich die voor de honden was gevlucht. Dan weer werd hij zelf opgejaagd, terwijl zijn vader – zo groot als een reus – de honden lachend ophitste. De slaap had hem niet verfrist, maar het was beter dan het weinig stimulerende uitzicht.

Inmiddels zaten Stoiko en Lodrik alweer een halfuur zwijgend tegenover elkaar, allebei in gedachten verzonken, terwijl de koets langzaam zijn weg zocht over de hobbelige weg.

Waljakov verscheen naast het raampje aan de rechterkant, hield zijn paard in en stak zijn hoofd naar binnen.

'De herberg ligt recht vooruit. Over een paar minuten kunnen we in een knusse gelagkamer zitten, met iets warms te eten.'

'Dat is het enige goede bericht dat ik in dagen heb gehoord.' De Tadc schoof al op zijn bank heen en weer, ongeduldig bij het vooruitzicht van een gebraden kip met aardappels, groente en als toetje misschien nog een stuk taart.

'U vindt het wel goed dat ik een van mijn mensen vooruitstuur om onze komst te melden?' De lijfwacht keek vragend naar binnen.

'Jazeker. Goed idee,' beaamde de Tadc. 'Laten ze maar vast een reebout voor me braden. Met soep, brood, kaas, aardappels...'

'Ik zal vragen of ze hun beste gerecht op tafel willen zetten, heer,' onderbrak Waljakov het verlanglijstje van de troonopvolger. 'Maar ik geloof niet dat we in deze omgeving veel kunnen verwachten. Nog nergens heb ik wild gezien.'

'Geen wonder, als er Borasgotanische vechthonden rondzwerven,' mompelde Stoiko. 'Die beesten storten zich waarschijnlijk op alles wat beweegt. We mogen van geluk spreken als de kok van de herberg zelf nog leeft.'

Lodrik haalde zijn neus op, trok een zakdoek uit zijn mouw en snoot krachtig. 'Het eerste wat ik doe is een belasting op vechthonden invoeren,' zei hij. 'Of beter nog, ik laat ze gewoon verbieden.'

'Dat klinkt heel verstandig wat u daar zegt, heer,' zei de raadsman met gespeelde verbazing. 'Hoe komt u daar zo op?'

'Voor ons vertrek heb ik met de belastingontvangers gesproken. Zij vinden belasting heffen altijd een goede manier om geld binnen te krijgen of zaken te verhinderen.'

'Maar zo eenvoudig ligt dat niet. Als die honden het bezit zijn van een edelman, zal hij geen probleem hebben met die belasting, hoe hoog ook. Want de adel heeft geld genoeg,' zei Waljakov. 'Maar een verbod zet kwaad bloed en zal de nieuwe gouverneur niet geliefd maken – niet bij de edelen, tenminste. Bovendien kan een nieuwe belasting alleen worden ingevoerd met toestemming van de Kabcar.'

'Afwachten maar.' De Tadc waagde nog een blik uit het raampje. 'Ik zie het licht van de herberg al. Er moet dus iemand zijn. Stuur snel een soldaat, Waljakov. Ik verwacht een gedekte tafel als ik aankom.'

De gespierde lijfwacht maakte een lichte buiging en reed weg. Met luide stem gaf hij zijn bevelen. De koets reed sneller nu. Blijkbaar had de wagenmenner wat meer zicht.

'Hoe heet Waljakov eigenlijk van zijn voornaam?' vroeg Lodrik opeens. 'We zijn al een paar weken onderweg en ik kan me niet herinneren dat een van de soldaten of jij hem ooit met zijn volledige naam hebt aangesproken.'

'Dat is een merkwaardig verhaal, heer,' antwoordde de trouwe bediende. 'Hij nam dienst bij uw vader, kwam door de selectie heen en vocht in het leger. Ik heb de loonlijsten gezien, maar ook daar wordt nergens een voornaam genoemd.'

'Misschien is Waljakov wel zijn voornaam,' opperde de Tadc. 'Ik zal hem er bij gelegenheid eens naar vragen. Het is vreemd.'

'Maar het past wel bij deze buitengewone man, heer.' Stoiko liet duidelijk merken dat het hem een zorg zou zijn of de lijfwacht een voornaam had of niet. 'Hij is loyaal en een garantie voor uw veiligheid. Meer hoef ik voorlopig niet te weten. En wie zal het zeggen? Misschien vertrouwt hij u het geheim nog wel eens toe.'

'Mij interesseert het wel.' Lodrik schoof weer heen en weer. 'Hoe lang duurt het nog? Ik rammel van de honger.'

Een kwartiertje later stopte de koets voor een tamelijk grote hofstede. Boven de ingang van het hoofdgebouw hing een verweerd houten bord met een geschilderde bierpul.

Lodrik en Stoiko stapten uit en de waard kwam haastig naar buiten om zijn hoge gasten te begroeten.

'Zulk voornaam bezoek op zo'n laat uur is heel bijzonder en een grote eer voor mij,' verklaarde de bebaarde, mollige man, die niet groter was dan de troonopvolger en sterk naar zweet rook. 'Komt u toch binnen. Ik heb de specialiteiten van het huis al voor u klaargemaakt.'

De kleine stoet, bestaande uit de Tadc, zijn raadsman, Waljakov en een stuk of zes soldaten, volgde de herbergier naar binnen, waar walmende vetkaarsen brandden.

Allerlei geuren dreven door de gelagkamer, zo verschillend dat moeilijk viel uit te maken wat overheerste: zweet, tabak, etensluchten uit de keuken of rook uit de open haard, die niet goed trok en daarom de hele ruimte in een blauwe nevel zette.

Vier tafels stonden slordig verspreid door de gelagkamer. Twee ervan waren bezet.

Aan de ene zaten drie houthakkers, onmiddellijk herkenbaar aan hun gespierde bovenarmen en de grote bijlen die naast hun tafel lagen. De andere tafel werd in beslag genomen door een reisgezelschap dat net zo verkleumd leek als de nieuwkomers.

Allemaal hadden ze diepe borden met een donkere, dampende smurrie voor zich staan, die verdacht veel op een stoofpot leek.

Lodrik wierp zijn raadsman een veelzeggende blik toe. 'Hopelijk is dat niet het beste wat de keuken te bieden heeft.' Hij knikte naar de taaie brij. 'Je had me beloofd dat het eten hier heel bijzonder was.'

'Bijzonder zal het wel zijn.' Stoiko had zo zijn vermoedens over de smakelijkheid van het menu. 'De vraag is alleen of we het overleven.'

De waard kwam weer uit de keuken en wees het groepje de vrije tafels, terwijl een knecht en een dienstmeid grote kruiken bier en stenen pullen brachten om de gasten in te schenken.

'Speciaal voor u heb ik de stoofpot aangevuld met aardappels en extra worstjes, edele hara¢,' zei de dikke man trots. 'Over een paar minuten kunt u eten. Drink nu eerst ons zelfgebrouwen bier, naar een recept van mijn vader.'

Waljakov nam een slokje uit de beker van de Tadc, zoog zijn wangen hol en huiverde. 'Behoorlijk bitter! Wat is het precies?'

'Een brouwsel van kruiden, wortels en zwammenvocht, heer,' verklaarde de waard, een beetje teleurgesteld. 'Smaakt het niet?'

'Breng maar water. Dat lijkt me voldoende antwoord op uw vraag,' zei Waljakov met een vies gezicht. De houthakkers lachten ongegeneerd en dronken hun kroezen in één teug leeg.

Lodrik keek ontstemd. 'Ik had het zelf wel willen proberen, Waljakov. Zo erg kan het toch niet zijn?'

De lijfwacht huiverde. 'U had ter plekke uw maag omgekeerd, geloof me. Ik weet niet wat voor zwammen en wortelen zijn vader heeft gebruikt, maar de man moet seniel zijn geweest of niets meer hebben geproefd.' Waljakov stak een stukje brood in zijn mond om de smaak weg te nemen en spuwde het in het haardvuur. 'Als de stoofpot maar half zo slecht is, doe ik die vent iets aan.'

'Als de stoofpot echt niet deugt, heb je mijn zegen,' zei de Tadc instemmend en hij schonk zich wat water in, dat inmiddels was gebracht.

Na een tijdje verdreef het vuur de kou uit de botten van de nieuwkomers en langzamerhand ontdeden ze zich van hun jassen, handschoenen en mutsen.

Waljakov was een imposante verschijning met zijn glimmende kale schedel, die hem een agressieve uitstraling gaf waar potentiële vijanden voor zouden terugschrikken.

Stoiko wierp een vorsende blik door de ruimte.

Het reisgezelschap aan de andere tafel zat zachtjes te praten en lette niet op de mannen die de helft van de zitgelegenheid in beslag namen. De houthakkers barstten zo nu en dan uit in een bulderend gelach, sloegen hun kroezen zo hard tegen elkaar dat het door de gelagkamer schalde en werkten liters van het bittere vocht naar binnen.

Na een halfuur tilde de waard met de hulp van zijn knecht een grote pan op de tafel van de Tadc. De meid zette houten borden neer, met houten lepels. Ze wierp Waljakov een schuchtere blik toe en kleurde.

'Probeer jij het eten maar,' zei de lijfwacht met een bemoedigend knikje naar Stoiko.

Voorzichtig schepte de raadsman met een grote pollepel een kleine portie op zijn bord en stak zijn lepel erin.

'Het hout is niet aangetast; dat is een goed teken,' grapte hij, terwijl hij slurpend een hapje nam.

De sceptische trek om zijn mond veranderde al snel en zijn gezicht klaarde op. 'Best lekker. Boerenkost, misschien, maar zeker niet slecht. Schep maar op, zou ik zeggen.'

De herbergier knikte enthousiast. 'Het is een recept van mijn va...' hij keek naar Waljakov, 'van mijn moeder, wilde ik zeggen.'

'Ulldrael zegene haar,' gromde de lijfwacht en hij schoof de waard opzij.

Iedereen aan tafel schepte op en viel aan op de hete stoofpot, die werkelijk heel goed smaakte. Zelfs Lodrik was blij met iets warms in zijn buik. Ondertussen verscheen een van de soldaten om de lijfwacht te melden dat het escorte een plek in de stal had gevonden en van eten was voorzien.

Waljakov liep met de man mee om het onderkomen persoonlijk te inspecteren en het wachtrooster voor de nacht op te stellen.

Lodrik leunde naar achteren in zijn stoel en wreef over zijn buik, die welgedaan over zijn riem puilde. De troonopvolger barstte bijna uit zijn broek. Hij had zich volgevreten, en ook de andere mannen aan tafel maakten een voldane indruk. De Tadc voelde zijn ogen dichtvallen.

'Stoiko, ik ben uitgeteld. Zorg voor een bed. Ik ga slapen.'

De raadsman knikte en wenkte de waard. 'Is de kamer voor de hara¢ gereed? Hij heeft slaap en hij wil naar bed. Ik hoop dat de slaapgelegenheid fris en proper is, anders zullen we ons beklag doen over uw herberg of er toch minstens een slechte herinnering aan bewaren.'

'Geen zorg, heer.' De dikke man maakte een buiging. 'Ik garandeer u een ongestoorde nachtrust, voor zover dat in mijn vermogen ligt.'

Lodrik, Stoiko en de zes soldaten stonden op en wilden al naar de trap naar boven lopen toen de voordeur werd opengesmeten.

Een koude windvlaag en een paar brutale nevelslierten drongen naar binnen en het haardvuur laaide op door de tocht van de open deur.

De soldaten reageerden zoals ze hadden geleerd. Drie van hen stelden zich voor Lodrik op om een mogelijke aanvaller tegen te houden, maar benamen de Tadc daardoor het zicht. De anderen gaven hem rugdekking en trokken strijdlustig hun zwaard.

Het reisgezelschap aan de andere tafel keek wel verrast, maar leek te traag om iets te ondernemen. De houthakkers sprongen geschrokken overeind, grepen hun bijlen en staarden naar de deur.

Een jongeman in een doorweekte mantel kwam de gelagkamer binnen. Zijn ogen stonden angstig en bezorgd, zijn vochtige, donkerblonde haar plakte tegen zijn hoofd en zijn gezicht en zijn handen waren rood van de kou. Hij moest al enige tijd onderweg zijn geweest.

Toen hij de mannen met de zwaarden en de bijlen zag, bleef hij staan en wilde achterwaarts weer vertrekken, maar vanuit het niets doken Waljakovs gespierde armen op, die hem van achteren vastgrepen en de lucht uit zijn longen persten.

'Wat moet je, jongen?' De lijfwacht tilde de machteloze man met zijn voeten van de vloer en schudde hem als een natte rat door elkaar. 'Waarom kom je hier als een duivel binnenstormen?'

'Laat hem maar los, heer.' De waard kwam achter zijn verschansing – een boomdikke houten pilaar – vandaan, wierp de jongen een nijdige blik toe en streek zijn schort glad. 'Het is Nurjef de touwslager en hij komt uit Olnjak, een dorp hier vlakbij. Hij is een heethoofd, maar verder ongevaarlijk.'

Waljakov liet zijn ijzeren greep niet verslappen, maar hield de herrieschopper zo stevig vast dat hij het regenwater uit diens natte kleren wrong. Het liep in kleine beekjes over de grond.

Nurjef hapte naar adem en liep blauw aan. 'Laat me los, alstublieft. Ik krijg geen lucht meer,' hijgde de touwslager.

De lijfwacht spreidde abrupt zijn armen. De man viel op zijn knieën en begon te hoesten. Ondertussen waren er nog meer soldaten de gelagkamer binnengekomen, die de touwslager omsingelden. Twee van hen sleurden hem overeind en zetten hem op een stoel.

'Nurjef, wat stelt dit voor? Waarom kom je hier als een wervelwind binnenwaaien?' De herbergier boog zich naar de touwslager toe en wrong zijn handen. 'Het scheelde niet veel of de heren hadden je doodgeslagen.'

'Het heeft toch allemaal geen zin,' mompelde Nurjef, starend in het vuur, terwijl hij nog steeds moeizaam ademhaalde. Waljakov stond recht achter hem en hield hem argwanend in de gaten.

Lodrik wrong zich tussen de soldaten door en liep naar de stoel waar de touwslager zat.

'Ik ben hara¢ Vasja, de nieuwe gouverneur van deze provincie. Wat heb je voor reden om op zo'n manier een herberg binnen te komen? Was het een noodgeval?'

Nurjef ging langzaam rechtop zitten, haalde zijn neus op en spuwde. 'De landvoogd kan me doodvallen, nieuw of oud.'

De lijfwacht deed een stap naar voren en sloeg de jongeman zo hard met zijn mechanische hand dat het bloed uit zijn mond spoot. Als door de bliksem getroffen zakte hij weer in elkaar.

De houthakkers begonnen te mompelen en grepen hun bijlen wat steviger vast. De soldaten hieven dreigend hun zwaarden in de richting van het groepje.

Stoiko besefte het gevaar van een schermutseling met de streekbewoners en spreidde bezwerend zijn armen.

'Rustig nou maar, we willen geen geweld.' Hij keek even naar Nurjef. 'Niet ernstig, tenminste.' De lakei stak de touwslager zijn hand toe om hem op de been te helpen, maar de man kwam zelf al overeind en negeerde hem. Zijn ogen fonkelden van woede. Een dikke straal bloed droop langs zijn kin uit zijn gescheurde onderlip.

'Nou weet je waarom ik niets van die hoge heren moet hebben!' Hij depte het bloed met zijn mouw. 'Ik zoek mijn vrouw. Ze is vanochtend naar het bos gegaan om paddenstoelen te verzamelen en wortels uit te graven.' Lodrik trok een vies gezicht, wat de touwslager voor een minachtend lachje aanzag. 'Eenvoudige mensen hebben in Granburg niets anders te eten, meneer de gouverneur. O, de edelen zorgen wel voor zichzelf, beschermd door de landvoogd. Zij eisen een derde van de oogst voor zich op en hebben ons de jacht verboden.'

'Neem het Waljakov maar niet kwalijk; hij is het niet gewend dat zijn heer wordt toegesproken zoals hier in Granburg.' Stoiko glimlachte verzoenend en reikte de touwslager zijn beker aan. 'Waar ging je vrouw precies naartoe?'

'Naar het bos, ongeveer drie uur lopen vanhier. Ik maak me grote zorgen, en toen ik al die lui met wapens zag, werd ik pas echt bang.' De uitdrukking op Nurjefs gezicht veranderde. Zijn ongerustheid was nu duidelijk te zien. 'De wolven sluipen al rond en een zwangere vrouw is een gemakkelijke prooi.'

'Zwanger, zeg je?' Waljakov wisselde een snelle blik met de raadsman en haalde langzaam de ring uit zijn zak die hij van de gedode vrouw had meegenomen. 'Dan hoop ik vurig dat dit niet haar ring is, die ik in mijn hand houd.'

'Ja, dat is haar ring. Die heb ik haar in het voorjaar gegeven bij ons trouwen. Maar die heeft ze nog nooit afgedaan!' Doodsbleek en met bevende handen pakte de touwslager het eenvoudige sieraad aan. 'Wat is er met haar gebeurd?'

Waljakov opende zijn mond, maar Stoiko was hem voor. 'Het spijt ons verschrikkelijk, maar we hebben slecht nieuws. Je vrouw en je kind zijn dood.'

Nurjef klemde zijn vuist om de ring en kromp ineen. Een paar gesmoorde snikken ontsnapten aan zijn keel. Lodrik voelde zich ellendig.

Een van de houthakkers kwam dreigend op de lijfwacht toe. 'Wat hebben jullie met zijn vrouw gedaan? Hebben jullie haar vermoord? Hoe kom je anders aan die ring?'

'Had ik die ring dan laten zien? Denk toch na voordat je iets zegt,' antwoordde Waljakov minachtend, en hij keek de man kil aan. 'Ze is door vechthonden verscheurd. Wij konden niet meer ingrijpen; we waren er te ver vandaan.'

Opeens was het doodstil in de gelagkamer, afgezien van het geknetter van het haardvuur.

De waard liet langzaam zijn hoofd zakken. Zijn mond was een dunne streep. De houthakkers klemden hun bijlen zo stevig in hun handen dat hun knokkels wit wegtrokken. Een van de koetsiers van het reisgezelschap mompelde een verwensing.

'Weet iemand iets over die vechthonden?' vroeg Lodrik zacht, terwijl hij een stap in de richting van de koetsier deed. 'Zei je wat?'

'Die beesten behoren toe aan hara¢ Tarek Kolskoi.' Het was de grootste van de houthakkers, die moedeloos zijn bijl liet zakken. Zijn vriend volgde zijn voorbeeld. 'Hij organiseert jachtpartijen, samen met de gouverneur en brojak Wanko. Meedogenloos jaagt hij al het wild in de omgeving op, en als er toevallig een dorpeling door het bos zwerft, maakt hij daarvoor geen uitzondering.' Hij ontblootte zijn bovenarm, die de littekens van een groot aantal beten vertoonde. 'Het heeft een maand geduurd voordat ik weer hout kon hakken. Als zijn baas hem niet had teruggeroepen zou die hond me hebben afgemaakt. Dan was ik net zo dood geweest als de vrouw van de touwslager.'

Nurjef slaakte een kreet. Hij sprong op en gooide de deur net zo onbeheerst open als toen hij binnengekomen was. Even later was hij verdwenen in het donker en de nevel.

De waard rende naar de deuropening. 'Kom terug, idioot! Straks knal je nog tegen een boom op of val je in een poel van het moeras.' Hij bleef staan totdat Waljakov de deur weer sloot. 'Ik hoop dat hij geen problemen krijgt.' De herbergier liep weer terug naar zijn buffet. 'De hara¢ houdt niet van grappen, behalve als hij ze zelf maakt.'

'Mooie toestanden zijn dat hier,' zei Lodrik hoofdschuddend. 'Als ik gouverneur ben, gaat dat veranderen, dat beloof ik je.'

Hij knikte naar de soldaten, die samen met hem en Stoiko de trap naar boven beklommen.

De lijfwacht bestelde bij de waard een warme kruidenwijn en ging zwijgend bij de haard zitten.

Het reisgezelschap trok zich op de kamers terug en ook de houthakkers verdwenen uit de gelagkamer.

De waard bracht Waljakov de dampende drank, drentelde aarzelend rond en kwam ten slotte naast hem zitten.

'Denkt u dat de jeugdige heer werkelijk iets kan veranderen? Hij lijkt me nog heel jong, met uw permissie, om zich tegen die ervaren edelen en grote boeren in de raad te kunnen verzetten,' sprak de dikke man zo voorzichtig mogelijk, om zich geen problemen op de hals te halen.

‘Wil je daar iets mee zeggen, waard?’ Waljakov, die nog steeds in het dovende vuur staarde, keek verveeld. ‘Dus jij denkt niet dat de jonge hara¢ de kracht bezit?’

‘Nee, nee.’ De man maakte bezwerende gebaren. ‘Zo heb ik het niet bedoeld. Ik wil alleen zeggen dat de mensen grote verwachtingen van hem zullen krijgen als hij zulke beloften doet. Granburg is niet als de andere Tarpoolse provincies. Hier waait nog een grimmiger wind dan aan de stormachtigste kust. Ik vroeg u alleen of hij de mogelijkheden daarvoor heeft.’

‘Ik ken hem nog niet zo lang.’ Waljakov stond op, dronk zijn beker leeg en drukte die de man in zijn hand. ‘Eerlijk gezegd zou ik nergens op hopen, want dan kom je misschien bedrogen uit.’ Waljakov rekte zich uit en verdween naar buiten.

De herbergier speelde met de lege drinkkroes, die hij in zijn vlezige vingers ronddraaide. ‘Het zou ook te mooi zijn geweest.’

V

'Sinured verbood het geloof in Ulldrael en gaf bevel om alle tempels af te breken, alle heilige bossen plat te branden en alle priesters en monniken te doden. Niets mocht meer aan Ulldrael de Rechtvaardige herinneren, en de Barkieten vergaten snel.

Ook in de bezette gebieden kondigde hij zulke maatregelen af, en terwijl het vuur van het ware geloof steeds verder doofde, brandden de offerschalen ter ere van Tzulan steeds vuriger en feller in de duisternis die over Ulldart was neergedaald. De hemel verduisterde, het werd nooit meer echt avond of ochtend, alleen de nacht was donker als altijd – volgens sommigen zelfs donkerder dan ooit.

Sinured spoorde zijn bereidwillige troepen weer aan en spoedig veroverde hij ook Serusië, Palestan en Agarsië. Op het slagveld leek hij onkwetsbaar. Pijlen schampten langs hem af, zwaarden en knuppels ving hij op met de blote hand, en tegenstanders die hem met heldenmoed de weg wilden versperren hakte hij zonder veel moeite in vieren.

De dappersten uit het rijk van Ulldart sneuvelden door de hand van de Barkiet en de ridderstand verschrompelde totdat niemand het meer waagde hem op het slagveld te benaderen.

Er kwam geen einde aan het schrikbewind...'

Historische Almanak van Ulldart,
deel xxi, blz. 1049

De westkust van Tarpol, winter 441 n. S.

De Vrolijke Groet werd van links naar rechts gesmeten. De omgebouwde koopvaarder was een speelbal van de zware golfslag, waardoor alles wat niet goed vastgesjord was door het schip heen werd geslingerd.

Torben Rudgass gleed heen en weer in zijn houten gevangenis. Hulpeloos en half buiten bewustzijn hing hij aan zijn ijzeren kettingen, die voorkwamen dat hij met zijn hoofd in een plas zeewater bleef liggen en zou stikken.

Na de afranseling hadden ze hem hier laten liggen. Zijn wonden schuurden open langs de planken en de ratten hadden inmiddels grote belangstelling gekregen voor de man, die zich nog maar sporadisch kon verweren.

De Rogogarder had al afscheid genomen van het leven. Hij verwachtte niet dat hij dit verblijf benedendeks zou doorstaan. Hij was nog nauwelijks bij zijn positieven en ontwaakte slechts zo nu en dan – als het gepiep van de ratten te opdringerig werd – uit een onrustige slaap die geen soelaas meer bood. Het eten dat de cipiers hem brachten was een prooi voor de knaagdieren, die de scheepsbeschuit en soep nog eerder hadden verorberd dan de man zijn hand ernaar had uitgestrekt.

Het schip deinde steeds heviger en Torben werd zo hard tegen de romp gesmeten dat hij met een kreet van pijn uit zijn sluimer wakker schrok.

De Vrolijke Groet kreunde en kraakte verontrustend en de piraat vroeg zich af waarom de commandant niet een veilige haven opzocht in plaats van iedereen in gevaar te brengen.

Ondanks de pijn trok hij zich aan de planken omhoog en luisterde scherp. Maar hij hoorde niets. Zelfs de ratten gaven geen kik.

'De ratten zijn stil,' mompelde de piraat verbaasd, en hij wierp een blik om zich heen.

Pas toen hij scherper keek, ontdekte hij de harige lijfjes, die roerloos in het water van het onderruim dreven. Ook rond zijn soepkom lagen dode ratten.

Torben pakte een van de dieren op en bekeek het van dichtbij.

Algauw ontdekte hij het schuimende speeksel in de bek en rond de snuit van het knaagdier. Ook uit de neus droop een dun straaltje schuim.

'Verdomme, die Palestaanse hond wilde me toch vergiftigen.' Torben smeet de rat weg en gooide de soepkom om. 'Dat had je gedroomd, DeRagni.'

Met een luide klap ramde *De Vrolijke Groet* een obstakel. De planken van Torbens cel spleten open en het zeewater sloeg in een zware golf over de piraat en door het ruim.

De Rogogarder werd door de druk van het water naar achteren geworpen, de kettingen rukten zich uit het hout en de gevangene was vrij. Hij had nog altijd boeien om zijn enkels en polsen, maar hij kon zich weer bewegen.

Zijn vreugde werd getemperd door het binnendringende water, dat snel begon te stijgen.

Gelukkig hadden zijn bewakers niet de moeite genomen zijn cel deugdelijk te vergrendelen, zodat Torben uit het ruim wist te ontsnappen en met enige moeite de steile ladder naar het dek beklom.

Door de luikopening boven zijn hoofd zag hij een bewolkte, stormachtige hemel. Stortbuien kletterden op *De Vrolijke Groet* neer en hier en daar klapperden gescheurde zeilen luid in de loeiende wind.

Het schip rolde naar stuurboord op het moment dat de piraat uit het luik klom. De verzwakte Torben verloor zijn evenwicht en viel tegen een paar rollen touw.

Hij verwachtte een waarschuwingskreet te horen toen hij als ontsnapte gevangene aan dek kwam, maar alles bleef stil.

Van de bemanning, die bij zo'n noodweer druk bezig moest zijn de zeilen te reven, was geen spoor. Onbemand draaide het stuurrad op het bovendek heen en weer, de boordlichten waren gedoofd en het kraaiennest was onbezet. *De Vrolijke Groet* was een spookschip geworden.

Met opeengeklemde tanden hees Torben zich uit de rollen touw overeind en kroop op handen en voeten over het deinende dek in de richting van de kapiteinshut, waar een onrustig lichtje flakkerde. De piraat wilde weten wat hier aan de hand was, ondanks de problemen die hij misschien over zich af zou roepen.

De deur van de kajuit klapperde in het ritme van de golfslag. Mogelijk was het schip op een rots of een klip gelopen, maar de romp rees en daalde nog steeds, met de onrustbarende geluiden van splinterend hout. Over een paar minuten moest de hele linkerkant zijn opengereten, en daarna was het nog slechts een kwestie van tijd voordat *De Vrolijke Groet* naar de bodem van de zee zou zinken.

Torben stond op en wankelde de hut binnen, met de voetboeien rinkelend achter zich aan.

DeRagni lag ruggelings op het bureau. Uit zijn borst stak zijn eigen degen, die met zo veel kracht door zijn bovenlijf was geramd dat hij aan het schrijfblad zat gespiest en niet van het bureau kon rollen, ondanks de zware zeegang.

De Palestaan had zijn ogen opengesperd in doodsangst. Schrik en ontzetting stonden op zijn gezicht te lezen. De eigendommen van de geheimzinnige passagier waren verdwenen, evenals de twee plunjezakken.

De piraat begreep er niets van. Hij had een vaag vermoeden van muiterij. Misschien had de bemanning de kostbare sieraden willen stelen.

Een heftige beweging van het schip vertelde de Rogogarder dat hij niet veel tijd meer had. Haastig verliet hij de hut, op zoek naar een manier om veilig van dit verdoemde schip te komen.

De grote reddingssloep hing nog in de davits aan dek.

'Dus geen muiterij,' concludeerde Torben, die zich aan een bungelend touw moest vastgrijpen om niet over de reling te slaan. 'Maar waar zijn de mannen dan gebleven?'

Met de sloep de zee op gaan zou zelfmoord zijn in deze omstandigheden. Bovendien ontbrak hem de kracht om de lier te bedienen om de boot te laten zakken. Hij moest dus iets anders bedenken.

Ten slotte besloot hij in de kombuis naar een leeg vat te zoeken, dat hem bij het zinken van het schip voor de verdrinkingsdood kon behoeden.

De weg erheen leek eindeloos. Hoewel de storm wat afnam, spoelde de zee nog woest over het dek. De laatste golf had hem bijna overboord gesmeten.

In de kombuis wachtte hem de volgende verrassing. De scheepskok lag languit naast het fornuis, met op zijn mond hetzelfde schuim dat Torben bij de dode ratten had gezien. Wat dunner slijm droop uit zijn neus.

'Dat komt ervan als je van het rantsoen van de gevangene eet.' De piraat stapte over de dode heen, viel tegen het aanrecht en het gedoofde fornuis, voordat hij de tonnen en vaten had bereikt.

Nog steeds had hij geen verklaring voor wat zich hier had afgespeeld, maar de tijd was te kort om er nog over na te denken.

Een van de vaten leek wel geschikt. Snel kiepte hij de meeste zuurkool eruit, zocht het deksel, stak een paar keukenmessen achter zijn riem en sleurde het vat hijgend naar buiten, het dek op.

Zijn longen leken in brand te staan, de spieren van zijn armen en benen trilden, maar met een uiterste inspanning wist hij in het vat te klimmen.

Hij wilde net het deksel sluiten toen hij een donkere gedaante ontdekte bij de lier van de reddingsboot.

De man was gekleed als een Palestaanse zeeman, maar aan zijn zij hing een merkwaardig kort zwaard dat matrozen niet gebruikten.

De onbekende keek niet achterom en had Torben en zijn zuurkoolvat, verborgen achter de grote mast, blijkbaar niet opgemerkt of had het te druk met zijn bezigheden. In elk geval bekommerde hij zich niet om de ontsnapte piraat.

De Rogogarder zag de twee verdwenen plunjezakken in de reddingsboot liggen. Hij was ervan overtuigd dat hij die een paar minuten geleden nog niet had gezien.

Langzaam kwam er een vermoeden bij Torben op. Zou de geheimzinnige passagier toch niet met de *Grazie* zijn ondergegaan? Zou de onbekende misschien de bemanning hebben vergiftigd en de kapitein gedood?

De Vrolijke Groet zakte kreunend een heel eind de golven in. Het vat viel om en rolde naar de reling.

Nog net op tijd klom de piraat in het vat en trok het deksel dicht.

Hij werd misselijk door het draaien van de ton, maar hij klampte zich aan de binnenste handgreep van het deksel vast en probeerde het vat zo goed mogelijk te sluiten.

De ton rolde ergens tegenaan en kwam tot stilstand. Torben gebruikte die korte rustpauze om de ketting door de handgreep te trekken om meer kracht te kunnen zetten.

Toen helde *De Vrolijke Groet* weer naar stuurboord, schoot los van de rotspunt waarop hij was vastgelopen en begon te zinken.

Het vat rolde de andere kant op, sloeg over de reling en plonsde in het water.

De piraat bad tot alle goden dat de ton stevig genoeg zou zijn. Gelukkig bleek hij waterdicht. Slechts een paar druppels drongen door het deksel toen Torben op de golven heen en weer gesmeten werd.

Na wat een eeuwigheid leek voelde hij dat zijn krachten begonnen af te nemen, maar ook de storm scheen te gaan liggen.

Met hulp van de messen en een paar schakels van de ketting verankerde hij het deksel voordat hij uitgeput zijn ogen sloot en wegzonk in een diepe duisternis.

Torben werd wakker met de scherpe lucht van zuurkool in zijn neus. Voorzichtig sloeg hij zijn ogen op.

Het deksel was verdwenen en de piraat zag het dunne, lichtgekleurde zand waarop de ton was gestrand. Verderop kabbelde de zee, kalm en rustig, met schelpen, zeewier en aangespoeld drijfhout aan de waterrand. De zonnen gingen ergens achter de nevel schuil en het was ijzig koud.

Nu pas merkte de Rogogarder dat hij tot op het bot verkleumd was en beefde over zijn hele lijf. Met stijve gewrichten kroop hij uit de ton, behangen met de slierten zuurkool die hij eigenlijk als proviand voor de dagen op zee had bedoeld.

Het rook naar vers zeewier, en te oordelen naar de lengte van het weggeslagen strand waarover hij zich voortsleepte moest de storm van de afgelopen nacht verwoestend zijn geweest.

Na een paar meter draaide de piraat zich moeizaam op zijn rug en tuurde naar de zonnen, die als lichtgrijze bollen door de mist schemerden.

'Je hebt het overleefd. Maar hoe nu verder?' mompelde Torben met zijn tanden klapperend. Hij had geen idee waar hij zich bevond.

Langzaam hees hij zich op zijn linkerzij en keek recht naar de voet van een kademuur, een paar centimeter van zijn gezicht.

Omdat zijn benen dienst weigerden, had hij geen andere keus dan om hulp te roepen, in de hoop dat een visser of voorbijganger hem zou horen.

Na een tijdje hoorde hij inderdaad voetstappen in het zand, die zijn kant op kwamen.

'Zie je wel? Ik had je al gezegd dat iemand het had overleefd,' zei een oudere vrouw met enige triomf in haar toon.

'De kans was klein, Laja, dat moet je toegeven,' wierp een andere vrouw tegen. 'Als je dat scheepswrak ziet, op de rotsen daarginds, moet de stuurman zo blind zijn geweest als de oude Dubjuschek.' Ze spraken allebei Ulldart, maar met een rollende 'r', zodat de piraat nu zeker wist dat hij aan de Tarpoolse kust was aangespoeld.

'Ik zou jou wel eens aan het roer van zo'n schuit willen zien. Jij kunt nog niet eens met een roeiboot uit de voeten,' lachte de oudere vrouw. De voetstappen kwamen steeds dichterbij. 'Kijk. Hij heeft zijn ogen open.'

'Hij heeft een ketting aan zijn lijf en hij zit onder de zuurkool,' voegde de ander er droog aan toe. Opeens dook de vrouw in Torbens gezichtsveld op en boog zich naar hem toe. 'Versta je me?'

Torben knikte zwak. 'Help,' fluisterde hij. Door het hulpgeroep had hij geen stem meer over. Alles zweefde hem zo wazig voor de ogen dat hij zelfs een walrus voor een mens zou hebben aangezien.

Nu verscheen ook de andere vrouw, die op een stok leunde en de Rogogarder met samengeknepen ogen opnam. Toen werd haar gezicht wat vriendelijker.

'Wees maar niet bang, jongen. We krijgen je wel weer op de been.' Ze tikte met de punt van de stok tegen de handboei om zijn rechterpols. Torben kromp ineen. 'Daar zullen we je van verlossen, zodra we je naar mijn huis hebben gebracht.'

Er klonken nog meer voetstappen over het zand en er werd zachtjes overlegd over de herkomst van de drenkeling.

'Waar hij vandaan komt en wat hij is, dat zien we later wel. Eerst heeft hij verzorging nodig. Vooruit, breng hem maar naar mijn huis.'

De piraat sloot vermoeid zijn ogen toen behulpzame handen hem op een draagbaar tilden en hem bij het strand vandaan brachten.

Torben onderging alles als in een droom: de weg door het dorp, langs een groepje verbaasde kinderen en volwassenen, de aankomst bij het huis van zijn weldoenster en ten slotte het zachte bed waarop hij werd neergelegd. Hij viel meteen in slaap.

Met een kreet schrok hij wakker door een stekende pijn in zijn rug. Hij lag op zijn buik, zonder kleren, en er brandde iets gemeen tegen zijn schouderblad. Toen hij probeerde zich op te richten werd hij door een paar handen zachtjes maar beslist weer teruggeduwd.

'Stil blijven liggen, anders krijg ik het zand nooit uit je wonden,' zei de oudere vrouw, die op het strand met Laja was aangesproken. 'Het ziet er niet mooi uit, maar het zijn geen verwondingen die ik niet kan genezen.' Weer die stekende pijn, maar nu was Torben erop voorbereid en kreunde hij zacht. 'Dat is beter, jongen. Het is zo gebeurd. Daarna krijg je een lekkere hete soep om je weer op krachten te brengen.'

'Ik heet geen jongen, maar Torben Rudgass.' De piraat probeerde zijn hoofd om te draaien, maar hij kon de vrouw niet zien. 'En ik heb u nog niet bedankt dat u me van die kettingen hebt verlost.'

'Onze smid is een vakman, die goed met de hamer overweg kan. Hij heeft de schakels stukgeslagen zonder je maar één schrammetje te bezorgen.' Laja streelde hem even over zijn hoofd. 'Wees maar niet bang, hier ben je veilig. Later komt de rechter om je te ondervragen. Hij wil natuurlijk weten wat voor schip dat was en wat jij aan boord deed.'

Torben dacht koortsachtig na. 'Ze wilden me als slaaf verkopen. Het waren Palestaanse handelaren, die...'

'Nee, nee. Mij interesseert dat allemaal niet,' viel de vrouw hem in de rede.

De piraat hoorde dat ze opstond, iets van de tafel pakte en naar het hoofdeinde van het bed liep. Hij rook de soep al voordat hij die zag. Een geweldige honger maakte zich van de Rogogarder meester.

Toen stond Laja voor hem met het diepe bord.

De vrouw was rond de vijftig. Ze had lang, zwart haar met grijze strepen en een vriendelijk, verweerd gezicht. Haar bruine ogen stonden zachtaardig, maar straalden ook energie en wilskracht uit. Ze droeg een versleten, donkerbruine volksdracht met groen en donkergeel stiksel, en haar linkerhand rustte op de knop van een wandelstok.

'Eet maar op.' Laja reikte Torben het bord met dampende soep aan. 'Je moet eerst aansterken voordat die nieuwsgierige kerel komt. Als je me nodig hebt, ben ik in de keuken.'

'Dank u. Heel veel dank voor uw vriendelijkheid en uw goede zorgen.' De piraat boog zich over de soep, die met extra veel vlees was bereid, en gunde zich daarna nog een kort slaapje, waarin hij werd gestoord toen de rechter met veel gedruis arriveerde. Hij wilde Torben onmiddellijk een verhoor afnemen.

De piraat vertelde de man het verhaal dat hij in halve slaaptoestand had bedacht. Hij was een visser die door Palestaanse handelaren als slaaf zou worden verkocht. Het schip was speciaal omgebouwd voor de slavenjacht op zee, bedoeld om andere schepen te enteren. Dankzij de storm had hij zich kunnen bevrijden en was hij in een ton gevlucht.

De rechter knikte regelmatig, luisterde aandachtig en leek het te beschouwen als een sprookje dat een beetje afwisseling bracht in het eentonige dorpsleven. Ten slotte wenste hij hem beterschap en beloofde hem alle medewerking van de Tarpoolse regering om weer terug naar huis te komen. Toen nam hij afscheid en verdween.

Laja verscheen in de deuropening, met twee handen leunend op haar stok, en glimlachte veelbetekenend.

'Je bent een geweldige verteller, Torben Rudgass. Die oude dwaas mag je geloven, maar ik zeker niet.'

De piraat voelde zich wat onbehaaglijk. De blik van de vrouw leek tot in alle hoeken van zijn gedachten door te dringen. Ze wist dat hij de man had voorgelogen.

'Maar ik was echt visser! Ik...'

'O, je voer wel op zee, maar je hebt niet het eelt van een visserman. En je lichaam vertoont de littekens die je niet aan een visnet maar aan een zwaard- of een dolksteek overhoudt. Ik denk dat je een piraat bent, die door de Palestanen gevangen was genomen.' Laja kwam naar het bed toe, enigszins slepend met haar rechtervoet. 'Ik mag die Palestanen ook niet, Torben. Daarom ben je hier meer dan welkom.'

De Rogogarder krabde zich verlegen op zijn hoofd. 'En ik dacht nog wel dat ik zo overtuigend was.'

'Ach, voor die ouwe wel,' lachte ze geringschattend. 'We hebben hem juist gekozen omdat hij niet de slimste is. Maar iedereen in het dorp met een beetje verstand zal de waarheid of een deel ervan wel kunnen raden. Geen zorg, want we drijven liever handel met Rogogard in plaats van dure waar uit Palestan te moeten kopen. Daarom ben je veilig hier, zoals ik al zei.'

'Maar stel dat iemand de rechter de waarheid vertelt?' Torbens gezicht vertrok van pijn toen hij een onverhoedse beweging maakte en de wonden op zijn rug zich met hernieuwde hevigheid deden gelden.

'Niemand in het dorp zal je bij de rechter aangeven, dat verzeker ik je.' Laja keek de piraat recht aan. 'Het zal nog wel even duren voordat je op de been bent.'

'Ik heb alle tijd van de wereld, want ik ben mijn schip en mijn bemanning kwijt.' De Rogogarder keek uit het raam naar de zonnen, die door de kale bomen schenen. 'Liever zou ik samen met mijn mannen zijn omgekomen.'

Laja tikte hem opeens met haar stok op zijn verband. Torben schrok zo, dat hij een kreet van pijn slaakte.

'Die pijn vertelt je dat je het hebt overleefd. Het was de wil van de goden en de zee dat je zou doorgaan op je levenspad. Zo is dat bepaald. Als de goden het anders hadden beschikt, zou je nu op de bodem van de zee hebben gelegen. Dus hou op met jammeren, wees dankbaar en begin opnieuw.'

De piraat zweeg en keek Laja met fonkelende ogen aan.

'Ik wilde je er alleen maar op wijzen, Torben.' De vrouw verliet de kamer, terwijl de zeerover in zijn eentje achterbleef om over de woorden van zijn weldoenster na te denken.

Even later kwam ze terug met nog een bord dikke vissoep. Toen ze weer wilde vertrekken pakte Torben haar pols.

'Je had gelijk met wat je zei. Het spijt me dat ik zoveel zelfmedelijden had. Dat is kinderachtig.'

Laja glimlachte alweer. 'Je bent niet alleen een taaie, maar je hebt ook verstand. Dat bevalt me in een man.'

'Hebben jullie op het strand nog andere overlevenden gevonden? Of doden, misschien?' vroeg de piraat, terwijl hij zijn bord leeg at. De vrouw schudde haar hoofd.

'Heel vreemd, eigenlijk. Er is niemand aangespoeld behalve jij, alleen wat spullen van het schip en het wrak van een reddingssloep.'

Torben verslikte zich. 'Het wrak van een reddingssloep? Lagen daar nog twee grote leren plunjezakken in? Dat is heel belangrijk voor me.'

Laja nam hem onderzoekend op. 'Ik weet het niet. De dorpelingen hebben meteen na de storm alles van het strand gehaald wat enige waarde had. Ik wilde ook iets hebben, maar ik vond alleen jou.' Ze giechelde. 'Hoezo?'

Torben vervloekte zijn verwondingen en zijn onmacht om zelf op het strand te gaan kijken. 'Laja, ik moet je een merkwaardig verhaal vertellen.'

'Hopelijk geen leugen, zoals je die de rechter op de mouw gespeld hebt,' merkte ze op, en ze hief dreigend haar stok. Maar meteen stond haar gezicht weer ernstig toen ze zag hoe hoog Torben het opnam. 'Het gaat zeker over het schip? Dat vroeg ik me ook al af. Waarom is de kapitein of de stuurman niet bijtijds een veilige haven binnengelopen in plaats van langs de kust te blijven varen, met al die rotsen?' Ze ging op een krukje zitten.

De piraat knikte. 'De hele ellende begon in Gustroff,' zei hij, en hij vertelde haar over de geheimzinnige onbekende, zijn merkwaardige bezittingen en wat hij in die stormnacht aan boord van *De Vrolijke Groet* had gezien.

Aan het einde van het verhaal was Laja's interesse duidelijk gewekt. 'Denk jij dat hij op een of andere manier aan boord van die Palestaanse koopvaarder is gekomen en de bemanning heeft vergiftigd?' De vrouw speelde peinzend met de knop van haar stok.

'Ik heb me dat ook afgevraagd, juist omdat DeRagni dat vreemde witte poeder in die ring had ontdekt. Stel dat de passagier nog meer van dat spul had en het heimelijk door het eten heeft gemengd?' zei Torben opgewonden.

'Het zou kunnen,' beaamde Laja. 'Er bestaan zulke middelen. Maar het moet wel een sterk gif zijn geweest om de hele bemanning in zo'n korte tijd te doden. Waarschijnlijk heeft hij hen vlak voor de storm gedood omdat hij de zee en het weer verkeerd inschatte. Dat verklaart waarom het schip op de rotsen is gelopen. En DeRagni heeft hij met zijn degen vermoord omdat de commandant niets van het eten had genomen. Je zegt dat je midden in de nacht een gedaante met een kort zwaard bij de lier van de reddingssloep zag staan?'

De piraat knikte. 'Iedereen die maar iets met de zee te maken heeft weet dat een Palestaanse sloep sneller omslaat dan een stuk lood in het water zinkt. Hij had beter een ton kunnen zoeken, net als ik.'

'Wat nog eens bewijst dat die passagier weinig van de zee wist. En dat is hem noodlottig geworden,' voltooide Laja met een voldaan gezicht. Ze stampte met haar stok op de grond. 'Hij heeft zijn straf gekregen voor de moord op die mensen – ook al waren het maar Palestanen.'

'Ik ben wel nieuwsgierig hoe de moordenaar aan boord van *De Vrolijke Groet* is gekomen en zich zo lang verborgen heeft gehouden,' mompelde Torben, die nu snel moe werd. Hij kon een lange geeuw niet onderdrukken.

'Dat zou hij je vast niet hebben verteld als je hem was tegengekomen.' Ze dekte hem zorgzaam toe. 'Ga nu maar slapen. Later praten we verder. Welterusten, Torben.'

Laja stond van het krukje op en verdween.

Algauw zakte de Rogogarder weg in onrustige dromen over de geheimzinnige passagier die zoveel mensen een mysterieuze, ellendige dood had bezorgd.

VI

'En Sinured bracht talloze mensenoffers aan Tzulans geest, volgens sommigen zo veel dat ze duizend grote graanschuren hadden kunnen vullen. Hij maakte geen onderscheid tussen mannen, vrouwen, kinderen of grijsaards. Zelfs zuigelingen werden tot eer van de Geblakerde God op de meest afschuwelijke wijze ter dood gebracht.

En Tzulans geest verlangde steeds meer en meer. Sinured gaf hem rijkelijk wat hij vroeg, om de Geblakerde God tevreden te stellen. Zijn soldaten joegen de mensen op en dreven hen als slachtvee naar de altaren en offerplaatsen. De grond kleurde zich rood en op sommige plekken ontstond een moeras van bloed, zo verzadigd was de aarde.

De honger van de Geblakerde God was ten slotte zo groot dat Sinured hele steden te zijner ere in de as legde. De poorten werden vanbuiten met zware boomstammen en keien gebarricadeerd, terwijl boogschutters zich rond de stad opstelden om iedere vluchteling die over de muur aan de vlammen wilde ontkomen neer te schieten en terug te drijven naar het vuur.'

Historische Almanak van Ulldart,
deel xxi, blz. 1050

Provinciehoofdstad Granburg, koninkrijk Tarpol, winter 441 n. S.

Na de overnachting in de herberg had het gezelschap van de Tadc nog drie dagen nodig voordat ze de provinciehoofdstad Granburg zagen liggen. Kort voor hun vertrek die dag was het gaan sneeuwen, eerst nog kleine, zachte vlokken, maar al snel werden de kristallen steeds dikker, zodat het zicht aanmerkelijk werd beperkt – tot ongenoegen van de kale lijfwacht.

Een wit, ijskoud laken daalde neer over het landschap, absorbeerde alle geluiden en legde een onheilspellende stilte over de provincie, die Lodrik pas opviel toen de groep eindelijk pauze hield.

Zoals altijd leek Waljakov overal tegelijk te zijn. Hij gunde zijn strijdros geen minuut rust. De stemming, die door de gebeurtenissen in de herberg nogal gedrukt was, verbeterde enigszins, afgezien van Lodriks gezeur over het bescheiden en niet echt smakelijke maal.

De Tadc herhaalde nog eens zijn plannen om iets tegen de edelen met hun gevaarlijke vechthonden te ondernemen. Stoiko dook in de bagage en haalde het wetboek tevoorschijn met alle regels van de rechtspraak.

'Verdiept u zich hier maar eens in, heer. Als toekomstig gouverneur zult u ook recht moeten spreken, en dat gaat niet zonder enige kennis van de wetten hier.' De raadsman bladerde het dikke boek door. 'En als ik het zo lees, zijn er maar weinig mogelijkheden om dit te bestraffen. U zou de edelen er alleen toe kunnen dwingen de touwslager een schadevergoeding te betalen, aangenomen dat de vrouw geen lijfeigene was.'

'Ik ken de wetten van het koninkrijk, Stoiko. Ze gelden in alle provincies. Ik heb geen zin om al die teksten nog eens te lezen. Ik vertrouw liever op mijn intuïtie. Wat vind jij?'

Stoiko klapte het dikke boek zo hard dicht dat er een wolkje stof opsteeg. 'Nu maakt u zich er wel makkelijk van af, heer. In Granburg bent u niet de Tadc, aan wie iedereen moet gehoorzamen, maar de zoon van een hara¢, die al zijn besluiten als gouverneur met de juiste artikelen uit de codex moet onderbouwen.' De raadsman reikte Lodrik het boek aan, dat de troonopvolger met tegenzin aanpakte.

'Ik hou er niet van als anderen gelijk hebben,' mompelde de Tadc toen hij zich over de tekst boog. Maar de raadsman sprak wel de waarheid. De edelman was in dit geval niet aansprakelijk, hoezeer dat Lodrik ook speet.

De koets hield halt bij de stadspoort, waar vier wachtposten in dikke jassen alle verkeer controleerden.

Toen ze het escorte en de koets zagen, sprongen ze voorzichtigheidshalve in de houding, terwijl een van hen vertrok om de commandant te halen.

Waljakov steeg af en stapte met vijf van zijn mannen naar de wachttoren om de officiële reispapieren – persoonlijk opgesteld door de minister van Waterstaat en Wegenbouw – af te geven, zodat ze zonder probleem de stad konden binnenrijden.

Na een paar minuten kwam de lijfwacht weer terug, sprong in de koets en bracht Stoiko en de Tadc verslag uit.

'We zijn niet echt welkom hier. Dat heeft de wachtcommandant me wel duidelijk gemaakt. Het gerucht doet de ronde dat de oude gouverneur zijn positie moet opgeven, en blijkbaar is hij geliefd, in elk geval bij de soldaten.' Hij haalde een vel papier uit zijn zak. 'Dit is de plattegrond met de weg naar het paleis van de gouverneur. Ik had niet gedacht dat die stad nog zo groot was.'

'Kom op, dan. Ik verlang naar een grote, warme kamer met warme melk en een warm bad,' zei Lodrik ongeduldig. 'We zijn al meer dan een maand onderweg en ik lust wel koek of taart.'

'Ik ga al, heer.' Waljakov boog, sprong in de sneeuw, en even later zette de stoet zich weer in beweging.

Lodrik keek nieuwsgierig uit het raampje van de koets om een beeld van de stad te krijgen waar hij binnenkort als gouverneur de scepter zou zwaaien.

De schaarse voorbijgangers in de brede hoofdstraten waren dik ingepakt, trokken sleetjes met brandhout achter zich aan of hadden bossen rijshout onder hun arm. Niemand keurde de koets een blik waardig, of hooguit vluchtig, zonder veel interesse.

De grote vakwerkhuizen maakten een grauwe, verwaarloosde indruk. Blijkbaar ontbrak het de meeste bewoners aan genoeg geld voor het onderhoud. Maar in de herbergen en taveernes waar ze voorbijkwamen was het druk genoeg.

Achter de bonte, beslagen ramen zag Lodrik brede silhouetten met glazen en pullen in de hand. Zo nu en dan drong er een luid gezang naar buiten door, dat de nieuwe gouverneur eerder aan dronken gelal dan aan een lied deed denken.

De Tadc huiverde even toen hij terugdacht aan de lucht van het wortel-, schors- en zwammenbier uit de herberg. Onbegrijpelijk dat iemand zoiets vrijwillig kon drinken.

Toen ze langs De Gouden Kogel kwamen, werd er net een dronken bezoeker door de waard de besneeuwde straat op gesmeten en bijna door de lijfwacht van de Tadc vertrappeld. De ruiters konden hem nog op het nippertje ontwijken. De man krabbelde overeind en wankelde stuurloos tussen de paarden door.

Waljakov hield zijn dier in, duwde de zuiplap naar de rand van de straat en schopte hem met een stevige trap in zijn rug een steegje in.

'De Granburgers proberen kennelijk hun zorgen te verdrinken,' zei Stoiko, die door het andere raampje het hele incident had gevolgd. 'Bepaald geen statige provinciehoofdstad, als u het mij vraagt, heer.'

Lodrik had inmiddels het paleis van de gouverneur ontdekt, dat dankzij een protserige gevel met veel bladgoud schril tegen de andere gebouwen afstak. Hij klapte geestdriftig in zijn handen.

'Kijk eens waar we komen te wonen, Stoiko! Is dat niet mooi?'

'Iémand schijnt te weten hoe je in deze ellende nog goed kunt leven.' De raadsman trok zijn handschoenen strak. 'Ik ben benieuwd naar die gouverneur Wasilji Jukolenko. Hij regeert al meer dan zes jaar over deze provincie. Dat moet toch sporen hebben achtergelaten.'

Lodrik krabde aan zijn kin, waar een paar schaarse baardharen jeukten. 'De Kabcar zei dat de man hem een doorn in het oog was. Waarom eigenlijk, Stoiko?'

'Voor zover ik weet levert hij onder de edelen van Granburg kritiek op de vorst en heeft hij aanmerkingen op zijn binnen- en buitenlandse politiek. Hij is een reactionaire figuur, die de adel graag weer zijn oude machtspositie zou teruggeven en Tarpol in zelfstandige graafschappen wil verdelen,' antwoordde Stoiko. 'Hij hitst de machtigen van de provincie tegen uw vader op – uiteraard in het geniep, en zonder getuigen. De Kabcar heeft maar bij toeval van zijn intriges gehoord en hij kan nog niets bewijzen tegen Jukolenko.' De raadsman zocht naar de leren rol waarin Lodriks aanstellingsakte waterdicht was verpakt en balanceerde die op zijn vlakke hand. 'Deze papieren zijn de officieuze afstraffing van de gouverneur voor zijn complotten en de andere spelletjes waarmee hij zich al jaren bezighoudt. De edelen en

Jukolenko zullen drommels goed beseffen waarom hij is afgezet.'

De koets hobbelde over de keitjes van de binnenplaats en kwam voor het paleis tot stilstand.

De lijfwacht opende de deur van de koets en hielp Lodrik naar buiten.

Heimelijk had de Tadc op een rode loper of in elk geval een erewacht gerekend, maar tot zijn verbijstering was er niemand te zien. Bij de ingang van het paleis stonden twee bedienden in livrei, die de nieuwkomers verbaasd opnamen en geen vin verroerden.

De wind blies ijzig over de grond en deed de sneeuw opwaaien.

'Hebben we ons vergist, Waljakov?' Lodrik keek de zwaargebouwde lijfwacht aarzelend aan. 'Ik zie wel een paleis, maar geen gouverneur om mij te begroeten. En inmiddels zal hij toch wel weten dat ik zijn opvolger ben, is het niet?'

Stoiko dook naast hem op, trok een sjaal voor zijn gezicht en inspecteerde de omgeving. Het grote gebouw leek uitgestorven. Nergens brandde licht. 'Een ruïne zou niet minder uitnodigend zijn, heer,' merkte de raadsman scherp op. 'En als ik hier nog langer in de kou moet staan, breekt mijn snor af.'

Waljakov, die weinig last scheen te hebben van de ijzige temperaturen, wenkte met een gebiedend handgebaar een van de beide lakeien.

'Waar is gouverneur Jukolenko? Mijn heer, de hara¢ en toekomstige landvoogd, wil hem onmiddellijk spreken.' Met zijn handen in zijn zij stelde de lijfwacht zich dreigend voor de lakei op, die zichtbaar geïmponeerd was. 'Onmiddellijk,' herhaalde Waljakov, en hij legde zijn mechanische hand op de greep van zijn sabel.

'De edelachtbare heer is naar de opera met zijn familie en het hof. Daarna is het jaarlijkse banket voor de landheren, waarbij de gouverneur eregast is,' antwoordde de lakei haastig, met een poging tot een glimlach. 'Als hij had geweten dat u vandaag zou arriveren, zou hij...'

De grijze ogen van de man met het kale hoofd lichtten nijdig op, zodat het lachje de lakei op zijn gezicht bestierf. 'En waar is dat banket?' vroeg Waljakov, die zijn mannen een teken gaf om af te stijgen.

'Hier vlakbij, heer. De straat uit en dan de vierde zijstraat rechts, in Het Wapen van Granburg, meteen naast de opera. Ze zitten nu wel te eten, denk ik. Als u wilt, zal ik een bode sturen om de gouverneur...'

'Nee,' schalde Lodriks hoge stem over het besneeuwde plein. 'Ik wil dat banket wel eens zien.' De Tadc draaide zich op zijn hakken om en stapte weer in de koets. 'Rijden maar. Stoiko, waar wacht je op?' De jongen keek door het raampje en knikte naar Waljakov. 'Jij gaat met ons mee, met tien van je beste mensen.'

De lijfwacht maakte een plichtmatige buiging, koos voor de zekerheid toch maar twaalf man uit en steeg weer op. De achterblijvende soldaten brachten hun paarden naar de stallen.

Ratelend zette de koets zich in beweging en denderde de straat door, op weg naar het banket.

'Een heel goed idee van u, heer. De landheren zullen grote ogen opzetten, om nog maar te zwijgen over de gouverneur, als zijn opvolger plotseling verschijnt, zijn opwachting maakt en op het hoogtepunt van het banket Jukolenko de laan uit stuurt.' Stoiko wreef verheugd in zijn handen. 'Heel goed gezien, heer.'

Lodrik aarzelde. 'Zo had ik het nog niet bekeken. Ik bedoel, dat zou wel een vernedering zijn voor die man – hem zo te kijk zetten voor iedereen. Daarmee verklaar ik hem eigenlijk de oorlog.'

'En dat wilt u niet?' Nu was het de raadsman die een verbaasd gezicht trok.

'Nou ja. Ik heb honger, of was je dat vergeten? En omdat ik

niet wil verhongeren in dat verlaten paleis, rij ik naar een plek waar iets te eten is.' Lodrik grijnsde. 'Jouw idee voeren we ook wel uit, geen zorg. Maar eerst wordt er gegeten.'

'Natuurlijk, heer.' De raadsman keek omhoog en zuchtte. 'Eerst wordt er gegeten. Laat ik u toch maar wat adviezen geven, voordat we ons in het hol van de leeuw wagen.'

Wasilji Jukolenko zette de zilveren bokaal neer, veegde met zijn hand over zijn dunne snor en liet zijn blik over het illustere gezelschap glijden dat zich op zijn kosten in Het Wapen van Granburg had verzameld.

Achttien herenboeren gaven vanavond acte de présence. Samen met zeven edelen propten ze de culinaire specialiteiten en delicatessen naar binnen alsof het hun galgenmaal was.

Hoe meer geld die mensen hebben, des te gulziger ze worden, dacht de gouverneur, en hij rekte zich een beetje uit. Zijn grijze uniform met de zilveren ketting en het groene stiksel sloot strak om zijn lichaam, dat door de jaren in Granburg enigszins uit vorm was geraakt. Zijn dunne haar ging schuil onder de gebruikelijke hoge, zilvergrijze pruik.

Peinzend trok hij aan zijn smalle snor, terwijl hij met zijn andere hand die van zijn vrouw Kaya pakte en zich naar haar toe boog.

'Herinner me eraan dat ik straks nog een paar woorden met Ormov wissel. Hij zal wel weten waarom Ijuscha voor mijn uitnodiging heeft bedankt. Het wordt tijd om die man tot de orde te roepen. Dit is al de derde keer dat hij verstek laat gaan.'

De vrouw met het schoonheidsvlekje op haar rechterwang glimlachte tegen de gasten en knikte even.

'Zoals je wilt. Maar onderschat hem niet. Hij lijkt wel traag van begrip, maar hij is niet voor niets zo'n machtige boer geworden.'

De gouverneur richtte zich weer op, zonder zijn blik van de

tafel los te maken. 'Wat je zegt. Maar hij is wel de enige die het waagt om te weinig heffingen te betalen, met als argument dat zijn pachters anders niet kunnen rondkomen.' Jukolenko nam een slok wijn. 'Ik zal wel een paar mannetjes sturen om zijn boeren onder druk te zetten. Ik laat me niet eeuwig ringeloren.' Zachtjes vervolgde hij: 'Kijk dat stel nou. Zo hoort Ijuscha zich ook te gedragen. Ik heb ze allemaal in mijn zak. Als ik fluit, komen ze als hondjes aangelopen en doen ze wat ik zeg.'

Een van de herenboeren keek Jukolenko's kant op, zwaaide met een reebout en lachte zo hard dat het eten uit zijn volle mond viel.

De gouverneur glimlachte terug en proostte. 'Ze zijn zo dankbaar,' fluisterde hij tegen Kaya. Hij gaf haar een kneepje in haar hand voordat hij opstond en luid zijn keel schraapte om de aandacht van de gasten te trekken.

'Edele heren, als u een moment wilt luisteren voordat u zich op het nagerecht werpt?' De mannen aan de grote tafel lachten. 'Zoals ieder jaar heb ik mijn vrienden voor een maaltijd uitgenodigd om in een ontspannen sfeer de afgelopen tijd te bespreken en nieuwe plannen te maken.'

'Dat stellen we ook erg op prijs, gouverneur,' werd hij onderbroken door de brojak Kaschenko, die op de rijk voorziene tafel wees. De anderen lachten weer en hieven hun kroes.

Jukolenko dwong zich tot een lachje, hoewel hij een hekel had aan zulke interrupties.

'Dank je, Kaschenko. We hebben met ons allen veel beleefd en bereikt, onze welvaart is toegenomen en er heerst meer rust onder de bevolking dan ooit. Dat bewijst nog eens dat een harde hand beter is dan alle beloften van hervormingen en verandering.' De edelen en grootgrondbezitters betuigden hun instemming door met hun kroezen op tafel te hameren.

'Zoals u allemaal hebt gehoord, is mijn opvolger al onderweg. Zo luiden althans de geruchten. Er wordt ook gezegd dat hij vernieuwingen zal brengen en het volk een betere toekomst belooft. Als hij lang aan de macht blijft, zou hij alles wat wij de afgelopen jaren hebben opgebouwd teniet kunnen doen. Als het gewone volk van het land en de straat eenmaal gewend raakt aan die nieuwe wind, zal het moeilijk zijn de oude structuren te herstellen.' Jukolenko versterkte met opzet de somberste verwachtingen van zijn gasten. Hij had hun steun nodig, en in hun angst waren ze tot alles bereid. 'Ik denk dat ik in ieders belang spreek als ik zeg dat die nieuwe man niet lang in Granburg mag blijven.'

De edelen en brojaken timmerden weer luid met hun pullen op de tafel. Het geluid rolde onheilspellend door de straten en stegen van de provinciehoofdstad.

'Als u onze hulp nodig hebt, gouverneur, zeg ons dan waar en wanneer,' riep Kaschenko overmoedig. Zijn gezicht was rood van de drank. 'Wij willen die nieuwe niet!'

Alle gasten schreeuwden nu door elkaar heen in hun pogingen elkaar in steunbetuigingen te overtreffen.

Jukolenko kon een brede, triomfantelijke grijns maar met moeite onderdrukken. Zijn plan verliep precies zoals hij het zich had voorgesteld.

'Neem me niet kwalijk, gouverneur.' Een man van rond de veertig met een vriendelijk gezicht en een forse snor dook bijna geruisloos naast hem op. Hij droeg een dikke, kostbare bontjas, waarop enkele koppige sneeuwvlokken nog dapper tegen de warmte vochten. In zijn ogen blonk een sluw lichtje. 'Ik ben Stoiko Gijuschka, bediende en raadsman van hara¢ Vasja. Mijn heer laat vragen of er misschien nog een plaats vrij is aan uw rijkelijk gedekte tafel.' Hij knikte in de richting van de zware houten deur, waar een dikke knaap en een forsgebouwde man stonden te wachten. 'Het is een lange reis geweest en hij heeft honger.'

Langzaam verstomde het rumoer in de zaal, en iedereen keek naar de binnenkomers.

De gouverneur maakte zijn blik van de imposante spierbundel los, stond op en liep haastig naar de deur.

'Maar natuurlijk, mijn beste hara¢ Vasja. Neem mijn stoel. Die zult u toch wel krijgen, zodra u de macht overneemt. Natuurlijk kunt u op mijn medewerking rekenen, totdat u in alle zaken bent ingewerkt.'

Jukolenko zweeg en maakte een diepe buiging voor de reusachtige man, die dat erg grappig scheen te vinden, tot aarzeling van de gouverneur.

'Dank u voor dat vriendelijke aanbod,' zei de jongen met een hoge sopraanstem en hij knikte genadig. 'Overigens richt u zich tot de verkeerde.'

Jukolenko draaide zich haastig om, liep rood aan en boog nog dieper.

'Neemt u me niet kwalijk. Ik had er niet op gerekend dat mijn opvolger zo jong zou zijn.' Opeens was het stil. De spanning in de zaal na deze diplomatieke blunder was te snijden.

Maar de jongen scheen het pijnlijke incident alweer vergeten en liep rechtstreeks naar de vrijgekomen plaats aan het hoofd van de tafel. De dreigende reus met de vervaarlijke sabel aan zijn zij volgde hem op de voet. De raadsman had zich al naast de stoel opgesteld. 'Kom. U mag me gezelschap houden.'

Met een voldane uitdrukking op zijn vollemaansgezicht liet de hara¢ zich op de stoel vallen, lepelde als vanzelfsprekend Jukolenko's bord leeg en laadde het toen vol met vlees, groente en brood.

'Wat viert u hier? Is er iemand jarig, of is dit een feestdag in Granburg?'

Vol verbazing keek de gouverneur toe hoe de jongen het eten naar binnen werkte.

'Nee, heer. Eens per jaar nodig ik al mijn vrienden uit voor een banket, een aardige gewoonte, die inmiddels een traditie geworden is.'

'Goed. Dan hou ik die in stand, hoewel ik geen idee heb of hier mijn vrienden zitten.' Lodrik keek goedgeluimd de kring van zwijgende mannen langs en tastte toe. 'Jullie waren zo vrolijk. Dat was opeens voorbij toen ik binnenkwam. Waarom?' De jongen knaagde aan een bout en likte zijn vingers af.

'Brojak Kaschenko had een mop verteld,' probeerde Jukolenko een antwoord te verzinnen. Hij wist niet wat hij van de dikke knaap moest denken. Op het eerste gezicht leek de jongen niet erg slim, maar dat kon gespeeld zijn, om hem op de proef te stellen. De vragen van de hara¢ waren volstrekt onnozel of juist heel berekenend, en zolang de gouverneur dat nog niet had bepaald stelde hij zich behoedzaam op.

'Ik hou wel van moppen. Brojak Kaschenko, laat die mop nog eens horen, als u wilt?' Lodrik zwaaide met de bout en keek afwachtend in het rond.

Een buurman stootte de herenboer aan, die met open mond en glazige ogen voor zich uit staarde.

'O ja, die mop... Momentje, heer, hoe ging hij ook alweer?' De man fronste even en sloeg zich toen tegen zijn voorhoofd. 'Ik weet het niet meer, hara¢. Het zal wel door de drank komen.'

'Ach, dat geeft niet. Het zal u wel weer te binnen schieten, brojak Kaschenko.' De Tadc hield op met kauwen en richtte zich tot de vrouw van de gouverneur. 'En wie bent u, als ik vragen mag? De echtgenote van gouverneur Jukolenko, neem ik aan?' Hij pakte haar hand en drukte er met vette lippen een dikke kus op. 'Bijzonder prettig met u kennis te maken.'

Kaya liet haar hand op de tafel liggen alsof hij met de pest besmet was. De mondhoeken van de knappe vrouw gingen gevaarlijk omlaag en haar afkeer was onmiskenbaar.

Stoiko amuseerde zich kostelijk. Niet alleen omdat Jukolenko zich geweldig had geblameerd, maar ook omdat zijn pupil de aanwezigen zo provoceerde op dezelfde manier waar de Kabcar bij officiële gelegenheden altijd zo bang voor was. Het gezicht van de landvoogd bewees dat de man geen hoogte kon krijgen van Lodrik, en dat was maar beter ook.

Stoiko vond dat hun bezoekje aan Het Wapen van Granburg niet te lang mocht duren, anders zou Jukolenko de naïviteit van de jongen misschien doorzien.

Hij kneep zijn ogen tot spleetjes, als teken voor het toneelstukje dat ze in de koets hadden gerepeteerd.

'Brojak Kaschenko, wilt u even naar me luisteren?' Lodrik legde het afgekloven bot neer en veegde zijn handen af.

'Ik sta geheel tot uw beschikking, hara¢.' De aangeschoten, verwaande landeigenaar kwam wankelend overeind en maakte een aarzelende buiging.

'Ik ben nieuw hier in Granburg en daarom zijn allerlei plaatselijke feiten me nog niet bekend. Hier in de buurt kwamen we door een dorp dat Olnjak heet. Aan wie behoort dat toe?'

'Die vraag kan ik misschien beter zelf beantwoorden,' zei Jukolenko, die voortdurend aan zijn snor plukte. 'Het dorp en zijn bewoners behoren toe aan brojak Wanko daar.' Kaschenko ging weer zitten en in zijn plaats verhief zich een protserig uitgedoste man van rond de vijftig, met een statige volle baard.

'Heeft een van de dorpelingen u lastiggevallen of u iets geweigerd? Dan zal ik onmiddellijk een passende straf uitvaardigen,' verklaarde de herenboer grimmig.

Stoiko grijnsde, en ook Waljakov keek voldaan. De vechthonden hadden dus niets te zoeken gehad in de omgeving van Olnjak. Dat was nu door een van de edelen bevestigd. Als Lodrik zich nu nog kon herinneren wat Stoiko hem verder had ingefluisterd op weg hierheen, konden ze de eigenaar van de dieren, die zich ongetwijfeld onder de gasten bevond, in de val lokken.

'Nee, nee. Die mensen waren heel vriendelijk. Maar stel dat ikzelf een van uw dorpsbewoners had verwond of gedood, wat dan?'

'Ik neem aan dat u daarvoor een goede reden zou hebben gehad,' antwoordde Wanko.

'En als het door mijn onoplettendheid was gebeurd?' Lodrik hield zich aan de instructies van zijn raadsman en werkte keurig alle vragen af.

De ogen van de brojak lichtten onwillekeurig op. Hij rook een kans om snel geld te verdienen. 'Dan denk ik dat u zo genadig zou zijn mij een schadevergoeding te betalen, zoals gebruikelijk. En natuurlijk ook aan de familie, als die er was, om hun grote verlies te verzachten.'

'Over hoeveel geld praten we dan, aangenomen dat het een zwangere vrouw zou zijn die door mijn koets was overreden?' De jongeman trok een ongelukkig gezicht.

Wanko wisselde een blik met de gouverneur. 'Dat zou heel ernstig zijn, hara¢. Het verdriet van de man was dan nauwelijks in geld uit te drukken.' De edelman dacht even na. 'Tweehonderd waslec voor mij, omdat ik twee arbeidskrachten en de belasting zou verliezen, en vijftig waslec voor de echtgenoot. Maar dit is natuurlijk hypothetisch.'

'Dan mag ik blij zijn dat mij dat niet is gebeurd,' merkte Lodrik op. Wanko keek teleurgesteld. 'Maar iemand anders heeft minder goed op zijn eigendommen gepast. Is hara¢ Kolskoi ook aanwezig? En blijft u vooral staan, brojak Wanko.'

Terwijl de aangesproken edelman overeind kwam, gleed er een aarzelende uitdrukking over het gezicht van de nieuwe gouverneur. Hij wenkte Stoiko.

'Ik ben vergeten wat we nu gingen doen,' fluisterde hij.

'Daar had ik al rekening mee gehouden,' mompelde de raadsman en haastig friste hij het geheugen van de jongen op, die zich nu tot Kolskoi richtte.

De groene ogen van de man keken Lodrik doordringend aan. In tegenstelling tot de weldoorvoede herenboeren was hij opvallend mager, met pezige handen, waarvan de knokkels door de huid heen zichtbaar waren. Zijn dunne haakneus stak als een adelaarssnavel naar voren, boven een schraal sikje, en over zijn rechterwang liep een litteken tot aan zijn mond. Hij had lang, zwart haar, dat los op zijn schouders viel.

Lodrik schraapte zijn keel. 'U bent in het bezit van Borasgotanische vechthonden, nietwaar?'

'Inderdaad. Die gebruik ik bij de jacht, om het wild op te drijven.'

'Maar deze keer hebben ze een zwangere jonge vrouw uit Olnjak opgejaagd en voor onze ogen verscheurd.' De jongen probeerde de blik van de hara¢ te trotseren, maar die strijd verloor hij. Dus richtte hij zich weer tot de zichtbaar nerveuze Wanko. 'U ontvangt van hara¢ Kolskoi een schadevergoeding van tweehonderd waslec. De andere vijftig waslec gaan naar de touwslager Nurjef, de echtgenoot van de vrouw.'

'Maar Kolskoi is mijn vriend. Zo'n bedrag kan ik niet van hem vragen,' protesteerde Wanko, hoewel Jukolenko bezwerende gebaren maakte achter de rug van de jongen.

Stoiko boog zich naar Lodrik toe en fluisterde hem weer iets in. Het kwam nu op elk woord aan.

'Dus u zou wel een schadevergoeding willen krijgen van uw toekomstige gouverneur, maar niet van hara¢ Kolskoi, omdat hij uw vriend is? Merkwaardige wetten kennen ze hier in Granburg.' Lodrik verhief zijn stem. 'Maar of Kolskoi nu uw vriend is of niet, die vrouw en haar ongeboren kind zijn dood, brojak Wanko. Wat hebt u daarop te zeggen, gouverneur?'

'Ik denk dat het een kwestie tussen de beide landheren is, hara¢,' antwoordde Jukolenko, die Wanko's geldzucht heimelijk vervloekte. 'Ik zou me er niet in mengen.'

Weer overlegde Lodrik met Stoiko. De raadsman haalde een leren koker tevoorschijn en reikte die de jongen aan. 'Als dat zo is, neem ik ogenblikkelijk de post van gouverneur van u over.' Lodrik verbrak het zegel, trok het perkament uit de koker en las de verklaring van de Kabcar voor. 'Bij volmacht van het mij verleende ambt bekrachtig ik de door brojak Wanko geëiste schadevergoeding. Hara¢ Kolskoi zal brojak Wanko tweehonderd waslec betalen, en niet vijftig maar honderd waslec aan de touwslager Nurjef uit Olnjak. Het gaat immers om de dood van twee mensen, zoals u zelf al eerder had aangegeven, waardoor de betaling aan de echtgenoot wordt verdubbeld.'

De jongen keek vragend rond, maar niemand durfde zich te verzetten tegen het machtswoord van de gouverneur.

'Fijn dat we het eens zijn, heren.' Lodrik hief zijn beker. 'Op Granburg en de nieuwe landvoogd.'

Jukolenko was de eerste die zijn bokaal omhoogstak, en de een na de ander volgden de edelen en herenboeren zijn voorbeeld. 'Op Granburg en onze nieuwe, wijze landvoogd,' riep de man, terwijl hij een blik wisselde met Wanko en Kolskoi. 'Moge hij zo lang mogelijk dit ambt bekleden.' De bevestiging rond de tafel klonk aarzelend en weinig enthousiast.

'Zo, ik zit vol,' zei Lodrik geeuwend, en hij kwam wat onbeholpen overeind. 'Ik rij maar eens naar mijn paleis om een kamer te zoeken.'

'Neem het gastenverblijf, excellentie, totdat alles voor u in gereedheid is gebracht,' zei Jukolenko, terwijl hij de deur voor de jongen openhield.

'Dank u. En als ik ben verhuisd, kunt u het gastenverblijf nemen en mij wegwijs maken, hara¢ Jukolenko. Dan wens ik u verder een prettige avond, waarde heren.' Lodrik keek nog eens rond, knikte even en vertrok, op de voet gevolgd door Waljakov en Stoiko.

De afgezette gouverneur sloeg de deur achter hen dicht, zo hard dat de glazen op de tafel rammelden.

Wanko staarde bedremmeld naar de grond. Kolskoi kerfde woedend met zijn mes in de tafel en de andere gasten hielden zich stil.

'We moeten van hem af,' zei Kolskoi na een tijdje, terwijl hij het mes rechtop in het tafelblad boorde. 'Hij heeft ons te grazen genomen. We mogen nog blij zijn dat dit geen openbare voorstelling was. Zo is het al erg genoeg.' Hij keek even naar Wanko. 'En jij bent een idioot.'

'Ik ben het helemaal met u eens, hara¢. In beide opzichten,' beaamde Jukolenko, die weer op zijn oude plaats naast zijn vrouw was gaan zitten. Hij balde zijn vuisten. 'Maar ik geloof dat die raadsman het probleem is, en niet die dikke, zelfvoldane blaaskaak. Alles werd hem ingefluisterd.'

'Dan moeten we maar zorgen dat hem iets overkomt,' opperde Kolskoi. 'Een jachtpartij? Of een uitstapje naar de bergen?' De anderen lachten zacht.

Jukolenko leunde naar achteren en legde de vingertoppen van zijn rechterhand tegen zijn voorhoofd. 'Nee, nog niet. Laten we eerst maar eens afwachten en zo veel mogelijk over die vetzak en zijn merkwaardige gevolg aan de weet zien te komen. Als hij de beschermeling van een adviseur of andere hoge figuur aan het hof van de Kabcar is, kan een ongeluk vervelende gevolgen voor ons hebben. De benoeming van zo'n onervaren jochie als gouverneur kan geen toeval zijn. Daar zit een luchtje aan.' Hij draaide weer aan zijn snor. 'In elk geval zullen we hem het leven zuur maken, vrienden.' De edelen en herenboeren bromden instemmend. Ze kregen weer wat vertrouwen.

'Zonder zijn raadsman zal hij het niet lang volhouden. En wie weet, misschien wordt die man wel plotseling ziek. Dat zou beter zijn dan een onverklaarbare val in de afgrond. Niet iedereen is bestand tegen onze kille lucht en onze ijzige winters.'

Jukolenko grijnsde. Zijn mannen en zijn vrouw lachten met hem mee.

'Dat hebt u goed gedaan,' prees Waljakov, die voor de tweede keer sinds hun vertrek uit Ulsar in de koets kwam zitten, op weg naar het paleis. 'Ik was heel even bang dat Kolskoi zich op u of op Wanko zou storten.'

Lodrik wimpelde het compliment af. 'Dat was allemaal het werk van mijn geniale raadsman. Ik zou nooit op het idee zijn gekomen om de edelen zo bij de neus te nemen, maar ik heb er wel van genoten.'

'Niet zo bescheiden, heer,' zei Stoiko. 'U was echt heel overtuigend. Natuurlijk zal Wanko die tweehonderd waslec later wel teruggeven. Of misschien stuurt Kolskoi hem het geld niet eens, maar de touwslager krijgt in elk geval smartengeld, waarmee hij iets kan doen, ook al heeft hij daarmee zijn vrouw niet terug. En wij hebben nu een indruk van de heren in deze provincie. Niet zo'n beste indruk, eerlijk gezegd.'

'Ik ben wel bang dat we ze, hoe zal ik het zeggen, te hard hebben aangepakt,' merkte Lodrik op. 'Ik heb op deze manier alleen maar vijanden gemaakt, terwijl ik juist een rustige tijd wilde.'

'In elk geval is het beter dat Waljakov morgen meteen met uw gevechtstraining begint, heer.' Stoiko wreef peinzend over zijn kin. 'En ik heb ook een opfriscursus nodig. Dat lijkt me wel zo verstandig. De gouverneur heeft de edelen en de herenboeren hier aan een touwtje. Hij hoeft maar te bevelen. Die indruk heb ik tenminste. En Kolskoi is een van de gevaarlijksten.'

'Ik zal wat mannen erop uitsturen om hier en daar in de stad en de provincie te informeren hoe geliefd Jukolenko en zijn hoge heren eigenlijk zijn,' zei Waljakov. 'En wat die training betreft, heer, zal ik ook aan uw conditie moeten werken, zodat u een paar pondjes afvalt.'

Lodrik knipperde met zijn ogen. 'Afvallen? Midden in de winter?'

'Waljakov heeft gelijk,' onderschreef Stoiko de suggestie van de lijfwacht. 'U moet wat gewicht kwijtraken; dan bent u sneller in de strijd.'

'Mij best,' mopperde de Tadc en hij legde zijn armen op zijn bolle buik. 'Ik had al mijn twijfels over dit plannetje van mijn vader. Jullie willen een heel ander mens van me maken.'

'Voor uw eigen bestwil, met permissie,' zei de raadsman. 'Als u eenmaal door mij en door Waljakov onder handen bent genomen, heer, zult u het als heerser kunnen opnemen tegen alle koningen van Ulldart.'

'Maar ik wil het helemaal niet opnemen tegen alle koningen van het continent, Stoiko. Dat geeft alleen maar ellende,' protesteerde Lodrik. 'En nu wil ik graag gebak, als beloning voor mijn optreden in die taveerne.'

'Zet dat gebak maar uit uw hoofd,' bromde de lijfwacht half hardop. Toen hij de verbaasde gezichten van Stoiko en Lodrik zag, voegde hij er snel aan toe: 'Heer.' Gelukkig hield de koets net halt. Waljakov stapte haastig uit.

'Hij is een bijzonder mens,' zei de Tadc na een korte stilte. 'Maar hij lijkt me wel betrouwbaar.'

Stoiko fronste zijn wenkbrauwen. 'Ik denk dat er veel meer achter die man steekt dan wij vermoeden.' Hij volgde zijn pupil, die uit de koets was geklauterd en naar het paleis liep. 'We zullen zien.'

VII

'En Sinured veranderde. Eerst was hij een goed uitziende, krachtige man met lang, zwart haar.

Maar nu liet Tzulans geest zijn merkteken op hem achter. Sinureds huid kleurde zwart, als van iemand die verbrand was. Zijn haar daarentegen werd sneeuwwit en zijn tanden veranderden in lange, afschuwelijke beitels, waarmee hij zijn tegenstanders de aderen openscheurde. Zijn gestalte, altijd al groot en gespierd, begon te groeien, zodat hij spoedig een nieuwe wapenrusting nodig had. Zijn krachten namen nog dagelijks toe, totdat hij zo sterk was als tien volwassen mannen.

Zijn gedrag begon steeds meer te lijken op dat van een wild dier. Zijn vlees at hij enkel nog rauw, en volgens sommigen dronk hij het warme bloed van zijn vijanden. Tijd speelde voor hem geen rol, omdat hij niet meer ouder werd.

Op het slagveld droeg hij een met ijzer beslagen strijdknots, zijn zwaard was zo lang als twee volwassen mannen en zo zwaar als een groot vat wijn. Zijn schild had de afmetingen en het gewicht van een molensteen.

Zo kwam hij aan zijn naam, om twee redenen, want niet alleen beging hij de gruwelijkste daden, hij zag er nu ook uit als een wild dier. Het gewone volk gaf hem de bijnaam "Het Beest", en Sinureds daden spraken boekdelen.

Ten slotte gehoorzaamden de soldaten enkel nog uit angst voor het wezen dat ooit Sinured was geweest. Steeds verder rukten ze op en richtten ze verwoestingen aan, verslaafd aan moorden en plunderen. Wilde dieren en onbeschrijflijke monsters kwamen uit de moerassen, aangelokt door het bloed van de slachtoffers, en sloten zich bij het leger aan.'

Historische Almanak van Ulldart,
deel xxi, blz. 1051

Satucje, aan de westkust van Tarpol, winter 441 n. S.

Torben zat aan de tafel, roerde in de sterke thee in de houten beker en probeerde niet steeds aan de jeukende wond op zijn rug te krabben. Het moest een symptoom zijn van een voorspoedige genezing, die zonder Laja's hulp nooit mogelijk was geweest.

Zijn dagen in het kleine dorp verliepen allemaal ongeveer gelijk. Terwijl hij in zijn bed ongeduldig op zijn herstel wachtte, onderhield de bejaarde vrouw de ongeduldige patiënt met verhalen uit haar eigen leven, het dorp en Tarpol.

Zo hoorde de piraat dat haar man als visser naar zee was gegaan. Ooit was hij aangehouden door Palestanen, die hem beschuldigden van smokkel en gemene zaak met de piraten. Ze hadden hem zwaar mishandeld en zijn boot tot zinken gebracht. Met zijn laatste krachten zwom de visser nog naar huis, waar hij was bezweken aan uitputting en onderkoeling. Het was al meer dan dertig jaar geleden, maar Laja's haat tegen het handelsvolk was er niet minder om.

Een blik uit het raam was voor Torben genoeg om een idee te krijgen van de snijdende kou buiten. De winter had de kust stevig in zijn greep en ijzige winden smeten de golven tegen de provisorische kademuur, die gelukkig standhield onder de geweldige krachten.

Uitvaren was onmogelijk voor de vissers van het dorp. Het woedende water zou hun bootjes binnen enkele ogenblikken tot wrakhout hebben verbrijzeld.

Torben voelde zich eindelijk in staat om terug te gaan naar Rogogard en daar zijn verhaal te doen, om anderen voor een soortgelijk lot te waarschuwen. Hij vermoedde dat de Palestanen nog meer van die omgebouwde koopvaarders hadden om jacht te maken op piraten voor de westkust van Tarpol. Kapen was nog gevaarlijker geworden dan het altijd al was geweest.

Maar van hieruit wilde geen van die notendopjes hem naar Rogogard brengen, dus moest hij naar de dichtstbijzijnde grote stad. De piraat had de rechter al om hulp gevraagd, maar de belofte van de man bleek loos. Torben moest maar zien hoe hij in zijn eentje naar Ludvosnik kwam.

Een paar van Laja's vrienden hadden dikke kleren en gevoerde laarzen afgestaan om de Rogogarder tegen de kou te beschermen als hij op weg ging. Sommige dorpsbewoners hadden leuk verdiend aan de ondergang van *De Vrolijke Groet* en om een of andere reden waren ze daar Torben dankbaar voor. Hij was graag gezien in het dorp.

Maar niemand scheen de twee plunjezakken te hebben gevonden. Er was van alles aangespoeld, maar niet de leren tassen die de piraat beschreef.

De Rogogarder ging er maar van uit dat de moordenaar van de bemanning samen met zijn raadselachtige bagage in de golven was verdwenen.

'Ik hoop dat ik je nog eens terugzie, Torben.' Laja kwam binnen met een armvol hout waarmee ze het stevige, kleine fornuis voedde dat midden in de ruimte stond.

'De lading van het allereerste Palestaanse schip dat ik verover zal ik aan het dorp geven,' antwoordde de piraat. 'Dat is wel het minste wat ik kan doen om mijn dankbaarheid te tonen.'

'Ik heb een beter idee,' zei de vrouw en ze warmde haar handen. 'Jaag hier nog een Palestaans schip op de klippen. Dat zouden de mensen prachtig vinden.' Ze reikte hem een gevulde rugzak aan. 'Deze proviand heb je zeker nodig. Het is niet zo ver naar Ludvosnik, maar in deze tijd van het jaar kan het een barre tocht zijn.'

Torben trok zijn mantel aan en zette de bontmuts op. 'Dank je wel. Maar ik kom terug, daar kun je op rekenen.' Hij hing de rugzak over zijn schouders en sloot Laja in zijn armen. De oude vrouw wiste een paar tranen uit haar ooghoeken.

'Ik zal je missen, mijn piraat,' zei ze, en ze keek hem lang en onderzoekend aan. 'Pas goed op jezelf. Ik weet niet of je altijd zoveel geluk zult hebben als deze keer, toen je bij ons aanspoelde.'

'Ik zal voorzichtig zijn, dat beloof ik je.' Torben slikte een paar keer, liet zijn reddende engel toen los en liep naar de deur.

Toen hij naar buiten stapte stonden alle dorpelingen voor Laja's huis in de rij. Ze klopten hem op zijn schouders en wensten hem alle goeds.

De Rogogarder was diep geroerd. Hij had hier een hartelijkheid ondervonden die hij nog zelden in zijn leven was tegengekomen.

Aan het einde van het dorp draaide hij zich nog eens om en zwaaide tot hij pijn kreeg in zijn arm. De mensen zwaaiden terug, met sjaals en mutsen.

Zo vertrok de piraat over de besneeuwde weg, in de hoop ergens een slee tegen te komen die hem wilde meenemen.

Maar blijkbaar voelden weinig Tarpolers ervoor de kou te trotseren, dus moest Torben lopen.

Hij had berekend dat het hem drie dagen zou kosten om over de kustweg naar de stad te komen. Onderweg zou hij wel een slaapplaats zoeken bij een visser of een Ontariaanse handelspost. Herbergen waren er niet langs deze route.

Lopen, vooral een heel eind lopen over een harde weg, was

geen favoriete bezigheid van de Rogogarder. Liever had hij een deinend scheepsdek onder zijn voeten, dacht hij toen hij moeizaam door de rulle sneeuw ploeterde. Hij was hier niet in zijn element.

Na zes uur moest hij vaststellen dat hij zichzelf had overschat. De zonnen zakten al langzaam naar de zee en nergens was een dorp of enig teken van menselijke bewoning te bespeuren. Als hij niet voor de nacht een onderkomen had gevonden kon dit zijn laatste avond op Ulldart zijn geweest.

Zijn benen werden steeds zwaarder, hij raakte door zijn reserves heen en het zweet droop onder zijn kleren tappelings van zijn lijf.

Met opeengeklemde tanden zette Torben de ene voet voor de andere, terwijl hij zichzelf voortdurend inpraatte dat er achter de volgende bocht een smalle dorpsstraat wachtte.

Na nog een uur had hij de hoop al bijna opgegeven toen hij een verweerde wegwijzer ontdekte naar een pleisterplaats, twee warst verderop.

Met grote inspanning wist de Rogogarder ook die laatste afstand te overbruggen, tot hij voor een half vervallen gebouw stond waar geen teken van leven te bekennen viel.

'Beter dan niets,' mompelde Torben en hij ging naar binnen om beschutting te zoeken voor de nacht.

Algauw had de piraat een kamer gevonden die hem beviel. Met het hout van een paar oude balken wist hij een vuurtje te maken op de stenen vloer, zodat hij de nachtelijke kou kon overleven. De rook verdween door een klein gat in het dak, en Torben maakte zich gereed om te gaan slapen. Hij was zo moe van de inspannende tocht dat hij zelfs geen eten nam, maar bij het vuur in slaap viel zodra hij zijn hoofd had neergelegd.

Hij werd wakker van een geluid als het spinnen van een poes. Eerst hield hij zijn ogen dicht en luisterde. Het vuur brandde nog, zoals hij voelde aan de gloed op zijn gezicht en de warmte die door zijn lichaam trok.

Het gesnor klonk vrij luid en kwam uit de andere hoek, aan de overkant van het vuur.

Langzaam sloeg hij zijn ogen op en tuurde slaperig door de vlammen om de kat te ontdekken die hier was binnengeslopen, op zoek naar warmte.

Maar de omtrekken van het wezen dat daar hurkte waren te groot voor een doodgewone muizenjager. Het flakkerende vuur benam Torben deels het zicht, maar toen hij wat beter keek, stelde hij vast dat de nachtelijke indringer geen kat kon zijn.

De knoestige kop was plat, de gele ogen met rood oplichtende pupillen lagen diep in de schedel en in plaats van een mond had het schepsel een brede bek met spitse, lange tanden. Het gespierde, manshoge lijf was gekleed in lompen en onder de gescheurde kleren was een dichte beharing te zien.

Torben vermoedde dat één klap van die sterke, van klauwen voorziene handen voldoende was om iemand naar de andere wereld te helpen.

Het wezen had zijn diepe, snorrende geluid gestaakt en staarde de Rogogarder nu roerloos aan. De pupillen glinsterden diep robijnrood.

Torben deinsde terug, tot hij met zijn rug tegen de muur zat. Hij dacht koortsachtig na.

Zijn moeder had hem ooit verhalen verteld over monsters die in de moerassen van Ulldart leefden en mensen aten, maar dat juist hij nu zo'n gedrocht moest tegenkomen beviel hem niet. Hij had altijd gedacht dat hij op zee zou sterven – áls hij dood zou gaan – en niet in de maag van zo'n wezen dat uit de verrotte lichaamsdelen van Tzulan was geboren.

Zijn enige wapen was het broodmes van Laja. Het wezen tegenover hem had nog een verroest zwaard aan zijn zij bungelen.

Torben kreeg een idee. Voorzichtig kroop hij naar zijn rugzak en haalde met bevende handen zijn proviand tevoorschijn, terwijl het schepsel hem in de gaten hield, met een hand dreigend op de greep van zijn zwaard.

De Rogogarder wikkelde een harde worst uit de linnen zak en gooide die het schepsel toe.

Voorzichtig snuffelde het gedrocht aan het vlees voordat het de worst greep en er zijn tanden in zette. Even later was de worst verdwenen.

Torben haalde verlicht adem, bood het monster het ronde brood en de gedroogde vruchten uit zijn rugzak aan en hoopte dat zijn honger daarmee voldoende was gestild. Terwijl het creatuur alles naar binnen propte hield het de man vanuit zijn ooghoeken in de gaten.

'Is het lekker?' vroeg Torben na een tijdje, rustig en vriendelijk, om het schepsel niet met een onverhoedse beweging tot een aanval te provoceren. 'Smaakt het? Ja?'

'Ik heb wel eens beter gegeten,' bromde het wezen diep en boerde. 'Wie ben je?'

De man was totaal verbijsterd toen hij die woorden hoorde, in gebrekkig Ulldarts. Bijna had hij het schepsel tegenover hem zijn zak met proviand in het gezicht gesmeten. 'Je spreekt mijn taal?'

'De jouwe en de mijne, maar niet erg goed. Lastig met deze tanden.' Als bewijs peuterde het gedrocht een stuk harde worst tussen zijn tanden vandaan en trok het van een vingernagel. 'Waarom geef je me eten en niet proberen mij te doden?'

De Rogogarder leunde naar achteren en knipperde met zijn ogen. 'Ik heb niets om je mee te doden.'

De gast lachte vanuit zijn keel en Torben kon weinig anders doen dan meelachen. 'Je bent eerlijk, daarom ik jou niet zal doden. En je hebt eten gegeven. Ik Pashtak.' Zijn ogen lichtten rood op. 'Ik geef jou ook eten.'

Hij stak Torben een bundeltje toe dat bijna net zo smerig stonk als het wezen zelf. 'Beter in vuur houden voor te eten, ja?'

'Dank je. Ik ben Torben Rudgass, de kapitein van de...' Hij zweeg abrupt. 'Ik ben Torben Rudgass.'

Pashtak knikte, gooide wat hout op het vuur en schoof nog dichter naar de vlammen toe. 'Vannacht wordt koud en gaat sneeuwen. Beter flink vuur.'

'Zijn er nog meer daarbuiten – zoals jij, bedoel ik?'

'Nee. Ik ben de enige. Wij niet allemaal gelijk. Ik op zwerftocht, op zoek naar volgend moeras om te wonen. Weet jij waar volgend moeras? Of weg naar Tûris?'

De Rogogarder schudde zijn hoofd. 'Het spijt me. Ik kom hier zelf ook niet vandaan.'

'Geeft niet. Zal wel vinden,' verklaarde Pashtak vol vertrouwen, en hij strekte zich naast het vuur uit. 'Slaap goed.'

'Ik zal het proberen.' Torben bleef met zijn rug tegen de muur zitten en trok de deken wat strakker om zich heen. Hij was niet van plan om in slaap te vallen met deze bezoeker in de buurt, ook al maakte Pashtak een vredelievende indruk. De verhalen over de moerasmonsters stonden hem nog te helder voor de geest.

Maar, alle schrikbeelden ten spijt, viel de piraat na een paar uur van louter vermoeidheid toch in slaap. De lange tocht door de sneeuw eiste zijn tol.

Torben werd wakker en stelde verbaasd vast dat hij nog leefde.

Pashtak was nergens meer te bekennen, maar hij had 's nachts wel nieuw hout op het vuur gegooid, zodat de kamer warm en droog was en de piraat geen moeite hoefde te doen een nieuw vuurtje te maken.

Buiten het raam viel de sneeuw in dunne vlokken op de witte grond. Torben besloot zo snel mogelijk te vertrekken.

Nadat hij het half bedorven stuk vlees een tijd in de vlammen had geroosterd en naar binnen had gewerkt, ging hij op weg.

Het landschap was eentonig grijs, de wind floot om zijn hoofd en zelfs dieren lieten zich maar zelden horen. Regelmatig had hij het gevoel dat hij werd gevolgd, maar dat lag waarschijnlijk aan zijn onverwachte confrontatie met Pashtak, stelde hij zichzelf gerust.

Onderweg dacht hij nog een hele tijd na over zijn ontmoeting met het moerasmonster. De meeste van die gedrochten waren kwaadaardig en doodden mensen, maar Pashtak had hem aan het denken gezet. Over het koninkrijk Aldoreel werd in Rogogard verteld dat het zelfs een vredesverdrag met die wezens had gesloten. Torben probeerde zich de oude verhalen te herinneren die over de monsters de ronde deden.

Volgens de legende zou Tzulan deze wezens hebben geschapen en ze tijdens de strijd van de Eerste tegen de Tweede Goden over alle continenten hebben verspreid. Nadat Tzulan door Taralea aan stukken was gescheurd trokken de monsters naar de plekken op de wereld waar de delen van de Geblakerde God terecht waren gekomen en moerassen waren ontstaan. Torben kon zich moeilijk voorstellen dat iemand met zulke misbaksels verdragen sloot. Volgens hem hadden de Tûrieten beter een prijs kunnen zetten op het hoofd van ieder monster in hun land. Maar waarom wilde het schepsel juist daarheen waar het zich het minst veilig wist?

Het lopen viel de in gedachten verzonken kaper nu veel lichter. Hij had ontdekt hoe je wat sneller vooruitkwam in de rulle sneeuw en zo zag hij tegen de avond een vissersdorpje liggen.

Na een nacht in een geitenstal kwam de piraat de volgende dag hongerig in de stad Ludvosnik aan, waar DeRagni hem had willen laten berechten.

Torbens eerste gang was als gewoonlijk naar de haven, waar een flinke vloot grote en kleinere schepen lag afgemeerd.

Aan de kade zag hij voornamelijk Palestaanse koopvaarders, maar ook een paar vissersboten en twee dappere Agarsijnen, die net hun vracht losten. Op de klinkermuurtjes van de haven stonden bakken met krabben en kreeften opgestapeld. Matrozen en dagloners laadden de vangsten over op karren om de waar naar de markt te brengen.

De Rogogarder ademde diep in en genoot van de vertrouwde drukte. Het zou niet lang meer duren voordat hij zelf weer op zee was, een deinend dek onder zijn voeten had en – vooral – weer jacht kon maken op Palestanen.

De twee Agarsijnse koopvaarders boden de beste kans op een overtocht naar Rogogard.

Hun schepen onderscheidden zich vooral van de Palestaanse door hun wat langere romp en de rijen roeiers aan weerskanten. Op elke roeibank van de tweemaster zat minstens één matroos, een vrije roeier of slaaf, aan de riemen als de wind wegviel of de kapitein uitzicht had op een vette buit. Ook de Agarsijnen deinsden niet terug voor kaapvaart, hoewel ze deze gevaarlijke vorm van 'handel' liever overlieten aan de sterkere Rogogarders, die beter met entermessen en enterhaken overweg konden.

Het verbaasde Torben dat twee Agarsijnen tegelijk zo ver in deze noordelijke streken waren doorgedrongen, omdat de Palestanen hier dankzij hun vele factorijen een overheersende positie hadden met hun zwaardere zeilen, die beter tegen slecht weer waren bestand.

De kapitein van de Agarsijnse koopvaarder *Selina* wilde de piraat wel aan boord nemen om hem op het eerste Rogogardische eiland af te zetten. Torben werd uitvoerig op zijn zeemanskennis getest en als tweede stuurman aangenomen.

De *Selina* zou pas de volgende dag uitvaren, maar de grootmoedige schipper betaalde de Rogogarder een voorschot van twintig waslec, waarmee hij een havenkroegje binnenstapte. Na al zijn avonturen had hij wel een verzetje verdiend.

De sterke grog smaakte Torben deze avond bijzonder goed, de waard van De Sloep was niet zuinig met de rum, en dus wankelde een behoorlijk aangeschoten piraat laat in de nacht door de stegen van Ludvosnik.

Maar al die drank kwam zijn richtingsgevoel niet ten goede, en toen Torben voor de vierde keer voor de inmiddels gesloten Sloep stond, boog hij zich voorover om te kotsen. Toen ging hij in de sneeuw zitten en tuurde grinnikend naar de opvallend heldere sterrenhemel.

'Bij alle duivels van de diepte, ik ben zo blauw als de zee,' verzuchtte de Rogogarder gelukzalig, en hij wentelde zich in de witte kristallen om een prettige slaaphouding te vinden.

Na een paar minuten kreeg hij het koud. De vorst kroop onder zijn jas en zijn dikke kleren, totdat de piraat klappertandend overeind kwam. De uitwerking van de alcohol werd langzamerhand verdreven door de buitenlucht en de kou.

Vloekend stapte hij met zijn laarzen uit zijn braaksel en probeerde voor de vijfde keer in deze doolhof de juiste richting naar de haven te vinden om aan boord van de *Selina* de ochtend af te wachten.

Rasse schreden naderden over de besneeuwde kinderhoofdjes.

Torben draaide zich opgelucht om, in de hoop dat hij er niet zo verlopen uitzag dat de voorbijganger geschrokken om de schout zou roepen.

'Neem me niet kwalijk, maar kunt u me zeggen hoe ik bij de kade kom?' mompelde de piraat met een dronken lachje. 'Ik geloof dat ik een beetje verdwaald ben.'

'Ik breng je er wel heen,' zei de man vriendelijk. Door de gevolgen van de rum kon Torben hem maar vaag onderscheiden, en bovendien droeg hij een verhullende cape. 'Ik moet er zelf ook naartoe.' De man ondersteunde de dronkenlap en nam hem mee.

'Heel aardig van u,' hikte Torben met dubbele tong. 'Bent u ook zeeman, net als ik?'

'Nee, ik ben passagier. Ik vaar naar Tûris. En u?' Zelfverzekerd zocht de man zijn weg door de steegjes.

'O, ik moet naar Rogogard,' antwoordde de piraat, die het gevoel kreeg dat hij werd meegesleurd. 'En op welk schip hebt u passage geboekt?'

De man aarzelde een moment. 'Op de *Stern*.'

Torben fronste zijn voorhoofd en bleef staan. 'Die naam heb ik nergens gezien, terwijl ik die hele verdomde kade toch twee keer op en neer ben gelopen.'

'Dan hebt u hem over het hoofd gezien,' zei de ander ongeduldig en hij trok de Rogogarder weer aan zijn arm mee. 'Het is een kleine vissersschuit die pas vanochtend is binnengelopen.'

De man had inderdaad de haven gevonden en liep nu naar de kade.

Torben hield zijn pas in, rukte zich met een onhandige beweging uit de greep van de ander los en bleef wankelend staan.

'Dat kan niet. De vissersvloot is pas vanmiddag teruggekomen.' Hij priemde de man met zijn wijsvinger onder de neus en boog zich verontwaardigd naar voren. 'U denkt toch niet dat ik gek ben?'

Als antwoord sloeg de man zijn cape open, trok zijn zwaard en drukte de punt tegen Torbens borst.

'Springen!' beval hij, en hij knikte naar het water van de haven, rechts van de piraat.

'Als ik u heb beledigd, dan spijt me dat.' Torben probeerde de punt van het zwaard met zijn duim weg te duwen. 'Maar om me nou meteen in het ijskoude water te laten springen is wat overdreven. Dat overleef ik niet.'

'Precies.' De man sloeg de Rogogarder met de vlakke kant van het zwaard tegen zijn bovenarm, zo hard dat Torben in de richting van het water wankelde.

Met zwaaiende armen probeerde hij zijn evenwicht te bewaren op het randje van de kademuur. Het zou hem zijn gelukt als hij geen schop tegen zijn achterste had gekregen, waardoor hij naar voren tuimelde.

Als een steen plonsde de piraat in het donkere water.

De kou sneed hem de adem af en even was hij bang dat zijn hart het zou begeven. Sputterend kwam hij naar de oppervlakte, terwijl zijn kleren zich volzogen met water en hem met hun zwaarte onafwendbaar terug in de diepte sleurden.

Op de pier herkende hij nog de gestalte die hem in deze levensgevaarlijke toestand had gebracht en onverschillig wachtte tot hij definitief naar de bodem van de haven was verdwenen.

Torbens krachten namen snel af, het ijzige water beroofde hem van alle warmte en energie, en het bont en de wollen kleding werden zo zwaar dat hij zich niet meer zwemmend boven water kon houden. Treden of een ladder waren nergens te bekennen.

Opeens draaide de man boven hem zich vloekend om en verdween van de rand.

De Rogogarder hoorde een onverstaanbaar gesis en het gekletter van zwaarden, voordat hij langzaam wegzonk in het zwarte water.

Een sterke arm greep hem bij zijn kraag en voorkwam dat hij naar de diepte verdween. Torben hoestte en gaf water over, terwijl hij uit de haven werd gehesen.

Terug op de kade werd hij voorzichtig op de grond gelegd. Voor zijn gezicht doemden twee glinsterende robijnrode ogen op.

'Beter oppassen,' bromde de stem van Pashtak, voordat het schepsel in de nacht verdween.

De schepen rond de piraat kwamen tot leven. Iemand schreeuwde iets en er naderde een lichtje.

'Hé, die ken ik! Die heeft op de *Selina* aangemonsterd,' zei een man. Vele handen tilden hem op en droegen hem aan boord van de Agarsijnse koopvaarder.

De matrozen trokken hem zijn natte kleren uit en legden hem onder een stapel dekens.

'De mannen gaan wel op zoek naar dat monster,' beloofde de kapitein, die toezicht hield. 'Ze hebben gezien dat het over je heen gebogen stond. Het scheelde maar een haar of je was opgevreten, geloof me. Die beesten deinzen nergens voor terug. 's Winters worden ze door de kou naar de stad gedreven.'

Torben tilde een hand op, maar hij was te zwak en nog steeds te dronken om iets te kunnen zeggen.

'Probeer te slapen, dan kun je morgen aan het werk,' beval de schipper en hij verliet de hut.

'Ik zal je de kop van dat monster brengen,' zei de bootsman met een knipoog. Hij klopte even op het brede entermes aan zijn zij en volgde de matrozen.

De Rogogarder besefte wanhopig dat heel Ludvosnik nu jacht zou maken op de verkeerde.

'Hopelijk krijgen ze hem niet te pakken,' mompelde hij, en in stilte wenste hij Pashtak alle sterkte.

De volgende morgen sneed de *Selina* met volle zeilen door het water. Torben stond aan dek, waar hij de eerste stuurman had afgelost om enig gevoel voor het schip te krijgen. De Agarsijnse koopvaarder reageerde wat logger dan de *Grazie*, maar was verder vergelijkbaar.

Blijkbaar was Pashtak die nacht aan zijn achtervolgers ontkomen. De mannen waren vroeg in de ochtend teleurgesteld teruggekeerd en ook de schout had geen succes gehad.

Desgevraagd verklaarde de Rogogarder dat hij zich door zijn val in het koude water niets meer kon herinneren. Hij wilde de zaak niet nog geheimzinniger maken. Niemand van de zeelui zou zijn verhaal hebben geloofd.

Hij wist zelf niet eens waarom de man van gisteren hem had willen doden. Een gewone overvaller zou in elk geval een greep naar zijn beurs hebben gedaan.

'Klein schip vooruit,' meldde de uitkijk. 'Er komt een roeiboot naar ons toe.'

De kapitein kwam naar het bovendek en tuurde door zijn verrekijker. 'Er wil iemand aan boord stappen. Reef het zeil, dan zullen we zien of er iets te verdienen valt.'

De boot, met vier roeiers en een passagier, kwam naderbij en bereikte de *Selina*.

Een pezige man met een snor en een bontmuts stond op en liep naar de boeg. Aan zijn traditionele dracht te zien moest hij een welgestelde Rundopâler zijn.

'Ik moet naar Kurlanja. Kunt u me meenemen? Ik zal er goed voor betalen!' riep hij.

'We varen niet naar Kurlanja, maar ik kan u wel bij Hublinka afzetten. Daar kunt u een schip vinden voor het laatste stuk,' opperde de kapitein. 'Kom maar aan boord. De wind is gunstig en mijn roeiers zijn nog niet moe.'

'Hoeveel gaat me dat kosten?' vroeg de Rundopâler voorzichtig. 'Meer dan vijftig waslec heb ik er niet voor over.'

'Dat is genoeg voor de overtocht. Voor nog eens vijftig waslec krijgt u eten en een hut,' antwoordde de kapitein grijnzend. Torben en de matrozen lachten. 'Maar misschien wilt u wel aan dek slapen en hebt u genoeg proviand bij u.'

'U haalt me het vel over de oren, kapitein, maar goed. Ik kom aan boord,' accepteerde de man gelaten, hoewel op zijn gezicht te lezen stond dat hij met die prijs heel goed kon leven.

Onhandig klom hij langs de touwladder omhoog. Zijn spullen werden aan touwen op het dek gehesen.

Torbens adem stokte toen hij de bagage van de Rundopâler zag. Daar waren de twee leren plunjezakken die hij ook op de *Grazie* en *De Vrolijke Groet* had gezien!

'Wat is er? Heb je een geest gezien?' De eerste stuurman zag het geschrokken gezicht van de Rogogarder.

'Nee, nee. Het gaat alweer. Ik werd even duizelig. Het zal wel door dat ijskoude, smerige havenwater komen dat ik heb binnengekregen,' zei Torben, die de Rundopâler geen moment uit het oog verloor.

Er waren natuurlijk allerlei verklaringen denkbaar waarom de man in het bezit van de plunjezakken was gekomen, maar de meest verontrustende mogelijkheid was dat de onbekende passagier de ondergang van *De Vrolijke Groet* had overleefd en nu aan boord van de *Selina* stapte.

Koortsachtig probeerde de piraat zich te herinneren welke kostuums DeRagni hem in zijn kapiteinshut had laten zien toen hij de plunjezakken had geopend. Was daar niet zo'n traditionele dracht uit Rundopâl bij geweest?

Torben besloot de bagage van de passagier te doorzoeken zodra hij de kans kreeg.

Op dat moment stapte de Rundopâler het bovendek op om de kapitein te begroeten. De Rogogarder maakte zich klein achter de rug van de eerste stuurman.

'Heel vriendelijk van u om me mee te nemen.' De man stak een arm uit en drukte de schipper de hand. 'Mijn hartelijke dank. Ik ben Jero Haikoff.'

'U hebt geld, dus neem ik u mee. Zo simpel ligt dat. We hebben geen bederfelijke waar aan boord, dus een kort oponthoud is geen probleem,' zei de kapitein, en hij wenkte een matroos om de passagier naar zijn hut te brengen.

'Ik had niet geweten wat ik zonder u had moeten beginnen. Het laatste schip voer net voor mijn neus weg en in deze tijd van het jaar is vervangend vervoer niet zo snel te vinden.' Hij gaf de kapitein een beurs met goud. 'Ik wil onderweg niet worden gestoord. Ik moet een hele stapel documenten doorwerken en rekeningen controleren. Laat de maaltijden naar mijn hut brengen, alstublieft.'

De schipper knikte. 'Vroegen alle passagiers maar zo weinig aandacht als u, heer koopman.'

'Hoe komt u erbij dat ik koopman zou zijn?' Jero trok vragend zijn wenkbrauwen op.

De kapitein glimlachte. 'U bent niet gekleed als een visser, u zegt dat u documenten en rekeningen moet doorwerken en u spreekt een keurig, geleerd soort Ulldarts.'

'Mijn complimenten. U had spion moeten worden,' zei de Rundopâlische handelaar met een waarderend trekje om zijn mond. 'Goed, ik ga naar mijn hut. En vraag uw stuurman om het rustig aan te doen. Ik word snel zeeziek.'

'Over mijn eerste stuurman maak ik me geen zorgen en ook meneer Rudgass verstaat zijn vak,' stelde de kapitein hem gerust.

Jero, die al de trap wilde afdalen naar beneden, bleef staan en draaide zich om. 'Rudgass? Is dat geen Rogogardische naam?'

Torben besloot dat de aanval de beste verdediging was. 'Inderdaad. Ik kom uit Rogogard. Waarom vraagt u dat?'

De Rundopâlische koopman nam de piraat kritisch op. 'Ik heb ooit een Rudgass gekend. Aan boord van de *Grazie*, meen ik. Kan dat kloppen?'

Torben deed alsof hij nadacht. 'Dat moet mijn neef zijn geweest. Hij was kapitein van dat schip. We schijnen erg op elkaar te lijken.'

'U zegt het. Het zal u genoegen doen te horen dat het goed met hem gaat. Ik heb pas nog met hem gevaren. Een flinke vent.'

'Als hij maar half zo goed is als zijn neef, voelt hij zich op alle zeeën thuis,' prees de kapitein het vakmanschap van de Rogogarder.

'Een hele geruststelling. De Rogogarders staan bekend om hun zeemanskunst, vooral op de ruige wateren van Ulldart,' beaamde Jero en hij verdween benedendeks.

Torben wist nu zeker dat dit de onheilspellende passagier van de *Grazie* moest zijn, maar hij weifelde of de man hem had herkend. Eén gedachte vatte post bij de piraat, een gedachte die hij zo snel mogelijk in daden moest omzetten voordat hij de kapitein van de *Selina* op de hoogte kon brengen van zijn verontrustende ontdekking.

De kans om de hut van de koopman te doorzoeken deed zich, tot grote teleurstelling van de ongeduldige Torben, pas voor op de dag voordat de goed geklede Rundopâler van boord zou gaan.

Toen de piraat die middag Jero op de voorplecht van het schip zag staan, maakte hij van het moment gebruik om de hut van de passagier binnen te glippen. Met een smoes had hij een loper losgekregen van de kapitein, die hem nu goed van pas kwam.

Op de kleine schrijftafel naast de vetkaars lag een stapel papieren met eindeloze rijen cijfers, handelscontracten en Ontariaanse schuldpapieren. De kleren van de man hingen keurig aan haken aan de wand en de twee plunjezakken lagen onder de hangmat. Haastig trok Torben ze naar zich toe om ze te doorzoeken.

Al bij het eerste voorwerp begonnen de handen van de Rogogarder te beven. Het was het korte zwaard dat hij op die stormnacht aan boord van *De Vrolijke Groet* aan de zijde van de onbekende matroos had zien bungelen.

'Ik wist het,' mompelde hij, en hij zocht weer verder.

Hij vond pruiken, kleren, schmink, valse snorren en kleinere zaken, die in oliepapier waren gewikkeld. Hij nam niet eens de moeite ze los te wikkelen, want hij wist al wat hij te zien zou krijgen.

Met zijn hand betastte hij de binnenvoering van de tweede plunjezak, die zijn geoefende oog te dik voorkwam. Inderdaad ontdekte hij een verborgen zijvak, waarin nog meer papieren zaten.

Uit het leren vak haalde Torben een houtskooltekening van een jongen met bolle wangen en een vollemaansgezicht en het onderschrift: 'Hara¢ Vasja, Granburg'.

Haastig borg hij alles weer in de plunjezak, probeerde wat orde te scheppen en verliet schielijk de hut van de moordenaar.

Eenmaal in de smalle, donkere gang werd hij door twijfel bevangen.

Wat had hij aan deze ontdekking? Wie zou zijn verhaal geloven? De kapitein van de *Selina* kende hem noch de passagier echt goed, en uiteindelijk bezat de moordenaar meer goud om de schipper aan zijn kant te krijgen. Dus wat te doen?

Gespannen klom de piraat terug aan dek, waar de matrozen zaten te eten. De lucht van soep deed Torben beseffen dat hij honger had.

De kwestie van de moordenaar kon tot later wachten. Misschien kreeg hij een goed idee bij een bord aardappels, jus en groente.

Torben stapte energiek de kombuis in, maar deinsde terug toen hij de Rundopâler zag staan.

'Je bent te laat,' begroette de scheepskok hem, roerend in een bijna lege ketel. 'Ik kan alleen nog wat restjes bij elkaar schrapen.'

De koopman glimlachte tegen de Rogogarder. 'Een heerlijke soep. Ik heb gezien hoe hij werd klaargemaakt. Wonderbaarlijk, wat je met zo weinig middelen en de juiste kruiden op tafel kunt zetten.' Hij knikte de twee mannen toe en verdween naar het dek.

'Hoe lang was hij hier?' vroeg Torben, en hij keek naar de vloer om te zien of hij een spoor van het witte poeder kon ontdekken.

'Sinds ik aan de soep begon. Hoezo?' De scheepskok keek verbaasd en hield hem een opgeschept bord voor.

'Zomaar. Nee, geef maar een scheepsbeschuit, als het kan. Ik heb nog altijd last van mijn maag,' loog hij.

De kok haalde zijn schouders op en gaf hem vier stukken uit de grote kist, met een pekelharing erbij. 'Zoals je wilt. En nu wegwezen, want ik moet opruimen.' Zijn toon klonk een beetje beledigd, misschien omdat Torben zijn soep had versmaad.

De Rogogarder verliet de kombuis en wierp een wantrouwende blik op de scheepsbeschuit. De matrozen waren klaar met eten en gingen weer aan het werk. Torben vroeg zich af of ze allemaal vergiftigd waren.

De eerste stuurman wenkte de piraat. 'Daar is de kust.' Hij wees naar een grijze streep, die zich een eind verderop uit het water verhief. 'Koers daarop aan, totdat je de details kunt onderscheiden. Dan breng je het schip op een parallelkoers naar Kalisstron, totdat de haven van Hublinka in zicht komt. Maak me dan wakker.' Hij sloeg Torben op zijn schouder en verdween.

De Rogogarder hield de aangegeven koers aan. Het land kwam langzaam dichterbij en was steeds duidelijker te zien.

Kale klippen staken dreigend uit de golven, een stevige branding sloeg tegen de rotsen en het schuim spatte metershoog de lucht in. Een paar warst verderop veranderde het beeld in een vlak kiezelstrand, dat de zee de kans gaf met rustig kabbelende golven het land te bereiken.

Jero verscheen aan dek, liep naar de reling en liet zijn blik over het natuurtafereel glijden.

Torben zag dat hij het korte zwaard aan zijn zij had hangen en in zijn rechterhand een zandloper hield, die voor twee derde was leeggelopen.

Na een tijdje draaide de Rundopâler zich om, bracht de zandloper omhoog en keek met een klein lachje hoe de laatste korrels omlaag stroomden. Toen leunde hij tegen een schot en wachtte af, met zijn armen over elkaar geslagen.

Het eerste slachtoffer was een matroos die het want in klom.

Opeens werd de man bevangen door krampen. Hij begon te schokken over zijn hele lichaam, slaakte een kreet en moest het touw loslaten, waardoor hij tegen het dek stortte. Algauw verzamelden zich een paar mannen om de dode, terwijl anderen de kapitein riepen.

Op het moment dat de schipper uit zijn hut kwam, sloeg de volgende matroos met kramp en schuim op zijn mond tegen het dek, naast de eerste. Ook vanaf het roeidek beneden klonk angstig geroep.

'Wat is er in godsnaam aan de hand?' De kapitein knielde bij een van de mannen neer om hem te onderzoeken.

Torben klemde zich aan het roer vast en tuurde naar het dek. Weer had de moordenaar een hele bemanning vergiftigd, en alleen Ulldrael wist hoeveel mensen hij al op deze manier om zeep had geholpen.

Steeds meer bemanningsleden werden getroffen, ook de kapitein. Stuiptrekkend lagen ze op de planken, kermend van pijn en ellende.

Jero bleef rustig aan de reling staan en keek tevreden hoe de zeelui stierven.

Torben begreep dat hij dit alleen kon overleven als hij zelf ook 'stierf'. Ulldrael kon getuigen dat hij geen lafaard was, maar een rechtstreeks gevecht met deze gevaarlijke man zou zelfmoord zijn en daarom niet verstandig.

Dus begon hij te brullen, greep naar zijn buik en zakte voorover tussen de spijlen van het stuurrad, zodat hij vanonder zijn oogleden kon blijven volgen wat er op het dek gebeurde.

De moordenaar zette zich langzaam in beweging, liep door de wirwar van stervenden heen, terug naar zijn hut, en kwam even later met zijn plunjezakken weer tevoorschijn. Als een matroos hulpzoekend naar zijn laarzen greep, schopte hij de man in zijn gezicht of stapte over hem heen. Ten slotte pakte hij een van de bijlen naast de grote mast en verdween weer. Even later klonken er doffe, regelmatige slagen uit het onderruim.

Dat vatte Torben op als een teken van Ulldrael, die hem blijkbaar welgezind was. Hij kwam overeind en liep zo geruisloos mogelijk naar de kleine sloep.

De lier kraakte en piepte toen het bootje langzaam naar het water zakte, tot het nog maar een handbreedte boven zee hing.

Opeens verstomden de bijlslagen benedendeks.

De piraat hakte het borgtouw door en sprong in de sloep. Hij greep de riemen en begon met al zijn kracht te roeien om zo snel mogelijk op veilige afstand van de *Selina* te komen.

Bijna onmiddellijk zag hij Jero aan de reling opdoemen, met een gespannen kruisboog uit de wapenkamer op de reddingssloep gericht.

Torben wierp zich plat op de bodem van de boot en kroop onder het bankje. Een pijl boorde zich in het hout, een paar centimeter van zijn rechteroor. De metalen punt glinsterde vochtig en verspreidde een scherpe stank.

Geweldig, nog meer gif, dacht de Rogogarder met een lichte zucht.

Zo snel als hij kon klom de piraat weer op het bankje en roeide verder, terwijl de moordenaar vloekend zijn wapen herlaadde.

Torben dacht dat zijn spieren zouden knappen, maar hij hield het moordende tempo vol.

Opnieuw richtte Jero de kruisboog en weer dook Torben onder het bankje.

Nu spieste de pijl de mouw van zijn hemd aan de romp van de boot. Achteloos, maar met al zijn kracht, scheurde de piraat zich los.

Zijn handpalmen brandden en het zweet liep tappelings van zijn rug, maar nog altijd bevond hij zich binnen schootsafstand van het wapen.

Weer zoefde er een pijl op hem af. Op het laatste moment dook Torben opzij om het projectiel te ontwijken.

In de opwinding schoof hij van de rechterkant van het bankje, klapte achterover en sloeg met zijn hoofd hard tegen de planken. Versuft kwam hij overeind en wierp een blik naar de moordenaar, die zijn boog weer spande.

Torben zag de pijl razendsnel op zich afkomen en meende hem zelfs door de lucht te horen suizen, maar hij nam alles dubbel waar, machteloos om te reageren. Jero slaakte een kreet van triomf.

Opeens begon de pijl te dalen, en op nog geen halve meter voor de sloep viel hij in zee.

De piraat staarde naar de kringen in het water waar de pijl verdwenen was. Hij kon weer helder denken en begreep dat hij buiten schootsafstand van het wapen was gekomen.

'Ik ben je weer te snel af, moordenaar!' schreeuwde Torben en hij sprong overeind. 'Voor de tweede keer!' De boot begon gevaarlijk te wiebelen.

'Voor de derde keer,' corrigeerde de man hem, terwijl hij onverstoorbaar een nieuwe pijl aanlegde. 'Als dat gedrocht je in Ludvosnik niet uit de haven had gevist, zou je al dood zijn en hoefde ik me nu niet meer druk om je te maken.' Hij keek schattend naar de hemel, likte aan zijn vinger en testte de wind.

'Ik maak je af!' brulde Torben, die snel weer ging zitten en verder roeide. 'Je zult boeten voor de dood van mijn bemanning.'

Jero hief de boog, richtte ogenschijnlijk op de hemel en schoot. 'Ik ben benieuwd, kapitein Rudgass.'

De Rogogarder stuurde haastig naar rechts. Het volgende moment sloeg de pijl in zijn achtersteven. Torben roeide verder om de afstand nog te vergroten.

Kwaad smeet de moordenaar zijn wapen in het water. 'Als ik je nog eens tegenkom, zul je het niet overleven, geloof me maar! Aan jouw geluk komt ook een eind.'

De sloep raakte steeds verder bij de Agarsijnse koopvaarder vandaan. Torben sloot zijn ogen en concentreerde zich op een regelmatige slag om zo snel mogelijk aan land te komen.

Hij had zijn eigen bemanning en die van de *Selina* niet kunnen redden, maar hij zou alles in het werk stellen om die onbekende hara¢ voor een moordaanslag te behoeden.

Bovendien wist de kaper nu waar de man naartoe wilde. Zo kon hij zich in alle rust voorbereiden op een treffen met de mysterieuze moordenaar. Dat was zijn eerste doel. Rogogard moest nog maar even op zijn terugkeer wachten.

VIII

'De monniken in de nog niet bezette gebieden baden zonder ophouden tot Ulldrael, totdat hun dringende, vertwijfelde smeekbeden eindelijk tot zijn dove oren doordrongen en hem uit de diepe slaap wekten waarmee Tzulan hem had betoverd.

Toen Ulldrael wakker werd en zag wat er allemaal gebeurd was, verscheen hij in een droom aan alle koningen van Ulldart en riep hen bijeen voor een vergadering. Daar sprak hij tot hen: "Ooït hebben de goden gezegd dat ze zich niet meer met de zaken van de mensen zouden bemoeien, maar nu moet ik mijn volk te hulp komen. Verzamel jullie laatste troepen bij de stad Taromeel en trek daar ten strijde tegen Sinured en zijn verschrikkelijke leger. Heb vertrouwen, mijn kinderen, want ik zal jullie helpen."

En zo trokken Aldoreel en Ilfaris hun troepen samen. Veel vrijwilligers sloten zich bij hen aan op de mars naar Taromeel, om hen te helpen in deze laatste en beslissende slag.

Trots wapperden de vlaggen van alle koninkrijken op de heuvel bij Taromeel, die nog altijd de Mirakelheuvel wordt genoemd, terwijl vanaf de andere kant de duistere strijdmacht van Sinured naderde, oppermachtig en angstaanjagend.

De vijand had een overmacht van twintig tegen een en het leger van vrijwilligers zou alle moed hebben verloren als de duisternis, die al meer dan vijftig jaar heerste, niet door een lichtstraal zou zijn doorbroken.'

Historische Almanak van Ulldart,
deel xxi, blz. 1052

Provinciehoofdstad Granburg, koninkrijk Tarpol, voorjaar 442 n. S.

Lodrik zat in de muffe kamer van de kanselarij en loenste over de stapel papieren die op zijn bureau lag.

'Is dat allemaal nodig voor het bestuur van een provincie?' Zijn hoge stem klonk een beetje moedeloos en onzeker. 'Ik had nooit verwacht dat het er zoveel zouden zijn.' Lusteloos bladerde hij de stapel door. 'Jukolenko heeft elke dag een ander excuus om me niet te hoeven helpen, en in mijn eentje begrijp ik van de meeste stukken niet veel. Rekeningen, getallen en notities die ik soms niet eens kan ontcijferen.' De jeugdige gouverneur liet zich op zijn stoel terugzakken.

Stoiko stond aan de andere kant van het bureau en wierp een ongelukkige blik op de chaos. 'Ik begrijp het. Dat is wel een probleem, direct aan het begin van uw bewind.' De raadsman zocht in zijn tas en haalde een groot vel tevoorschijn. 'De verklaringen die Waljakovs mannen hebben losgekregen zijn bijzonder interessant en ontmoedigend tegelijk. De herenboeren zijn twee handen op één buik met de voormalige gouverneur. Hij heeft ze met geld aan zich gebonden, of hij chanteert ze.'

Lodrik keek pruilend. 'Ga onze koffers maar pakken. In deze omstandigheden kan ik niet over Granburg regeren. En het eten is zo slecht dat ik steeds meer afval.' Als bewijs trok hij aan zijn vest, dat veel ruimer dan vroeger om zijn middel sloot.

'Dat u afvalt is grotendeels te danken aan Waljakovs training. U bent inderdaad sneller geworden, heer,' zei Stoiko waarderend. 'En die smallere taille staat u best goed.' Hij wapperde met het vel. 'Zo uitzichtloos is het trouwens niet, want ik heb een naam gehoord van iemand die in tegenstelling tot de andere herenboeren wel geliefd is bij het volk.' Hij raadpleegde de handgeschreven aantekening. 'Hij heet Ijuscha Miklanowo en zijn landgoed ligt hier ongeveer veertig warst vandaan. Ik heb hem een uitnodiging gestuurd. Maar omdat hij zich heeft geëxcuseerd voor het banket van Jukolenko en dus niet in de buurt is, zal het even duren voordat hij mijn bericht heeft ontvangen en hier kan verschijnen.' Stoiko keek Lodrik aan. 'Ik denk dat we in hem wel een bondgenoot kunnen vinden, heer.'

'Dat zou heel mooi zijn.' Lodrik stond op, haalde zijn broek op en zette zijn riem een gaatje strakker. 'De regeringszaken kunnen wel even wachten. Ik ga een ritje maken. Eindelijk sneeuwt het eens niet, dus dat is een goede kans om de omgeving te leren kennen. In mijn eentje.'

De raadsman opende zijn mond om te protesteren. 'Niemand kent u hier nog persoonlijk, maar het lijkt me toch te gevaarlijk. Ik zal Waljakov vragen een klein escorte te vormen.'

'Vraag dan ook de keuken om wat mondvoorraad in te pakken. Ik kleed me nu om en ga vast naar de stallen. Daar kun je me vinden.'

De jongen verliet de kanselarij, terwijl Stoiko de lijfwacht op de hoogte bracht van de plannen van de gouverneur.

Al tien dagen woonde de Tadc nu als hara¢ Vasja in de hoofdstad van de provincie. Jukolenko was vriendelijk en nadrukkelijk beleefd tegen hem, maar verder bekommerde hij zich niet om de jongen, zoals een gouverneur zou passen. De hara¢ had drie dagen geleden zelfs de gebruikelijke audiëntie moeten afzeggen omdat hij geen enkel overzicht had van de verzoekschriften die zich in zijn bureauladen opstapelden. Voor overmorgen stonden er juridische geschillen op het programma, die door een machtswoord van de landvoogd moesten worden beslecht. Bovendien lagen alle kantoren en archieven in Jukolenko's vleugel, zodat Lodrik elke keer eindeloze gangen door moest lopen en talloze trappen moest beklimmen voordat hij zijn bureau had bereikt.

Toch had hij al een paar akten gelezen en met Stoiko's hulp geprobeerd enige orde te scheppen in de chaos die blijkbaar opzettelijk voor hem was achtergelaten. Geen wonder dat de jongen op het punt stond Granburg aan zijn lot over te laten en terug te keren naar de hoofdstad van het rijk.

Het enige wat hem daarvan weerhield was het vooruitzicht van een ongezellige kamer in een afgelegen kasteel van zijn vader, waar hij de rest van zijn dagen zou moeten slijten.

Lodrik sjokte door de gang in de richting van zijn slaapkamer. Daarbij haalde hij om de paar meter zijn broek op, hoewel hij zijn riem toch een gaatje strakker had gezet.

De hara¢ had plezier in de dagelijkse, inspannende gevechtstraining met Waljakov. De lijfwacht nam hem weliswaar veel steviger onder handen dan alle instructeurs die hij ooit had gehad, maar Lodrik merkte zelf dat hij zich niet meer zo log bewoog.

De technieken die de gespierde man hem bijbracht waren eigenzinnig en totaal afwijkend van de klassieke handboeken die de jongen over de omgang met de sabel had gelezen. Toch bespeurde hij bij zichzelf een onverwacht enthousiasme voor het gevecht.

Nog met zijn gedachten bij zijn schermlessen kleedde Lodrik zich om, zonder hulp van Stoiko. Onderweg en ook na hun aankomst hier had Waljakov hem daar regelmatig mee getreiterd, tot de jongen er genoeg van kreeg. Sinds de vierde dag koos hij nu zelf zijn kleren, waarbij hij erop lette dat ze eenvoudig waren en niet te veel knopen hadden.

Voor dit ritje hield hij het op een eenvoudig wollen tuniek. In de wapenkamer trok hij daar een licht leren pantser overheen en gordde de sabel aan zijn zij. Als extra beschutting tegen de scherpe wind pakte hij een warme bontmantel van de haak, zijn blonde haar verdween onder een dik gevoerde bontmuts en gelooide leren handschoenen zo dik als boombast moesten zijn vingers tegen bevriezing beschermen.

De stalmeester had de paarden al laten zadelen en een tas met proviand hing stevig bevestigd aan Lodriks paard.

Opeens kreeg de jonge gouverneur een avontuurlijke ingeving.

'Zeg maar tegen Waljakov dat ik een eindje vooruitrij.' Hij steeg op. 'Ik wil de omgeving eerst in mijn eentje verkennen, dan trek ik ook niet zo de aandacht.'

'Maar dat gaat niet, excellentie!' riep de stalmeester geschrokken. 'Waljakov zou me vermoorden. Ik mocht u onder geen beding uit de stallen laten vertrekken.'

'Maak je niet druk. Ik neem de verantwoording.' Lodrik sloeg zijn hakken in de flanken van zijn paard en draafde de poort uit. 'We zien elkaar op de heuvel voor de stad.'

'Excellentie, kom terug!' De man rende nog een paar meter achter de gouverneur aan en bleef toen hijgend staan.

'Haal Waljakov en zeg hem dat de gouverneur zonder mijn toestemming is vertrokken,' beval hij een knecht. Moedeloos liet hij zijn schouders hangen. 'Waarom doet hij mij dit aan?'

Nieuwsgierig reed Lodrik door de straten van Granburg. Geen van de wachtposten of de mensen die hij onderweg tegenkwam schonk veel aandacht aan hem.

Sommige groetten hem met een kort knikje, omdat ze hem vanwege het paard en zijn dure kleren voor een edelman of een rijke burger hielden. Maar niemand sprak hem aan als gouverneur.

Ongehinderd, afgezien van een paar opdringerige bedelaars

die hij met wat toegeworpen waslec tevreden stelde, reed hij de stad uit en ging op weg naar de afgesproken heuvel, waar hij een beter uitzicht had.

Granburg strekte zich ver over de vlakte uit, ingesloten door het besneeuwde landschap. De dikke, grijze stadsmuren, die de bewoners tegen rovers en moerasmonsters moesten beschermen, staken scherp af tegen de sneeuw.

Lodrik zoog de koude, heldere lucht diep in zijn longen en genoot. Geen bedienden, geen norse Waljakov en geen alomtegenwoordige Stoiko om hem betweterig de les te lezen.

De jongen stelde de luxe van het paleis zeer op prijs, maar de kans om ongestoord een ritje te kunnen maken was gewoon té verleidelijk. Bovendien zou Waljakov elk moment met zijn escorte uit de stadspoort kunnen verschijnen. Het risico dat hem iets zou overkomen was niet groot.

Voor Lodrik rook dit een beetje naar avontuur, en met de zware sabel aan zijn zij voelde hij zich tegen alle gevaren opgewassen.

Tevreden trok hij zijn wapen recht, maar ongelukkig genoeg prikte de met metaal beslagen schede hard in de flank van het paard, dat geschrokken steigerde en langs de andere kant van de heuvel omlaag stormde.

Dwars door het land ging de wilde rit, over kale witte velden, langs kleine dorpjes en door bossen. Lodrik klampte zich wanhopig aan de manen van het dier vast en liet het paard zelf beslissen waar het naartoe wilde, met hem op zijn rug.

Het duurde een hele tijd voordat het dier eindelijk moe begon te worden, zijn tempo vertraagde en ten slotte midden op een bosweg bleef staan.

'Heel verstandig, achterlijk beest.' De gouverneur liet zich voorzichtig uit het zadel glijden, pakte de teugels en klopte het zwetende paard op zijn hals. Hij had een pijnlijk zitvlak en trillende spieren in zijn benen en bovenarmen.

'Laten we maar even pauze houden. Maar eerst zoeken we een

dorp of een herberg om je weer droog te wrijven, anders zak je nog dood neer in deze kou. Hoewel dat je verdiende loon zou zijn na deze streek die je me hebt geleverd.' Hij liep met het uitgeputte dier het bos uit en keek om zich heen.

In de wijde omtrek was geen spoor van menselijke beschaving te ontdekken. Het enige geluid was het zachte, ruisende lied van de wind in de toppen van de bomen.

'Nou, daar zijn we klaar mee. Het ziet er niet best voor ons uit,' mompelde Lodrik en hij liep de weg af.

Het laatste dorp dat hij zich kon herinneren lag minstens een kwartier rijden achter hen, of nog verder, en zijn paard had dringend een droge, warme stal en wat voer nodig als het hem nog naar huis moest dragen. Om nog maar te zwijgen van Lodriks eigen behoefte aan hete thee en een grote pan met eten.

De zonnen zakten steeds lager en een dunne nevel steeg op. De hara¢ twijfelde nu toch ernstig of het wel zo'n goed idee was geweest er alleen op uit te gaan.

Na een kwartiertje ontdekte Lodrik boven een bos een dunne witte rookpluim, die hij eerst voor een nevelsliert had aangezien.

'We hebben geluk,' zei hij tegen zijn paard. 'Al is het maar een houtskoolkacheltje dat daar wacht.'

Vermoeid sjokten ze door de rulle sneeuw naar de rand van het sparrenbos.

De gouverneur rook nu ook het vuur dat ergens binnen brandde en hem een warm onderdak beloofde.

Het paard snoof nerveus en spreidde zijn neusvleugels.

'Wat is er? We zijn er nu toch?' Maar het dier trok zenuwachtig aan de teugels en rukte ze met kracht uit Lodriks hand.

Het paard galoppeerde een paar passen langs de bosrand, totdat de sneeuw naast de viervoeter leek te exploderen.

Een reusachtig wezen, een kruising tussen een beer en een wolf, met een witte, borstelige pels, stoof uit zijn schuilplaats tevoorschijn, wierp zich brullend op het paard en smeet het tegen de grond. Met scherpe tanden en machtige kaken scheurde het de keel open van zijn jammerende, trappelende buit.

De jonge gouverneur wachtte niet af tot het monster ook hem ontdekte, maar draaide zich om en rende zo snel als hij kon het bos in, terwijl hij achter zich de botten van zijn paard hoorde versplinteren.

Hijgend en snuivend gooide Lodrik zijn sabel weg, rukte zijn bontmuts af en bevrijdde zich van de zware bontmantel om nog sneller vooruit te komen.

Takken en twijgen sloegen in zijn gezicht, doornen scheurden zijn kleren open en schramden zijn huid, maar de jongen bleef niet staan, hoewel zijn hart als tromgeroffel in zijn borst tekeerging.

Een paar keer viel hij in de koele sneeuw, maar de angst voor het reusachtige wezen gaf hem ongewone krachten.

Opeens zag hij een lichtere plek in het dichte kreupelhout. Buiten adem bereikte hij een kleine, door palissaden omgeven nederzetting van tien bouwvallige hutten.

Vanuit het woud klonk een gekraak en geknars, alsof zich iets groots tussen de bomen door bewoog.

'Hé!' riep Lodrik, en hij rende naar de poort. 'Ik heb jullie hulp nodig!'

Achter de palissaden doken drie met speren bewapende, stevig ingepakte gedaanten op, die Lodrik onderzoekend opnamen.

'Er zit een monster achter me aan. Laat me binnen, alsjeblieft.'

Een van de figuren schudde zwijgend zijn hoofd en beduidde de gouverneur dat hij weg moest wezen. De anderen hieven hun speren.

'Verstaan jullie me niet? Ik wil naar binnen! Ik ben de gouverneur!' Lodrik stond bijna recht voor de houten poort. 'Dat monster zit me vlak op mijn hielen! Alsjeblieft, ik heb heel veel goud!'

Weer schudde de man zijn hoofd. Zijn makkers zwaaiden dreigend met hun speren en maakten vreemde, steunende geluiden.

Het gekraak in het kreupelhout werd luider. Lodrik deed nog een stap naar voren en bonsde wanhopig op het hout.

Nu verscheen er een vierde man, die geen sjaal voor zijn gezicht droeg. Lodrik verstijfde.

De rechterhelft van het gezicht van de man bestond grotendeels uit verrot vlees. Zijn oog was half weggezakt en nog slechts zichtbaar als een zwarte erwt. Door het verrottingsproces was al een deel van zijn wang weggevreten, zodat de jongen een verkleurd kaakbeen en tandenstompjes kon zien zitten.

Hijgend deinsde Lodrik terug toen hij begreep wat dit moest zijn. Hij was op een van de zogeheten dodendorpen gestuit, plaatsen waar inwoners van Tarpol mensen met ongeneeslijke of besmettelijke ziekten naartoe brachten. Ook paria's, gehandicapten en mismaakten kwamen hier terecht om te sterven.

'Ga weg, jongen,' zei de man slecht verstaanbaar. 'Je kan beter door de kullak worden opgevreten dan hier te eindigen.'

De gouverneur staarde naar de palissaden. In zijn ontzetting over deze vreselijke toestand was hij het monster totaal vergeten.

Een pijl boorde zich dicht onder de mismaakte man in het hout.

'Weg daar!' schalde de diepe stem van Waljakov over de open plek, 'of het volgende schot is raak!'

Lodrik draaide zich om en zag de lijfwacht en zijn mannen uit het bos rijden. De gedaanten achter de palissaden maakten dat ze wegkwamen. Ergens uit de nederzetting klonk het zware geluid van een hoorn.

Waljakov hield zijn paard in naast de sidderende Lodrik en stak een hand uit. 'Stijg maar op, heer. We moeten hier weg voordat ze moed vatten.'

'Het spijt me. Ik wilde niet...' stamelde de jongen, maar de lijfwacht trok hem omhoog en zette hem achter zich op het paard.

'Daar hebben we het nog wel over, heer. Eerst wil ik terug naar Granburg, voordat het donker wordt en de wolven komen.'

Zwijgend reden ze door het bos, terug naar de provinciehoofdstad.

Onderweg zag Lodrik het kadaver van zijn paard, naast dat van de kullak. Ook lagen er twee dode soldaten in de sneeuw.

De gouverneur klampte zich aan Waljakov vast en begroef zijn gezicht diep in zijn bontjas. Hij wilde van deze provincie niets meer horen of zien.

'Was u soms vergeten dat het lot van het hele continent van u afhangt?' Met zijn armen over elkaar ijsbeerde Stoiko heen en weer voor het bed van de gouverneur, dat de jongen sinds zijn terugkeer twee dagen geleden niet meer verlaten had. De kou en de spanning hadden hun sporen nagelaten. Lodrik hoestte voortdurend, rochelde bij elke ademtocht, en er kwam slijm uit zijn neus. 'Stel dat de kullak u had opgevreten?'

'Dan zou Tarpol me nu een zorg zijn,' antwoordde de gouverneur zwakjes.

De raadsman had een preek van een uur gehouden en Lodrik begreep nu wel dat hij met zijn spontane expeditie een groot risico had genomen.

'Maar dat gaat niet, heer. Nu niet en in de toekomst niet. Zoiets mag u nooit meer doen.' Stoiko knielde bij het bed. 'Beloof me dat. Denk aan uw eigen leven en het lot van al die mensen op Ulldart.'

Lodrik zuchtte. 'Ik beloof het, Stoiko. En laat me nu slapen, alsjeblieft. Ik voel me niet zo goed.'

De man kwam overeind, maakte een plichtmatige buiging en verliet de kamer, terwijl de jongen zich op zijn linkerzij draaide en zijn ogen sloot.

Steeds weer zag hij die beelden: de kullak die zijn paard verslond, de mismaakte man en de dode soldaten die voor hem het leven hadden gelaten. Ze wisselden elkaar af in een grote chaos die hem uit zijn slaap hield.

Op de terugweg had Waljakov geen woord gezegd. In alle stilte was de stoet in de stad aangekomen en zonder omwegen naar het paleis gereden. Maar de teleurgestelde blik die de lijfwacht hem bij het afstijgen toewierp zei meer dan de tirade die Stoiko later tegen hem had gehouden.

Lodrik begon net te geloven dat het leven hem weer wat gunstiger gezind was, en nu beleefde hij zo'n afschuwelijke middag.

In elk geval kwamen er deze keer geen waterlanders. Hij had zich beheerst als een echte vent.

Stil bad hij tot Ulldrael om genade voor zichzelf en opname van de soldaten in de Hal der Onbevreesden.

Ten slotte viel hij onrustig in slaap, geplaagd door nachtmerries waarin hij kansloos vluchtte voor de monsterlijke kullak, die opeens veranderde in de man uit het dodendorp, met het half weggevreten gezicht. Een vergane klauw dook op in het blikveld van de gouverneur en sloeg naar zijn ogen. De gele, verbrokkelde nagels kwamen steeds dichterbij en boorden zich in zijn pupillen.

Met een schreeuw werd hij wakker, zijn armen beschermend voor zijn ogen.

Eén moment luisterde hij naar de stilte van de kamer, voordat hij een voorzichtige blik waagde. Gelukkig waren het monster en de man uit het dodendorp nergens te bekennen.

De kamer was donker. Alleen de kleine kaars die op het nachtkastje brandde verspreidde een prettig gouden schijnsel.

Langzaam liet Lodrik zich in de kussens terugzakken en probeerde wat rustiger adem te halen, starend naar de flakkerende schaduwen op de muur.

De deur ging zachtjes open en een meisje dat de gouverneur

niet kende stak nieuwsgierig haar hoofd naar binnen.

'Had je geroepen?' Ze kwam voorzichtig binnen en ging op de rand van Lodriks bed zitten. 'Zo te zien heb je een akelige droom gehad.'

De jongen was te verbaasd om iets te kunnen zeggen. Hij staarde haar aan.

Ze droeg een donkerrode, met gouddraad gestikte fluwelen jurk, die strak om haar lichaam sloot en haar vrouwelijke vormen benadrukte. Lang zwart haar omlijstte een knap gezichtje met bruine, enigszins amandelvormige ogen. Een klein litteken op haar rechterslaap deed vermoeden dat ze ook drieste trekjes had. Ze was veel slanker dan Lodrik, maar stak minstens een kop boven hem uit.

'Ben je je tong verloren?' vroeg het meisje, en ze keek hem bezorgd aan. 'Of moet ik een bediende roepen?'

De bezwete gouverneur knipperde met zijn ogen en ging rechtop zitten. 'Nee, dat hoeft niet. Ik heb inderdaad slecht geslapen.' Hij sloeg zijn handen over elkaar en keek haar aan. 'Eerlijk gezegd had ik een afschuwelijke nachtmerrie. Een kullak wilde me verslinden.'

'Dan zou iedereen hebben geschreeuwd,' zei ze begrijpend, met een zacht lachje.

'En toch ken ik iemand die een kullak heeft gedood,' zei Lodrik, en hij legde het kussen in zijn rug recht. 'De bedienden hebben me verteld wat de soldaten over Waljakov zeiden. Hij heeft met het monster afgerekend. Zonder angst om zichzelf is hij in de aanval gegaan om mijn leven en dat van zijn mannen te redden.'

'Hij moet een heel moedige of heel domme man zijn,' meende het meisje, en ze keek om zich heen. 'Dus dan ben jij de nieuwe gouverneur.'

'Ja.' Lodrik aarzelde. 'Hoezo?'

'Jij hebt ons uitgenodigd.' De landvoogd keek vragend. 'Nou

ja, je hebt mijn vader uitgenodigd,' ging ze verder. 'Ijuscha Miklanowo. Weet je het nu weer?'

Lodrik herinnerde het zich. 'O ja, de enige landheer op wie Jukolenko het niet begrepen heeft. Ik wist niet dat hij een dochter had. Daar had mijn raadsman niets over gezegd.'

'En ik wist niet dat de gouverneur geen volwassen man was,' grijnsde het meisje. 'Eerst hield ik je voor de zoon van de gouverneur.' Ze nam hem nieuwsgierig op. 'Je bent wel dik, zeg.'

De jongen was een moment sprakeloos. 'En jij bent knap brutaal. Ik ben de gouverneur. Dat soort dingen kun je niet tegen me zeggen, ook al heb je gelijk,' protesteerde hij. 'En jij ziet eruit als... als een lange bezemsteel!'

'Nou ben jíj brutaal.' Ze deed alsof ze beledigd was, gooide haar haren in haar nek en lachte toen. 'Maar je hebt gelijk. Mijn moeder was heel groot. En heel knap.' Haar ogen fonkelden en ze keek Lodrik afwachtend aan.

'Dat is mogelijk. Ik ken haar niet,' zei de jongen, in plaats van haar het verwachte compliment te geven. Het meisje stond verongelijkt op.

'Ik ga maar weer. Mijn vader zal me wel zoeken.'

'Waar ging je eigenlijk naartoe?'

'Ik had het paleis nog niet vanbinnen gezien. Mijn vader stond te praten met iemand die Stoiko Gijuscha heet, dus ben ik er maar in mijn eentje op uitgegaan.'

'Dat kan heel verkeerd aflopen.' Lodrik trok de deken over zijn hoofd. 'Daar kan ik over meepraten. Geloof me.'

De deur viel zachtjes in het slot en het meisje was verdwenen.

'Ik weet niet eens hoe ze heet,' mompelde de jongen en hij sloot zijn ogen. 'Maar ze heeft een veel te scherpe tong.'

Twee dagen later was Lodrik er weer bovenop. Ondertussen had hij nieuwsgierig naar zijn bezoekster geïnformeerd.

De dochter van de landheer heette Norina, vertelde Stoiko.

Ze was twee jaar ouder dan de gouverneur en ze ging met haar vader mee naar alle belangrijke gelegenheden, om zo veel mogelijk te leren.

Miklanowo had zelf gezegd dat zijn dochter als enig kind zijn landgoed zou erven, wat niet gebruikelijk was. Als er geen mannelijke erfgenamen waren, moest de dochter met een andere landheer of diens zoon trouwen. Het was nog nooit voorgekomen dat een dochter zelf de touwtjes in handen nam. Vader en dochter leken in dat opzicht nogal eigenzinnig.

Lodrik stond op en bleef enkel in zijn onderbroek voor de spiegel staan. Hij was nog altijd veel te dik, maar het vet op zijn buik en zijn heupen begon te slinken. De woorden van het meisje hadden de sluimerende eerzucht van de gouverneur geprikkeld.

'Ze zullen nog verbaasd opkijken,' beloofde hij zijn spiegelbeeld voordat hij een warme wollen tuniek aantrok en een ruk gaf aan het bellenkoord. Even later stapte Stoiko naar binnen.

'Ulldrael zij dank, u bent weer op de been,' zei de raadsman stralend. 'Ik wilde al de plaatselijke cerêler laten komen.'

Lodrik maakte een gebaar. 'Het gaat weer goed. Ik heb nu wel lang genoeg in bed gelegen. Hoe staat het met onze gasten?'

'Miklanowo en zijn dochter zijn nog in de stad. Ik heb hen in een herberg ondergebracht omdat wij zelf in de gastenvleugel wonen,' antwoordde Stoiko en hij opende de deur. 'Als u vast gaat ontbijten, zal ik hen laten komen, heer.'

'Goed idee, Stoiko.' De gouverneur sjokte weer alle gangen door, terwijl hij om de paar meter zijn broek ophaalde, zoals gewoonlijk. 'Ik ben heel nieuwsgierig naar deze landheer. Wat is jouw indruk van hem?'

'Hij is geen typisch Tarpoolse brojak, zou ik denken, maar heel wellevend en erudiet. In sommige opzichten heeft hij... hoe zal ik het zeggen?... nogal revolutionaire opvattingen.' Lodrik trok vragend zijn wenkbrauwen op. 'O, geen zorg, hij zal het volk niet tegen uw vader opzetten,' stelde de raadsman hem gerust. 'Nou ja, u zult zelf wel zien wat ik bedoel.'

Een uurtje later zaten Lodrik en Stoiko in de kanselarij. Waljakov had zich bij de deur opgesteld en keek grimmig als altijd. Na Norina's bezoekje aan de kamer van de gouverneur had Waljakov de adjudant van de wacht de oren gewassen over de beveiliging van het paleis. Als het niet Norina was geweest maar een huurmoordenaar, had het verkeerd kunnen aflopen.

Er werd geklopt, en na een korte aarzeling kwam er een enigszins gezette man binnen, met een statige volle baard. Norina volgde hem op zijn hielen.

'Het is me een genoegen de nieuwe gouverneur van Granburg te leren kennen.' De landheer maakte een buiging voor Lodrik en Norina zakte even door haar knie. 'Ik voel me bijzonder vereerd door uw uitnodiging.'

De jongen stond op en knikte vriendelijk. 'Het genoegen is geheel aan mijn kant, brojak Miklanowo. Ik heb al het een en ander over u gehoord.'

'En ik over u,' antwoordde de man, met een snelle blik naar zijn dochter.

'Ga zitten.' Lodrik wees naar de stoelen tegenover hem. 'Ik wilde graag een paar dingen met u bespreken die van belang zijn voor de toekomst van de provincie Granburg.'

'Dan ben ik de verkeerde man, helaas. Daarvoor kunt u zich beter tot Jukolenko wenden,' merkte Miklanowo op, terwijl hij ging zitten. Norina nam de stoel rechts van hem.

'Jukolenko is geen echte steun, moet ik helaas vaststellen,' verklaarde Stoiko, en hij schonk een paar koppen dampende thee in. 'Blijkbaar voelen sommige mensen niets voor een frisse wind in Granburg, als u begrijpt wat ik bedoel.'

Daarom dacht ik dat u mij misschien zou kunnen inwerken in het ambt en me de eigenaardigheden van de mensen en de toestanden hier zou kunnen uitleggen,' vervolgde Lodrik. 'Zoals het er nu voorstaat kan het in elk geval niet doorgaan.'

De herenboer roerde suiker door zijn thee. 'De mensen weten nog niet wat ze van u moeten denken, maar het gewone volk heeft wel de oren gespitst toen uw maatregel tegen Kolskoi bekend werd. Iedereen is nieuwsgierig. En om bij die vergelijking met de wind te blijven: ze vragen zich af of de bries weer gaat liggen of dat er een echte storm zal opsteken.'

Stoiko schudde zijn hoofd. 'Een storm zou te grote verwoestingen aanrichten, maar een rukwind zou misschien voldoende zijn om de windrichting te veranderen.'

'Wat ik van u wil weten is of u bereid bent mij te helpen,' viel Lodrik zijn raadsman ongeduldig in de rede. Hij had genoeg van dit weerpraatje. 'Ik heb iemand nodig die het land kent en die openstaat voor veranderingen, voor zover ik die als gouverneur zou kunnen doorvoeren. Meer vraag ik niet.'

'Het is niet gering wat u van me verlangt,' antwoordde Miklanowo peinzend. 'Natuurlijk valt er in Granburg veel te doen, maar dat zou mij heel wat tijd kosten.'

'Papa, dit is de kans waarop je zo lang hebt gewacht,' mengde Norina zich in de discussie, terwijl ze de hand van de landheer greep. 'Zo kun je meehelpen om de verhoudingen een beetje ten goede te veranderen.'

'We weten dat Jukolenko, Kolskoi en de andere edelen en herenboeren over heel veel macht beschikken. Maar wij hebben de zegen van de Kabcar, en met uw hulp binnenkort ook de steun van het volk van Granburg. Daar zijn de anderen niet tegen opgewassen,' vond Stoiko. 'Maar zonder u hebben we alleen de Kabcar achter ons staan, en die zit, met permissie...' – hij keek even naar Lodrik – 'heel ver weg in de hoofdstad en kan niet veel voor ons doen. En een groot leger hebben we niet meegebracht.'

'Hoe had u zich mijn hulp voorgesteld?' wilde Miklanowo weten. Uit die vraag bleek in elk geval zijn interesse.

'U zou in het paleis blijven als adviseur, om mij vertrouwd te maken met alles wat er in Granburg speelt. U kent waarschijnlijk genoeg mensen die ons van nut kunnen zijn en u eerder zullen vertrouwen dan zo'n snotneus als ik,' lichtte Lodrik zijn plannen toe. 'Dan moet uw dochter voorlopig maar de leiding krijgen over uw landgoed – wat op termijn toch de bedoeling was, heb ik begrepen.'

'Dat kan ik best, papa,' zei Norina. 'Bovendien hebben we genoeg rentmeesters voor de afzonderlijke hofsteden. Ik hoef alleen maar de boekhouding te doen, en dat kan ik al een tijdje.'

Miklanowo knikte aarzelend. 'Helemaal gelukkig ben ik er niet mee, maar de situatie is gunstig. Daarom wil ik op uw voorstel ingaan, gouverneur.'

'Geweldig,' riep Stoiko en hij schonk iedereen nog eens bij, terwijl hij met zijn andere hand Waljakov een teken gaf. De lijfwacht verdween.

'Mag ik u iets vragen?' De landheer haalde een pijp uit zijn zak en stopte die met donkere tabak.

'Natuurlijk,' zei Lodrik, en zijn ogen zochten naar een dienblad met koekjes, maar Stoiko had alle zoetigheid buiten bereik van de jongen gehouden.

'Hoe bent u landvoogd geworden? Dat vraagt heel Granburg zich af, want het komt niet vaak voor dat zo'n belangrijke positie aan een... neem me niet kwalijk... onervaren jongeman wordt toevertrouwd.' Hij slenterde naar de haard om zijn pijp aan te steken met een gloeiende spaander.

Terwijl Lodrik koortsachtig nadacht, had Stoiko zijn antwoord al paraat. Het was niet zo ver bezijden de waarheid.

'Echt onervaren is hij niet, want hij is op de hoogte van alle politieke en bestuurlijke ontwikkelingen. Alleen ontbreekt het hem aan praktische ervaring, daarom heeft zijn vader – een invloedrijke figuur aan het hof van de Kabcar – hem naar Granburg gestuurd.'

'Dat dacht ik al. Anders was dit nooit mogelijk geweest. Maar ik vraag me af of uw vader wel van u houdt, want wie stuurt zijn zoon nu naar Granburg?' zei Miklanowo, terwijl hij een paar dikke rookwolken uitblies. 'In elk geval zullen Jukolenko en zijn vrienden grondig navraag naar u doen voordat ze iets tegen u ondernemen dat verdergaat dan het lijdelijke verzet waarmee u al kennis hebt gemaakt.'

Waljakov kwam terug en fluisterde Stoiko iets in het oor voordat hij zijn positie bij de deur weer innam. De landheer keek even naar de militair. 'Maar u hebt wel aan uw beveiliging gedacht, zie ik.'

'Hebt u al een idee wat onze volgende stap moet zijn?' Lodrik roerde overdreven veel suiker door zijn thee en deed er nog een lepeltje kersenjam bij.

'U zou een feest kunnen geven om uw installatie als gouverneur officieel bekend te maken en de mensen een verzetje te bieden,' opperde de grootgrondbezitter. 'U stelt zichzelf voor en wij doen suggesties voor een paar kleine veranderingen. We kunnen ons het beste concentreren op de decreten en regionale verordeningen die Jukolenko heeft ingesteld. Als we die herzien, zullen de Granburgers begrijpen dat u een nieuwe weg wilt inslaan.'

'Een uitstekende gedachte,' beaamde Stoiko, die zelf ook al zoiets in zijn hoofd had. 'Wanneer houden we dat feest – over een week? Dat is lang genoeg voor de voorbereidingen, zou ik denken.'

Miklanowo knikte.

'Ik reis meteen weer terug.' Norina stond op. 'Ik kan de kasboeken niet zo lang alleen laten.'

Lodrik was een beetje teleurgesteld. Op de een of andere manier beviel die lange meid hem wel, en hij had graag nog even met haar gesproken. Maar blijkbaar had ze daar geen zin in.

'En wij gaan direct aan de slag,' zei de landheer, en hij drukte zijn dochter een afscheidskus op haar voorhoofd. De jongen trok een lang gezicht.

Waljakov schraapte nadrukkelijk zijn keel. 'Het spijt me, maar eerst is het tijd voor de training van de gouverneur.'

'Goed,' beaamde Lodrik bijna overdreven vrolijk, blij dat hij voorlopig verlost was van de stoffige boeken. 'Ik moet nog beter met de sabel overweg kunnen, voor het geval Jukolenko iets van plan is. Eén slag beheers ik nog niet goed, en van Waljakov moet ik ook aan mijn conditie werken.' De lijfwacht knikte bevestigend. 'Ik kom er zo aan, dan kunnen we beginnen.'

'Zoals u wilt, gouverneur.' Miklanowo wierp een snelle blik over de papierwinkel. 'Ik zal proberen wat orde te scheppen in de chaos.'

Lodrik vertrok met Waljakov en stuitte op een lange stoet bedienden, die koffers en kisten door de gangen sleepten om ze op de binnenplaats op te stapelen.

'Gaat Jukolenko vertrekken?' De landvoogd verbaasde zich over de hoeveelheid bagage die zich op de keitjes verzamelde.

'Hij moet wel, heer.' De lijfwacht ontblootte zijn tanden en er speelde een lachje om zijn lippen. 'Op instructie van Stoiko heb ik het personeel opdracht gegeven zijn kamers uit te ruimen. Als Jukolenko en zijn vrouw uit het theater thuiskomen zullen ze grote ogen opzetten.' Lachend verdwenen de man en de jongen naar de sportzaal.

'Ik wil wat slanker worden, Waljakov. En sterker,' zei Lodrik, terwijl hij zijn beschermende vest aantrok. 'Kun jij me daarbij helpen?'

De lijfwacht nam de gouverneur kritisch op. 'Het zal niet meevallen, maar helpen kan ik u zeker. Als u maar al mijn aanwijzingen en oefeningen goed uitvoert, anders wordt het niets. Bent u bereid letterlijk te zweten en spierpijn en honger te doorstaan? Wilt u dat echt?'

Lodrik knikte. 'Ik zal proberen mijn best te doen.'

'Dat is te weinig, heer. U doet uw best, of u begint er niet aan. Proberen is te halfslachtig.' Waljakov wierp hem de sabel toe. 'Aan u de keus.'

'Ik heb mijn besluit genomen. Ik wil afvallen.' De jongen stak zijn sabel in de lucht.

'Dan beginnen we meteen. Neem uw wapen in beide handen en steek het recht naar voren.' Waljakov demonstreerde het.

'Waar is dat goed voor?' Lodrik hield de sabel recht voor zich uit.

'Wacht maar af, dan merkt u het wel,' zei de lijfwacht rustig. 'En maak daarbij kniebuigingen, totdat ik zeg dat u kunt stoppen.'

Na een paar minuten begonnen de armen van de jongen te trillen en zijn spieren pijn te doen.

IX

'En de monsters die aan Sinureds zijde streden werden zo door de lichtstraal verblind dat ze angstig naar het moeras vluchtten en in blinde paniek een deel van de troepen vertrapten.

Het Verenigde Leger, zoals het door de mensen werd genoemd, schepte nieuwe moed toen het zag dat Ulldrael meevocht en stormde op de oppermachtige veldheer af. Als een zeis door het koren sneden ze door de vijandelijke linies, en midden in hun formatie streed een schitterende lichtgestalte die de symbolen van Ulldrael op zijn helm en schild droeg.

Vele dagen duurde de slag. Zonder ophouden bestookten de soldaten van het Verenigde Leger de troepen van Sinured, totdat zijn soldaten bij duizenden op de vlucht sloegen.

Maar ook het Verenigde Leger leed grote verliezen, want Ulldrael kon niet overal tegelijk zijn om iedereen bij te staan. Het bloed van de gesneuvelden veranderde het slagveld in een stinkende poel waarin de verbitterde vijanden tot aan hun knieën wegzakten, maar geen van beide partijen kende genade.

Sinured begreep dat Tzulans geest op dat ogenblik niets tegen Ulldrael kon ondernemen en dat het deze keer slecht voor hem zou aflopen. Dus verzamelde hij zijn beste aanvoerders en een handvol getrouwen, waarmee hij zich naar de kust vocht om per schip naar Tzulandrië te vluchten.

Maar admiraal Tûris, een ervaren zeeman van de Rogogardische vloot, hield een waakzaam oog op het schip van Sinured en volgde het monster naar volle zee, waar hij de boot met zijn geschut vernietigde.

Het beest Sinured, door tien speren en tien pijlen doorboord, zonk naar de bodem van de zee, en met hem verdronken de ergsten van zijn trawanten.'

Historische Almanak van Ulldart,
deel xxi, blz. 1053

Provinciehoofdstad Granburg, koninkrijk Tarpol, begin van de zomer, 442 n. S.

'Uw zwaardarm hoger! Verdomme, heer!' Waljakov deed een krachtige aanval op de dekking van de troonopvolger en gouverneur, waardoor diens stompe oefensabel naar achteren sloeg en de jongen pijnlijk tegen het hoofd trof. 'Kijk, dat gebeurt er nou als de afstand te kort is.'

Een grimas gleed over Lodriks gezicht. Hij maakte een schijnbeweging omhoog, die eindigde in een kapbeweging naar het bovenlichaam van de lijfwacht.

Grijnzend pareerde de militair de aanval en ving met speels gemak ook Lodriks been op toen hij zijn leermeester in het kruis probeerde te schoppen. 'Heb ik u zulke achterbakse trucs geleerd?' Hij ramde zijn schouder tegen Lodriks borst.

De gouverneur hapte naar adem en wankelde terug, terwijl Waljakov nog steeds zijn voet vasthield. Toen schopte de man ook nog zijn andere been onder hem vandaan.

De jeugdige gouverneur landde met een klap op zijn rug en zijn sabel kletterde tegen de houten vloer van de sportzaal.

'Wil je me dood hebben?' snoof hij, steunend op zijn ellebogen.

'Ik wil u alleen op het gevecht voorbereiden,' antwoordde de lijfwacht en hij stak zijn beschermeling de hand toe om hem overeind te helpen. 'Aan het eind van de strijd staat de één nog op de been en ligt de ander dood op de grond. Hoe de winnaar heeft gewonnen doet niet ter zake. Overleven is het enige wat telt.'

'Ernstige woorden.' Lodrik klopte demonstratief het stof van het lichte leren pantser dat hij bij zijn training droeg. 'Maar je zult wel gelijk hebben.'

'Geen valse schaamte als het om je eigen leven gaat. Vergeet dat nooit, heer,' benadrukte Waljakov en zijn grijze ogen bleven op Lodrik rusten. 'Een sportief gevecht, volgens de regels van de kunst, is leuk als tijdverdrijf. Maar verder moet je elke kans grijpen die zich voordoet.'

Ze liepen naar een klein aanrecht, waar voor ieder een karaf met water en donkere, zware rode wijn stond. De lijfwacht schonk zijn glas eerst voor twee derde vol met water en vulde het bij met alcohol. 'Op uw toekomstige successen.'

'Daar drink ik graag op. Maar het liefst zou ik die wapens helemaal niet nodig hebben,' zei Lodrik, toen hij de droge smaak uit zijn mond wegspoelde. 'Ben ik al afgevallen?'

Waljakov bestudeerde het postuur van de gouverneur. 'Ja, weer iets meer, zou ik denken. Maar we zijn er nog niet.' Hij priemde met de punt van zijn sabel tegen Lodriks ronde buik, die nog altijd zichtbaar was onder het leer. 'Vooral dat buikje moet weg. Onnodige ballast; hinderlijk bij het lopen.'

'Het valt niet mee,' klaagde Lodrik. 'Ik zweet als een otter, ik loop me de longen uit het lijf, ik doe aan gewichtheffen en ik train me suf bij jou, maar het schiet niet op.'

'Volhouden, heer,' zei zijn wapenleraar bemoedigend. 'U hebt meer dan zestien jaar de tijd gehad om al dat vet bij elkaar te vreten. Dat krijg je niet in een paar weken weg. Maar over een jaar...'

'Wát?' riep de gouverneur. 'Tegen die tijd ben ik van honger omgekomen!'

'U hebt nog genoeg reserves, zo te zien,' zei de man. 'Wees maar niet bang.'

En meteen stootte hij met zijn sabel naar het hoofd van de jongeman. Met een snelle reflex bracht Lodrik zijn eigen wapen omhoog en wist de slag te pareren. Wijn en water dropen over hem heen.

'U moet wel uw lichaam stilhouden,' was Waljakovs commentaar. 'Dat gehuppel is slecht voor uw balans – en voor uw kleren.'

'Heel geestig.' Lodrik veegde de nattigheid uit zijn ogen. 'Voor vandaag vind ik het welletjes. Bovendien wordt het tijd voor de audiëntie. Benieuwd wat we nu weer kunnen verwachten.'

'Goed. Eerst maar eens kijken of er iemand komt opdagen.' De lijfwacht maakte zijn bekende plichtmatige buiging, die eruitzag alsof hij enkel een stap naar voren wilde doen in plaats van zijn respect te tonen.

Lodrik tolereerde die eigenaardigheid. Hij kon nooit goed hoogte krijgen van zijn schaduw en beschermengel.

Het had soms iets griezeligs zoals de militair opeens in een deuropening opdoemde of van achter een muur vandaan kwam. En zijn alomtegenwoordigheid leek na Norina's bezoek aan Lodriks slaapkamer nog nadrukkelijker.

'Is het water al heet? Ik wil nog snel een bad nemen.' De jongen hing zijn oefenwapen aan de speciale haak en liep naar de uitgang van de zaal.

'Ik had al opdracht gegeven. De badkamer moet gereed zijn, heer.'

Ze stapten de binnenplaats op, waar net een bode in het uniform van de baronie Kostromo met een van de soldaten in gesprek was.

'Wat krijgen we nou?' gromde Waljakov en hij veranderde van koers. Lodrik liep nieuwsgierig achter hem aan.

Toen de soldaat de reus zag aankomen sprong hij bijna in de

houding. 'De bode heeft een bericht van de doorluchtige Aljascha Radka, vasruca van de baronie Kostromo, die hij alleen aan de gouverneur mag overhandigen.'

'Geef hier,' bromde de lijfwacht tegen de man op het paard en hij stak zijn hand uit.

De bode voelde zich blijkbaar veilig op zijn paard, want het norse bevel maakte geen indruk. 'Helaas, maar ik heb mijn instructies.'

Als een bliksemschicht schoot de mechanische hand naar voren en greep de zadelriem, maar Lodrik kwam snel tussenbeide om ongelukken te voorkomen.

'Stop, Waljakov. Laat hem maar.' De jonge gouverneur lachte innemend.

'Dank je, page,' zei de bode. 'En breng me nu naar de landvoogd.'

De soldaat rolde wanhopig met zijn ogen en probeerde zijn vrolijkheid te verbergen. Zijn lippen trilden verraderlijk.

De lijfwacht klopte met zijn vrije hand op de hals van het paard, zonder iets te laten merken.

'Ik ben geen page, maar de gouverneur,' wees Lodrik de man terecht, terwijl hij zich wat groter maakte. 'Hara¢ Vasja, om precies te zijn. Ik ben de vorige gouverneur opgevolgd.'

'Je meent het!' De bode boog zich naar voren in zijn zadel. 'Dan ben ik de doorluchtige Radka. Maar genoeg gelachen. Ik heb een boodschap voor de echte gouverneur.'

'Stap dan maar af en laat horen.' De jongen begon nu toch kwaad te worden om zoveel onwetendheid.

Toen de man nog steeds geen aanstalten maakte om van zijn paard te komen, knikte Lodrik naar zijn lijfwacht, die behendig de zadelriem losmaakte en het zadel een flinke zet gaf.

De verraste bode probeerde zich nog vast te grijpen aan de manen van het dier, maar kwam onzacht op de keitjes terecht, met het zadel en de zadeldeken over zich heen. Toen hij van de schrik was bekomen worstelde hij zich los en sprong nijdig overeind.

'Dat zal je bezuren, page.' Hij keerde zich om naar Waljakov. 'En jou ook.' Woedend beende hij naar het paleis, waar hij door de volgende wachtpost werd aangehouden.

'Die smak had hij zich kunnen besparen,' zei Lodrik hoofdschuddend. 'Laat hem maar even smoren, dan geeft hij jou die boodschap wel. Ik wil nu een heet bad om even te ontspannen.'

Ze passeerden de tierende bode, die allerlei dreigementen schreeuwde waar de wachtpost niet van onder de indruk was.

'Wil je niet liever binnenkomen met je bericht?' probeerde Lodrik het nog eens.

'Breng me naar de gouverneur, page!' ziedde de man.

'Wát zeg je daar tegen de koninklijke gouverneur van de Kabcar?' snauwde de wachtpost tegen hem.

'Is dit een spelletje – een grap waar iedereen aan meedoet, behalve de gouverneur? Of hoe moet ik dit opvatten?' raasde de bode, die nog steeds niet wijzer was.

'Je kunt het me nu vertellen, of helemaal niet meer. Denk goed na. Als dat bericht echt zo belangrijk is, zou het je je kop kunnen kosten als het me niet bereikt,' gaf de jongen hem in overweging.

'Scheer je weg en ga piepers jassen, vetzak!'

De soldaten keken eerst Waljakov en toen Lodrik vragend aan. Maar toen er geen bevel kwam, lieten ze de brutale kerel met rust, hoewel ze hem met enig leedvermaak de toegang tot het paleis bleven versperren.

'Ik hoop maar dat mijn eigen bodes zich wat vriendelijker gedragen onderweg,' merkte de gouverneur even later op.

'Dat weet ik wel zeker, heer,' stelde de lijfwacht hem gerust terwijl hij met hem meeliep tot aan de badkamerdeur. 'Ik wacht hier op u.'

Lodrik kneep zijn ogen halfdicht, alsof hem opeens iets te binnen schoot. 'Wat weet jij van vrouwen?'

'Pardon, heer?'

'Ik bedoel, hoe ga je met ze om? Ik heb het gevoel dat je snel een fout maakt als je niet oppast.'

Waljakov leek totaal van zijn stuk gebracht. 'Heer, ik ben de laatste die u iets over vrouwenzaken moet vragen. Daarvoor kunt u beter bij Stoiko terecht.' Snel opende hij de deur om een eind te maken aan het gesprek.

'Dat zal ik doen,' zei de jongen peinzend en hij verdween naar binnen.

'Hoe komt hij nou op vrouwen?' mompelde de militair halfluid. Toen grijnsde hij breed. Zou de knappe Norina misschien indruk hebben gemaakt op zijn heer? Stoiko zou die avond opkijken als hij het hem vertelde bij hun spelletje schaak.

'Hou je soms niet van vrouwen?' Opeens verscheen het gezicht van zijn beschermeling weer in de deuropening.

'O, toch wel.' Zijn grijns was onmiddellijk verdwenen. 'Ik heb alleen geen tijd om me met ze bezig te houden.'

'Vanwege mij?'

'Onder andere,' antwoordde Waljakov ontwijkend. Hopelijk was dit onaangename verhoor snel voorbij. 'Ik ben niet graag in het voortdurende gezelschap van vrouwen. Ze kletsen me te veel onzin. Wijvenpraatjes, u weet wel wat ik bedoel, heer.'

'Aha.' Lodriks hoofd verdween weer.

Maar de lijfwacht haalde pas verlicht adem toen hij binnen het water hoorde plenzen. Opgelucht wiste hij zich het zweet van zijn gezicht. Zo hevig transpireerde hij alleen in het gevecht, constateerde hij met verwondering. Stoiko moest snel eens met de troonopvolger praten.

Een uurtje later kwam een frisgewassen en geparfumeerde Lodrik als hara¢ Vasja de ontvangstkamer binnen om zich te buigen over de geschillen, verzoeken en wat de Granburgers verder nog te bespreken hadden.

Meestal verliepen de audiënties rustig, omdat niemand het waagde in het paleis een klacht in te dienen of om opheldering te vragen.

Onder Jukolenko's bewind was de kleine ruimte een rommelkamer geweest, die Lodrik later had laten leeghalen. Alleen al daaruit kon de troonopvolger afleiden hoe zijn voorganger over de plichten van een koninklijke beambte had gedacht.

Meestal sorteerde de gouverneur in die tijd wat stukken, bestudeerde een paar wetboeken of overlegde welke maatregelen konden worden teruggedraaid om zich bij de bevolking geliefd te maken zonder het geldende Tarpoolse recht geweld aan te doen.

Na een uur rekte hij zich vermoeid uit en vroeg zich af welke kleermaker het patroon voor het officiële uniform had ontworpen.

Hij kon zijn armen nauwelijks tot schouderhoogte optillen. De grijze stof was veel te stug en vormde een soort korset dat de drager tot een uiterst ongemakkelijke houding dwong. Meer dan twee uur hield hij het in dat uniform zelden uit. Dan sneed de stijve kraag hem te diep in zijn hals. Hij had al meteen afscheid genomen van de stinkende pruik, waarin een heel leger motten huisde. Liever droeg hij zijn eigen dunne, blonde haar in zijn nek gebonden dan zo'n vlooiennest op zijn hoofd te zetten.

Hij tuurde naar de dansende stofjes in het milde zonlicht en dacht terug aan zijn eerste ontmoeting met Norina.

Het meisje had weliswaar een scherpe tong, maar toch voelde hij zich aangetrokken tot haar spontaniteit, die heel wat minder naïef was dan de zijne. Haar prachtige zwarte haar, haar donkere, mysterieuze ogen en dat onopvallende litteken op haar slaap herinnerde hij zich nog het best, direct gevolgd door haar slanke figuur.

Zuchtend bladerde hij een dik boek door waarvan hij de titel niet eens goed had gezien.

Hoe pakte hij dit aan? Goed, hij was de gouverneur, zelfs de Tadc. Maar of Norina zich daar iets van aan zou trekken? Juist bij haar was hij er redelijk zeker van dat een bevel geen enkele zin had. En bij hun eerste ontmoeting had hij nogal een figuur geslagen, vreesde hij.

Hij schrok op toen hij luide, opgewonden stemmen hoorde. De deur ging open en Stoiko kwam binnen.

'Ik sta sprakeloos van blije verwondering, heer,' begon de raadsman met een geamuseerde blik en glinsterende ogen. 'U zult het niet voor mogelijk houden, maar onze eerste twee gevallen zitten voor de deur te wachten.'

'Echt waar?' Opeens was Lodrik weer klaarwakker. Haastig trok hij zijn uniform strak, ging rechtop zitten en legde nog snel een paar wetboeken op de lessenaar. 'Laat ze maar binnen.'

De eerste van de twee mannen droeg dure kleren van het beste bruine en beige laken met wit stiksel. Zijn laarzen glommen, pas gepoetst. Hij was al wat ouder en er lag een wereldwijs, zakelijk lachje op zijn gezicht. Onder zijn arm had hij een klein pakje.

Naast hem liep een jongere man, eenvoudig gekleed, met een zongebruinde huid en de pezige, gespierde armen van iemand die zware arbeid verrichtte.

Lodrik schatte hen op een koopman en een boerenarbeider of kleine pachter.

'Excellentie, ik ben blij dat u de tijd wilt nemen om een oordeel te vellen.' De goed geklede man stapte naar voren en maakte een buiging. 'Mijn naam is Stenka Meschinskaja en ik ben varkenshandelaar van beroep. Ik heb ook een geschenk meegebracht als dank voor uw rechtspraak.' Hij legde het pakje op de lessenaar en stapte weer terug. 'Ik hoop dat het naar uw genoegen is.'

'Ik ben Radomil, een gewone pachter, excellentie. Mijn land ligt een paar warst van de stad en ik hoop op uw rechtvaardige uitspraak.' Zijn stem klonk moedeloos, alsof hij ervan uitging dat hij al verloren had.

'Wie wil me uitleggen waar het om gaat?' vroeg Lodrik nieuwsgierig. Hij probeerde zo veel mogelijk rechtop te zitten. Stoiko en Waljakov bleven op de achtergrond en volgden het gesprek.

Natuurlijk was het Meschinskaja die zijn keel schraapte.

'Ik ben varkenshandelaar, zoals ik al zei, excellentie. Zo verdien ik mijn brood. Mijn hele kapitaal zit in de dieren, die ik hoed en verzorg als mijn oogappels.' Hij wierp een venijnige blik naar Radomil. 'Een van mijn beste varkensweiden ligt naast het vervloekte veld van deze man hier, en door domme, domme pech zijn elf van mijn beste dieren bij zijn graan gekomen en hebben het grotendeels kaalgevreten.'

'Je varkenshoeder zat te slapen,' mompelde de pachter verontwaardigd. 'Daarom zijn die beesten bij mij gekomen en hebben alles vernield.'

'Ik zou het verhaal vertellen, niet jij,' wees de handelaar hem scherp terecht. 'In elk geval zijn die arme dieren aan jouw giftige rommel gestorven, onder helse pijnen. Ook het vlees was niet meer bruikbaar, zodat het mij een verlies van meer dan honderd waslec opleverde. Kunt u het zich voorstellen, excellentie? Als ik geen schadeloosstelling krijg, kan dat mijn faillissement betekenen.'

Lodrik dacht een moment dat hij het verkeerd verstaan had. 'En laat me nu jouw versie horen,' zei hij fronsend, met een knikje naar de pachter.

'Zijn stomme varkens zijn op mijn veld gekomen omdat zijn nog stommere varkenshoeder onder een perenboom zijn roes lag uit te slapen, excellentie.'

'Hoe durf je...' vloog Meschinskaja op, maar met een handgebaar legde de gouverneur hem het zwijgen op.

'Ik kwam daar pas laat in de middag aan en hoorde het gekrijs van de dieren voordat ik het drama zag,' ging de pachter verder, aangemoedigd door de steun van de landvoogd. Hij deed een stap naar voren. 'Het koren is voor meer dan de helft opgevreten. Ik kan straks de belasting niet betalen en mijn familie heeft niets te eten.' De man leek wanhopig.

'Wat kan mij jouw schurftige familie schelen! Ik heb een verlies van minstens... honderddertig waslec!' De handelaar trok een overdreven smekend gezicht en keek de landvoogd aan. 'Excellentie, u moet me helpen. Ik eis een schadevergoeding van die boerenkinkel.'

Lodrik wist inmiddels dat hij het toch goed verstaan had, ook al kon hij het nauwelijks geloven.

'Ik heb al gemerkt dat in Granburg niet alles zo verloopt als ik gewend ben, maar dit gaat te ver.' Hij wenkte Meschinskaja naar de lessenaar. 'Uw varkens hebben zijn oogst opgevreten en zijn aan het onrijpe gewas gestorven. En nu wilt u een schadevergoeding? Heeft uw varkenshoeder liggen slapen of niet? Een leugen kan u duur te staan komen.'

'Geslapen? Niet echt. Een beetje gedommeld, misschien, maar wat maakt dat uit, excellentie?' De onverschilligheid van de zakenman was stuitend.

Lodrik stond op en er kwam een energieke uitdrukking in zijn waterige blauwe ogen, wat wel vaker gebeurde sinds zijn komst naar Granburg. 'Ik kan niet geloven dat u hier durft te komen met zo'n onbeschaamd verhaal! U zult deze pachter hier een schadevergoeding betalen voor zijn koren, koopman.'

Meschinskaja verbleekte. Het was hem aan te zien dat hij niet wist wat hem overkwam. Hetzelfde gold voor Radomil, maar om een veel positievere reden.

'Wat is de opbrengst van je gewas?' wilde de gouverneur weten.

'Ongeveer twaalf korrels voor de korenaar, excellentie,' antwoordde de pachter stomverbaasd.

'Dan stel ik hierbij de hoogte van de schadevergoeding vast. Gij, Stenka Meschinskaja, zult Radomil voor elke schoof die zijn varkens hebben opgevreten een halve waslec betalen. Of u levert hem vijf tonnen graan. Dat is mijn uitspraak, uit naam van de Kabcar.' Lodrik keek de handelaar vernietigend aan. 'Bezwaar?'

'Excellentie, ik weet niet waarom u zijn kant kiest.' Meschinskaja begreep niets meer van Granburg. 'Gouverneur Jukolenko besliste in zulke gevallen altijd zonder enige formaliteit ten gunste van...'

'Het verkeerde antwoord,' fluisterde Stoiko met leedvermaak tegen Waljakov.

'Ik ben Jukolenko niet!' Lodriks stem schoot uit. 'Ik ben een beambte van de Kabcar, de vorst van Tarpol, en ik neem geen besluiten ten gunste van een bevoorrechte klasse omdat het in mijn kraam te pas komt. Nog één woord en ik veroordeel u wegens poging tot omkoping van een ambtenaar in functie. En nu eruit! Allebei.'

De varkenshandelaar maakte een onwillige buiging en stak voorzichtig zijn hand uit naar zijn meegebrachte geschenk.

Met een klap daalde de hand van de landvoogd op het pakje neer. 'Dat blijft hier. Als bewijs.'

Achterwaarts verlieten de Granburgers de kamer en botsten bijna tegen een elegant geklede dame op die in de deuropening verscheen.

Twee soldaten met het wapen van de baronie Kostromo wisten de botsing nog net te voorkomen, en de bezoekster stapte naar binnen, zonder zich te storen aan Stoiko's protest.

Ze was een jaar of dertig, had lang, donkerrood haar, een bijzonder knap maar arrogant gezicht en lichtgroene ogen met een doordringende, aanmatigende blik.

Haar nauwsluitende, donkergroene jurk benadrukte haar verleidelijke figuur, en haar sieraden en accessoires waren met zorg bij de stof gekozen om het effect nog te vergroten.

Om haar schouders hing een lichte witte reismantel die op haar borst bijeen werd gehouden door een gouden ketting, discreet ingelegd met glinsterend iurdum. Vermoedelijk had alleen van dat iurdum, het zeldzaamste metaal op Ulldart, een gewone familie al tien jaar kunnen leven. Haar indrukwekkende verschijning werd gecompleteerd door groene suède laarzen. Vastberaden stapte ze op Lodrik toe.

Pas toen Waljakov haar groot en breed de weg versperde, bleef ze staan.

'Ik ben Aljascha Radka, vasruca van de baronie Kostromo, en ik zou graag de gouverneur spreken,' verklaarde ze met een fluweelzachte stem, waarin een gebiedende ondertoon doorklonk.

'Hij houdt op dit moment audiëntie en is niet beschikbaar voor officiële ontvangsten, vasruca.' Stoiko dook naast de lijfwacht op. 'Als u wilt wachten tot na de audiëntie? De gouverneur houdt zich uit naam van de Kabcar persoonlijk met de belangen van zijn burgers en onderdanen bezig.' Hij wenkte een bediende. 'Ik zal u naar de theekamer laten brengen, doorluchtige vrouwe, dan komt de excellentie zo gauw mogelijk naar u toe.'

'Natuurlijk schik ik me in de gebruiken van de landvoogd van Granburg,' verklaarde ze met een knikje en een lachje, 'hoewel ik op een vriendelijker ontvangst had gerekend nadat ik mijn bode vooruit had gestuurd.'

'Uw bode, doorluchtige vrouwe, gedroeg zich niet zoals van een goede lakei mag worden verwacht,' antwoordde Waljakov. 'Het zal u dus niet verbazen dat het bericht hier niet is aangekomen. Bedenk maar een passende straf voor de man.'

'Ik zal het in overweging nemen, ook al hebt u zelf niet de toon die ik van een goede lakei verwacht. Ik hoop dat de gouverneur ook over een passende straf voor ú zal nadenken.' En de vasruca stoof naar buiten.

'Een mooi optreden,' mompelde Stoiko en hij draaide zich om naar Lodrik. 'En hoe wilt u die schandelijke, schandelijke Waljakov nu straffen?'

'Ik zou hem een uurtje met mijn achternicht alleen kunnen laten,' stelde de jongen voor.

'Is zij uw achternicht?' De lijfwacht trok een niet bijster intelligent gezicht.

Lodrik stond op en richtte zich tot zijn twee trouwe volgelingen. 'Als ik me mijn geschiedenislessen goed herinner is Kostromo ontstaan in het jaar 212 na Sinured, toen de vasruc Sengac een opstand van mijnwerkers en houthakkers organiseerde en zich van ons gewaardeerde buurland Hustraban afscheidde. Sengac wist wel kleine schermutselingen te winnen, maar voor alle zekerheid sloot hij een militair verbond met Tarpol. Nietwaar?' Stoiko knikte bevestigend. 'En sindsdien zijn de betrekkingen voortdurend uitgebreid. Op een gegeven moment hebben de Bardri¢s met een handige huwelijkspolitiek een voet tussen de deur gekregen, zodat de huidige vasruca nu een nicht van mijn vader is. In feite is Kostromo niets anders dan een kolonie van Tarpol. Mijn oudtante, de eigenlijke vasruca, is al meer dan tien jaar dood. Maar ze was niet erg geliefd in het paleis van mijn vader.'

'Wat doet uw achternicht hier dan in Granburg?' Waljakov keek grimmig. 'En waarom heeft ze u of Stoiko niet herkend?'

'Gelukkig hebben we elkaar nooit ontmoet. Dan zou onze kleine komedie hier in Granburg nu ten einde zijn.' Lodrik liep naar de deur en wierp een blik naar buiten. De kleine wachtkamer was leeg. 'Ik denk dat ik vandaag maar wat eerder met de audiëntie stop. Ik vraag me werkelijk af wat ze wil.'

De lijfwacht en Stoiko liepen met de jongen mee de gangen door, naar de theekamer, waar de vasruca op de komst van de koninklijke landvoogd wachtte.

Toen Lodrik binnenkwam, stond ze op van de sofa en maakte een diepe buiging, waardoor ze de gouverneur een ruim uitzicht gunde op haar veelbelovende decolleté.

'Excellentie.' Ze keek op en wierp hem een fonkelende, schalkse blik toe, alsof ze precies wist waar de jongen zonet gekeken had.

'Doorluchtige vrouwe,' stamelde hij, terwijl hij kleurde. 'Het is me een grote eer de vasruca van Kostromo in mijn paleis te mogen begroeten.'

Haastig ging hij zitten, raakte onhandig verstrikt in zijn eigen koppelriem en kwam scheef op het meubelstuk terecht.

Een bediende schonk dampende thee in.

Er daalde een nogal pijnlijke stilte neer, alleen verbroken door het gerinkel van Lodriks lepeltje in zijn kopje. De jongen voelde de onderzoekende blik van de vrouw op zich gericht.

Ten slotte schraapte hij al zijn moed bijeen. 'Wat verschaft me dit genoegen?' Zijn stem klonk te nadrukkelijk nonchalant.

'Ik dacht al dat de excellentie het nóóit zou vragen,' zei ze, en terloops legde ze haar hand op de onderarm van haar achterneef. 'Ik ben op doorreis naar de zee. Ik wilde een paar weken in de zomer gebruiken om in een van mijn landhuizen wat zout water op te snuiven. Dat schijnt goed te zijn voor de huid, moet u weten,' babbelde ze verder. 'En omdat mijn paarden op de lange tocht vanuit Kostromo een beetje vermoeid waren geraakt, dacht ik dat de gouverneur me wel een dag of twee onderdak zou kunnen bieden, totdat de dieren zijn uitgerust.' Ze trok haar hand terug en pakte haar theekopje, terwijl ze Lodrik afwachtend aankeek.

'Dat is geen enkel probleem,' antwoordde de landvoogd haastig. Inwendig was hij blij dat ze geen familiegelijkenis vertoonden, anders waren er zeker een paar lastige vragen gekomen, hoewel hij vreesde dat de zaak hiermee nog niet was afgedaan. Op het beslissende moment hoopte hij op steun van Stoiko en Waljakov, die erbij stonden als marmeren pilaren.

‘Heel vriendelijk van u. U bent nog niet lang in functie, zoals ik onderweg heb gehoord?’ Ze nam een klein, deftig slokje. ‘De mensen spreken alleen maar gunstig over u, wist u dat? In elk geval hebben ze hun hoop op u gevestigd.’

‘Ja. Hopelijk blijft dat zo.’ Hij dronk uit zijn kopje en brandde natuurlijk zijn lippen aan het hete porselein. Hij moest zich beheersen om het niet uit te schreeuwen en te vloeken.

‘Bovendien, als ik het mag zeggen, bent u nog heel jong voor de positie van landvoogd, excellentie.’ Weer die glimlach, waarvoor sommige mannen hun leven zouden hebben gegeven. ‘Mijn oom, de Kabcar van Tarpol, moet een hoge dunk van u hebben om u zo’n verantwoordelijkheid toe te vertrouwen.’

‘Zijn vader is aan het hof van de Kabcar een graag geziene gast en een bekwame beambte,’ merkte Stoiko op. Lodrik verwelkomde zijn interruptie als een schipbreukeling een reddingsvlot in een loeiende storm.

‘O ja?’ Opeens was Aljascha Radka’s nieuwsgierigheid gewekt. ‘En hoe heet die man die zo’n begaafde zoon heeft? Ik zal graag mijn opwachting bij hem maken om hem over de gunstige berichten van de Granburgers te vertellen. Ook de Kabcar zal daar wel benieuwd naar zijn.’

‘O, u zult mijn va...’ Lodrik had de dreigende catastrofe op tijd in de gaten, verslikte zich met tegenwoordigheid van geest in zijn hete thee, sprong overeind en morste wat op zijn kleren. Onmiddellijk schoten bedienden te hulp om de vlekken uit zijn uniform te poetsen.

Net zo snel was ook Aljascha ter plaatse. Ze drukte een geparfumeerd zakdoekje tegen een vlek op zijn borst en keek de jongen in zijn ogen.

‘Hebt u zich verbrand, excellentie?’ Het parfum drong bedwelmend in Lodriks neus en de plek waar haar hand lag werd prettig warm. Ook andere, diepere plekjes in zijn lichaam warmden op. Opnieuw merkte hij dat hij bloosde.

'Ik... dank u wel... het gaat alweer,' zei hij afwerend. Hij deed een stap naar achteren en stootte met zijn bungelende sabel bijna de theepot van de tafel.

Haastig ging hij weer zitten, deze keer zonder problemen met zijn koppelriem. Als een zwerm vliegen dromden de bedienden om hem heen om de grijze stof te betten, totdat ze door de landvoogd met een handgebaar werden verjaagd.

'Dan zult u dus ook de Kabcar zien,' nam Stoiko vanaf de achtergrond de draad van het gesprek weer op.

'O, dat was ik bijna vergeten in de schrik,' excuseerde de vrouw zich, en ze knikte naar de raadsman. 'Ja. De vorst van Tarpol wilde me dringend spreken. Het gaat om een bruiloft.'

'U wilt de zegen van de Kabcar?' vermoedde Lodrik, terwijl hij een nieuwe kop thee kreeg. 'Dat zal hij leuk vinden, dat zijn nicht zijn mening zo op prijs stelt.'

'Was het maar zo,' verzuchtte ze, terwijl ze hem hulpzoekend aankeek.

'Ik begrijp het niet.' De gouverneur nam een flinke schep suiker, negeerde de vermanende blik van zijn lijfwacht en roerde de volle schep door zijn thee.

'Kent u de geschiedenis van mijn baronie, excellentie?' vroeg ze, en Lodrik knikte minzaam. 'Helaas laat Hustraban de laatste tijd weer aanspraken op Kostromo gelden. In elk geval eisen ze een schadevergoeding voor het verlies van het iurdum dat in onze mijnen wordt gedolven.'

'Wat een gedoe. En hoeveel vragen ze?'

Ze keek hem over de rand van haar kopje aan en trok een ongelukkig gezicht. 'De helft van de opbrengst.'

'Dat zal de Kabcar nooit accepteren,' zei Stoiko meteen.

'Natuurlijk niet,' beaamde ze, een beetje verbaasd over die stellige bewering. 'En om de vriendschapsbanden en het verbond tussen Tarpol en Kostromo te bevestigen en een signaal af te geven aan Hustraban, zal ik met een hoge hoveling uit Ulsar moeten trouwen.' Ze boog zich naar voren. 'Is uw vader nog vrij? Misschien ben ik dan straks uw stiefmoeder, excellentie.'

'De vader van zijne excellentie is niet vrij en helaas al overleden, doorluchtige vrouwe,' redde Stoiko zijn beschermeling. 'Een tragische val van zijn paard, zoals wij kortgeleden hebben gehoord.'

'Wat verschrikkelijk, excellentie. Ik zal me de komende dagen om u bekommeren, zodat u uw verdriet heel even kunt vergeten.' Medelevend legde ze haar hand weer op zijn onderarm, waar hij zopas ook zo prettig had gelegen. Lodrik bespeurde een duidelijke opwinding bij haar aanraking.

'Ik zal het gastenverblijf gereed laten maken. Miklanowo, een van mijn beste adviseurs, zal geen bezwaar hebben. Hij woont daar ook.' De jongen lachte verlegen. 'U bent het eerste hoge bezoek dat ik hier ontvangen mag. Hopelijk doet u een goed woordje voor me bij de Kabcar, doorluchtige vrouwe?'

'Wat zou ik anders kunnen doen, voor zo'n aardige, charmante jongeman, excellentie?' Met een hartelijk kneepje legde ze haar andere hand op de zijne. 'En als u me nu wilt excuseren? Ik ben doodmoe van de reis.'

'Volgt u mij maar, doorluchtige vrouwe, dan zal ik u naar uw kamer brengen.' Stoiko draaide zich om naar de deur.

'Voordat ik het vergeet: hoe wilt u uw lakei hier...' – ze wees naar Waljakov –'bestraffen voor zijn onbeschaamde toon tegenover mij?'

De lijfwacht keek haar nijdig aan en zijn kaakspieren trilden gevaarlijk. Onverschillig trotseerden haar groene irissen het ijskoude, bijna moordlustige grijs van Waljakovs ogen.

'Dat weet ik nog niet,' moest Lodrik toegeven. 'Ik dacht zelf aan een paar stokslagen. Wat vindt u?'

'Een paar stevige oorvijgen zouden hem goeddoen,' adviseerde ze met een kil lachje. 'Dan leert hij misschien luisteren naar zijn meerderen. Twintig slagen met een ijzeren handschoen lijken me wel gepast, excellentie.' En ze liep met Stoiko de kamer uit.

Lodrik stuurde de andere bedienden weg.

'Oorvijgen, heer?' Waljakov deed een stap naar zijn beschermeling toe. 'Geen kwaad woord over uw familie, want die kan niemand zelf kiezen, maar deze vrouw is met afstand...'

'Ik weet het,' wuifde de troonopvolger zijn kritiek weg. 'Maar wat moest ik anders? Natuurlijk krijg je geen straf, hoewel je het misschien wel enigszins verdiende.'

'Ik geloof mijn oren niet, heer,' viel de lijfwacht uit. 'Het is mijn taak om...'

'Ja, ja, het is al goed. Ik neem alles terug.' Lodrik wierp een blik op de theevlekken. 'Mijn hele uniform is naar de knoppen. Het ziet er niet uit.' Hij trok zijn riem en zijn sabel recht. 'Denk je dat ik een beetje in de smaak viel?'

'Bij wie?'

'Nou, bij Aljascha, mijn achternicht.'

Waljakov schudde zuchtend zijn hoofd. 'Heer, die vrouw is misschien zo oogverblindend dat ze een spiegel kan laten barsten, maar ze is minstens zo geraffineerd. Ze speelt met u. Ze heeft veel meer ervaring op dat gebied dan u!' waarschuwde hij ernstig.

'We zullen zien.' De gouverneur liep naar de deur. 'Eerst trek ik een ander uniform aan. Daarna zullen we een lijst opstellen voor het menu van overmorgen en de gasten die we zullen vragen.'

'Heb ik iets gemist?' De lijfwacht dacht snel na. 'Een feestdag?'

'Nee, een spontaan feest ter ere van mijn nicht. Als je in een uithoek zoals Granburg een familielid op bezoek krijgt, moet dat gevierd worden.'

'Maar dat weet ze toch zelf niet!' protesteerde de militair.

'Wat geeft het?' Lodrik haalde zijn schouders op. 'Ze is altijd nog de vasruca van Kostromo en dus is zo'n ontvangst wel op zijn plaats.'

'Zoals u wenst, heer,' gaf Waljakov zich gewonnen.

'Precies,' grijnsde de landvoogd. 'Zoals ik wens.'

Het werd ten slotte maar een intiem etentje, met alleen Stoiko, Waljakov, Miklanowo en Aljascha als gasten.

Aan het hoofd van de tafel zat Lodrik, die zichtbaar plezier had in de bijeenkomst.

Van een tafelgesprek was overigens geen sprake. Miklanowo sprak fluisterend met Stoiko, de adembenemend mooie Aljascha glimlachte onophoudelijk naar de gouverneur tegenover haar of vertelde hoe benieuwd ze was naar haar huwelijk met een onbekende man, terwijl Waljakov haar vernietigend aanstaarde. Als ze de duistere uitdrukking op het gezicht van de lijfwacht al zag, wist ze zijn beledigende houding met meesterlijke nonchalance te negeren.

Zodra de maaltijd van Granburgse delicatessen en specialiteiten ten einde was, werd er een krachtige thee geserveerd, die de stofwisseling moest stimuleren.

Het gezelschap verhuisde naar de bibliotheek om de zonsondergang te bewonderen. Op de achtergrond stemden een paar muzikanten hun harp, viool en gitaar, en even later zweefden aangenaam ontspannende klanken door het paleis, die de kleurenpracht van de ondergaande hemellichamen perfect ondersteunden.

De vasruca van Kostromo stak haar arm door die van Lodrik. 'U hebt geen vriendinnetje, zoals ik tot mijn verbazing hoorde,' begon ze schertsend. 'U bent heel deugdzaam en een voorbeeld voor uw onderdanen. Bezit u wel ondeugden waarmee ik u bij de Kabcar zwart kan maken, excellentie?' En ze vlijde zich tegen de jongen aan, die zich aan haar arm als een vlieg in een spinnenweb voelde.

'Ik eet te veel,' antwoordde Lodrik, zonder erbij na te denken. Het volgende moment kreeg hij een rood hoofd, als een overrijpe appel.

'Nee toch, excellentie! U lijkt meer statig dan dik.' Ze legde zijn zwetende hand eerst op haar strakke buik en toen op haar slanke heupen. 'Voelt u wel? Ik zou zélf eens moeten afvallen.'

'Nee! Welnee. U bent prachtig mooi,' zei Lodrik met verstikte stem. Hij struikelde over zijn woorden, en zijn stunteligheid, die de Kabcar bij officiële gelegenheden altijd zo vreesde, was weer helemaal terug.

De vrouw boog zich naar hem toe, met haar mond bij zijn rechteroor. 'Uwe excellentie zou me eens zonder die lastige kleding moeten zien.' Haar adem was weldadig als een zomerbries. 'Als u wilt, mag u me vanavond wel op mijn kamer bezoeken.'

Ze gaf hem een kneepje in zijn hand, liet zijn arm los en slenterde rustig naar het raam, waarachter de zonnen net ondergingen tegen een bloedrode hemel.

'Geen familiepraatjes, naar ik aanneem?' Stoiko reikte hem een zakdoek aan. 'U staat te kwijlen, heer.'

Geschrokken veegde de gouverneur over zijn kin en toen naar de zakdoek, maar zijn raadsman had het doekje alweer lachend opgeborgen. 'Een grapje. Maar uw achternicht heeft u wel het hoofd op hol gebracht, geloof ik?'

'Wat doe je met vrouwen als je met ze alleen bent?' vroeg de landvoogd, met zijn ogen op Aljascha's rug gericht.

'Een beetje praten, wat drinken, een gedicht voordragen of ze negeren. Wat het beste uitkomt.' Vrolijk zag de raadsman de uitdrukking op Lodriks gezicht. 'Of had u wat anders in gedachten, heer?'

'Je weet heel goed wat ik bedoel,' antwoordde hij beledigd. 'Gewoon wat iedereen doet – behalve Waljakov, geloof ik – maar waarover in mijn bijzijn nooit een woord gesproken wordt.'

'U was tot nu toe ook nooit geïnteresseerd. Geef het maar toe,' grijnsde Stoiko. 'En ik weet niet of het een goed idee is om uitgerekend met uw achternicht de eerste schreden op het pad van de liefde te zetten. Ik vrees dat ze zich met u zou amuseren. Hoewel ze genoeg ervaring heeft om u het juiste spoor van een gezamenlijk liefdesgeluk te wijzen.' Hij streek eens over zijn snor. 'Als u haar voorstel serieus neemt, zou het een onvergetelijke liefdesnacht kunnen worden, waar zelfs ik jaloers op kan zijn. Ze zou u alles leren, neem ik aan, wat een man moet weten als het om vrouwen gaat. Het is uw eigen beslissing, heer.'

'Ik zou me aanstellen als een idioot,' zuchtte Lodrik.

Nog net op tijd onderdrukte de raadsman een bevestigend knikje. In plaats daarvan maakte hij een buiging en liep terug naar Miklanowo, die zich zoals altijd keurig op de achtergrond hield.

Na een tijdje maakte de brojak zich van Stoiko los en slenterde naar de piekerende landvoogd toe. 'Ik wil u graag een paar voorstellen doen, excellentie. U zou zich meer om de Granburgers persoonlijk moeten bekommeren.'

'Ik ben eigenlijk niet in de stemming voor regeringszaken,' vertrouwde de jongeman hem toe. 'Daarvoor heb ik het te druk met andere, belangrijker dingen.'

Miklanowo volgde de blik van de gouverneur. 'Ik begrijp het. Zulke gedachten zijn me uit mijn eigen jeugd maar al te goed bekend. Ik heb er alle begrip voor, excellentie. Morgen praten we verder.' En hij trok zich terug.

De muziek speelde een langzame tratto toen Aljascha weer naar hem toe kwam. 'Wilt u dansen, excellentie? De tratto is mijn favoriet.'

Van schrik voelde Lodrik zich duizelig worden. Een grotere ramp was nauwelijks denkbaar. Was hij al geen held in de kunst van het converseren, deze nieuwe uitdaging was hem zeker te zwaar. Als er iemand op deze wereld bestond zonder enig maatgevoel, dan was hij het wel. Hij beheerste geen enkele hoofse dans.

Maar het was al te laat.

Zijn achternicht wiegde op de maat van de muziek en nam de leiding. De gouverneur struikelde lomp achter haar aan en trapte haar meer dan eens op de tenen.

Hij zag kasten en boeken om zich heen draaien. Bij elke manoeuvre leek er een grijnzende Stoiko door zijn blikveld te flitsen, gevolgd door een grimmige Waljakov of een zwetende muzikant. Een nieuw gevoel van misselijkheid kwam bij hem boven en hij viel bijna over zijn eigen voeten.

Ten slotte raakte het paar zo uit de maat dat de muzikanten zelfs met een verandering van tempo geen redding meer konden brengen. Op dat moment hield de vasruca halt en straalde hem toe alsof ze nog nooit zo fijn gedanst had.

'Ik ben niet zo'n goede danser,' stamelde Lodrik verontschuldigend. Het liefst was hij door de grond gezakt. Maar dat genoegen deed de marmeren vloer hem niet. Hij zag alleen zijn eigen rode hoofd in de plavuizen weerspiegeld.

'Uwe excellentie is alleen wat roestig geraakt in dit afgelegen Granburg, verder niets,' zei ze vergoelijkend, met een kokette oogopslag en een vurige blik. 'Ik trek me nu terug. Het is al laat, heer.' Ze maakte een buiging voor de landvoogd en voor de rest van het gezelschap, en ging ervandoor in haar donkergroene jurk.

'Ik ben ook moe. Het zal wel door het dansen komen. Dat is toch inspannender dan je denkt,' zei Lodrik na een tijdje. Hij geeuwde overdreven hartgrondig en verliet de bibliotheek. Toen ook Waljakov in beweging kwam, pakte Stoiko hem bij zijn mouw.

'Wacht nog even, of volg hem zo, dat hij het niet merkt.'

'Je bedoelt dat hij echt...'

Stoiko knikte. 'Ja. Hoewel het natuurlijk de vraag is wat hij precies verwacht bij zijn nicht.'

'Ze is een vals loeder,' verklaarde de lijfwacht op zijn onnavolgbaar ondiplomatieke wijze.

'Natuurlijk is ze dat.' De raadsman leek zich niet ongerust te maken. 'Maar vannacht zal hij op de een of andere manier een ervaring opdoen. En van zijn eigen ervaringen moet hij het hebben.'

'Ik zal geruisloos zijn,' beloofde Waljakov, en hij sloop achter zijn beschermeling aan.

De herenboer streek zich over zijn statige baard en kwam naar Stoiko toe. 'Weet u iets over dat huwelijk waar ze onder het eten steeds over sprak, als ze niet bezig was de gouverneur met haar ogen te verslinden?'

Stoiko lachte. 'Het is al lang geleden dat ik aan het hof van de Kabcar was of uitvoerig nieuws kreeg over de ontwikkelingen op het paleis, dus ik kan het u niet vertellen.'

'Wat zou u doen om de banden strakker aan te halen?'

'Ik zou haar met de hoogste ambtenaar laten trouwen,' antwoordde de raadsman en hij maakte een handgebaar om de muziek te laten zwijgen. Gehoorzaam legden de mannen hun instrumenten neer en borgen ze op.

'Als ik de Kabcar was, zou ik een huwelijk regelen tussen haar en mijn zoon,' zei Miklanowo peinzend. 'Een duidelijker signaal aan Hustraban is niet mogelijk. Dan zou de baronie rechtstreeks met de kroon verbonden zijn. Dat gaat veel verder dan een familieband. Die arme Tadc. Het zal hem niet meevallen, als we mogen afgaan op het gedrag van de doorluchtige dame vanavond. Hij is toch ongeveer even oud als de gouverneur?' De grootgrondbezitter keek Stoiko vragend aan.

De raadsman nam de kleine man tegenover hem onderzoekend op. Zou hij misschien meer vermoeden? Maar de ogen van de Granburger stonden onschuldig genoeg, zonder een spoor van intrige.

'Ja, dat klopt wel ongeveer,' antwoordde hij na een tijdje.

'Maar wat kan ons het hof schelen?' Miklanowo proostte met zijn theekopje. 'Wij hebben een jonge gouverneur om vooruit te helpen. En nu, welterusten.'

'Slaap lekker,' zei de raadsman, en hij ging weer zitten. Met een snel gebaar streek hij zijn snor recht, waarvan de punten tijdens het gesprek met de brojak bijna overeind waren gekomen. Ondanks de nonchalance waarmee de herenboer zijn suggestie had geopperd, vond Stoiko het een punt om over na te denken.

Aarzelend en met bonzend hart klopte Lodrik op de slaapkamerdeur van zijn achternicht.

'Kom binnen, excellentie,' riep ze vanuit de kamer.

De gouverneur haalde diep adem en stapte naar binnen.

Er brandde maar één kaars, op de toilettafel van de vasruca.

Zelf zat ze voor de spiegel en haalde met geoefende vingers de speldjes uit haar haar. Als rood fluweel vielen haar lange haren op haar schouders, glanzend in het flakkerende schijnsel van de vlam.

'Ik had u al verwacht.' Ze keek even om en draaide hem weer haar rug toe. 'Ik weet niet waar mijn kamenierster is en in mijn eentje krijg ik me in geen honderd jaar uit deze jurk geworsteld. Zou u me even willen helpen met de haakjes?'

Lodrik deed de deur achter zich dicht en kwam langzaam naar haar toe. Met trillende vingers friemelde hij aan de sluitingen, terwijl het zweet hem onder zijn uniform over de rug liep. Het duurde een tijdje, maar toen had hij alle haakjes los.

'Bedankt.' Ze stond op, en de jurk gleed van haar schouders. Daaronder droeg ze een wit, nauwsluitend lijfje boven een dikke laag ondergoed. Alleen al door die aanblik raakte Lodrik bijna bedwelmd. Zo had hij een vrouw nog nooit gezien.

Op dat ogenblik draaide Aljascha zich om.

Haar ogen fonkelden en uitdagend stak ze hem haar kin toe. Haar volle borsten, half verscholen onder het lijfje, rezen en daalden snel. 'U bent mijn redding. Ik zou niet weten hoe ik zonder u uit mijn kleren zou moeten komen.' Ze wees omlaag. 'Excellentie, zou u me misschien met mijn schoenen willen helpen?'

Als in trance bukte de jongen zich. Bedwelmd door haar parfum trok hij de platte schoenen van haar voeten. Een beetje onbeholpen zette hij ze opzij.

'En nu mijn onderrok,' fluisterde ze, en ze streelde zijn hoofd. 'U bent nog nooit met een vrouw alleen geweest, is het wel?' Zijn antwoord klonk hees en onverstaanbaar, maar voor de edelvrouwe was het voldoende. Voorzichtig bracht ze zijn handen naar de volgende knoopjes.

Op aanwijzing van zijn achternicht bevrijdde de gouverneur haar van steeds meer kledingstukken, totdat ze bloot voor hem stond.

Tegenover zo veel naakte verleiding in mensengedaante stond Lodrik sprakeloos.

Hij wist niet waar hij het eerst moest kijken of grijpen. De geur van haar huid vulde zijn neus; haar borsten, haar vrouwelijkheid, alles wilde hij verkennen, het liefst tegelijk. Zo'n verlangen was nieuw voor hem, maar welkom. De hitte sloeg door zijn hele lijf en hij voelde zich bijna duizelig worden.

'Bevalt het u, wat u ziet?' Ze glimlachte, stak een hand uit naar het bed achter haar en pakte een nachthemd. 'Als ik nog eens in Granburg kom, excellentie, en u bent een man geworden, zal ik u misschien nog veel meer laten zien. Nou, welterusten en slaap lekker.' Aljascha wees naar de deur. 'En maak geen vlekken in uw bed.' Ze legde haar hoofd in haar nek en lachte.

Lodrik slikte en ontwaakte uit zijn roes van opwinding. Wat hij zich ook had voorgesteld, dit had hij niet kunnen vermoeden.

Tot overmaat van ramp maakte hij in zijn verwarring zelf een hoffelijke buiging voordat hij naar de deur wankelde en haastig haar kamer verliet.

Buiten trof hij de soldaten van de vasruca, die plotseling waren verschenen en spottend naar hem grijnsden. De deur ging even open en Lodrik hoopte dat zijn nicht zich misschien nog had bedacht.

'Ik had wel wat meer van u verwacht, excellentie. Op uw leeftijd.' Luid schalde haar opmerking door de gang, voordat de houten deur weer in het slot viel.

'Een beetje meer wát?' mompelde de jongen versuft.

Aan de luide lach van de soldaten te horen was het geen compliment geweest, maar de genadeslag die de vernedering compleet maakte.

'Hou op met lachen!' schreeuwde hij.

De mannen probeerden wanhopig zich te beheersen. Met zijn laatste restje waardigheid verdween de gouverneur om de hoek, voordat hij tegen een muur leunde, vechtend tegen zijn tranen. Zijn nicht had al die tijd een gemeen spelletje met hem gespeeld, hem vernederd en belachelijk gemaakt.

Luid hoorde hij weer de bulderende lach van de soldaten voor de kamer van zijn familielid.

Een zware hand viel op zijn schouder. 'Ga naar bed, heer. Morgen ziet de wereld er wel beter uit.' Waljakov was als uit het niets opgedoken. Er lag mededogen op zijn harde, hoekige gezicht.

'Laat me met rust!' De jongen schudde de hand van zich af en rende de gang door naar zijn kamers.

Eén keer door iedereen te worden gevreesd en de macht te hebben, zodat ze allemaal voor hem zouden buigen, dat was wat hij nodig had. In elk geval zou zijn achternicht hiervoor boeten als hij weer terug in het paleis was, in de hoofdstad, als de Tadc.

'Ze zal nog opkijken,' zwoer hij toen hij zich uitkleedde. 'Ze zullen allemáál nog opkijken.'

De rest van haar verblijf kreeg Aljascha Radka, vasruca van Kostromo, de gouverneur niet meer te zien. Het scheen haar niet te deren. Ze praatte gewoon met iedereen, alsof er die bewuste nacht niets bijzonders was gebeurd.

Natuurlijk had het paleis lucht gekregen van het nachtelijke avontuurtje, dat niet tot beider tevredenheid was verlopen. Maar iedereen had weer een andere versie van het verhaal.

Wie het nog niet wist, kreeg het te horen uit de mond van de doorluchtige vrouwe zelf, die nog zaken in Granburg te regelen had en haar kennissen in bedekte termen over het falen van de landvoogd vertelde.

Lodrik bracht veel tijd in de oefenruimte door, fanatieker dan Waljakov zijn beschermeling ooit had gezien.

'Heer, woede is een slechte leermeester,' merkte hij op na de zoveelste misser van de jonge gouverneur.

'En haat?' Onverhoeds stak hij met zijn oefensabel naar het hart van de lijfwacht. De mechanische hand ving het stompe wapen op en rukte het uit Lodriks hand.

'Dat ligt dicht bij elkaar. Haat duurt enkel langer.' Zwijgend gaf hij hem zijn sabel terug.

De jongen zuchtte. 'Ik weet het. Maar ooit zal ik het haar betaald zetten.'

'Ik neem aan dat u uw achternicht bedoelt.' De man hief zijn sabel en nam de gevechtshouding aan. 'Het klopt wel, wat ik over woede zei. Toch kan woede in een gevecht een voordeel zijn. Maar bij u is het op dit moment een belemmering, omdat het ten koste gaat van uw concentratie op uw techniek. Als u ooit in een gevecht uw krachten voelt wegvloeien, denk dan aan die bewuste avond en hak uw vijand de kop van zijn lijf. Gebruik uw woede bewust, maar laat ze niet de overhand krijgen. Te veel woede, en u bent verloren, omdat u dan niet meer helder denkt. Geloof me, ik weet waar ik over praat.'

Onwillekeurig staarde Lodrik naar de mechanische hand.

'Precies, heer. Dat bedoel ik. En dan heb ik nog geluk gehad.'

'Wat is er dan gebeurd? Stoiko had het over een bijl.'

'Laten we iets drinken, heer, dan zal ik het u vertellen.' Ze namen allebei een glas aangelengde wijn en gingen zitten. 'Het was tijdens een gevecht in mijn wilde jeugd. Mijn ouders waren kooplui en namen me vroeger mee op hun reizen door Tarpol en de buurlanden. Ik wist toen al dat een bestaan als handelaar me niet interesseerde en had samen met een paar vrienden heimelijk met het zwaard geoefend. Het kwam zoals het komen moest. Op een dag werd onze wagen door een roversbende overvallen. Toen alle bewakers waren gedood, stond ik in mijn eentje tegenover acht van die bandieten. Verblind door haat en zonder na te denken stormde ik op ze af om minstens één van die schoften met me mee te nemen in het graf. Maar ze namen niet eens de moeite. Hun aanvoerder slingerde van een afstand zijn strijdbijl naar me toe en maakte me kreupel.' Hij nam een grote slok uit zijn beker. 'Mijn ouders waren te ernstig gewond om hulp te kunnen halen. Dus bond ik mijn stomp af en sleepte me langs de weg totdat ik bij de stad kwam. We werden gered en mijn vader liet die mechanische hand voor me maken, die door een machtige cerêler werd aangepast.' De metalen vingers bewogen zich in een golvend patroon. 'Daarna werd ik militair, en dat deed ik helemaal niet zo slecht, geloof ik. De onorthodoxe manier van vechten die mijn vrienden en ik onszelf hadden aangeleerd bleek heel effectief en zo kwam ik eerst in dienst bij uw vader en daarna bij u.'

'Wat een geweldig verhaal,' zei Lodrik vol verwondering. 'Hebben ze die bandieten nog ooit te pakken gekregen?'

'Ja. Ikzelf,' zei de lijfwacht, met een woeste grijns. 'Allemaal tegelijk. En ik kwam erachter dat die rovers door een Ontariaan waren geronseld om de concurrentie uit de markt te drukken. Die Ontariaan heb ik natuurlijk ook een bezoekje gebracht, en daar was hij niet blij mee.'

'Wat heb je met hem gedaan?'

Waljakov knipperde met zijn ogen. 'Heer, moet u dat nog vragen?'

'Goed. Ik wil het ook niet weten. Maar één ding nog: wat is je voornaam?'

'Het is al zo lang geleden dat ik die heb gehoord, heer. Laten we het maar op Waljakov houden,' antwoordde de man en hij stond op. 'En nu de volgende ronde. Ik wil zien of u uw woede op de juiste manier kunt inzetten. En maak u niet zo druk over die bewuste nacht. U bent nog jong; dan gebeuren dat soort dingen.'

'Maar er is helemaal niets gebeurd!' Lodrik steunde op zijn sabel. 'Ze heeft zich uitgekleed en me toen de kamer uit gezet.'

'Dan heb ik, en ondertussen ook heel Granburg, heel iets anders gehoord.'

'Allemaal gelogen. Maar ooit krijg ik de kans om het haar betaald te zetten. Als ik terug ben in het paleis, niet later.' De landvoogd hief zijn wapen. 'Ik zal iets zo gemeens bedenken dat ze op het hele continent zal worden nagewezen en bespot.'

X

'Inmiddels was de strijd gestreden en het grootste deel van de Barkidische troepen gedood. De lijken lagen huizenhoog opgestapeld, de gewonden zieltogend in het moeras van bloed of begraven onder de doden, als ze niet tijdig tussen de lijken waren weggehaald.

Ulldrael ging over het slagveld en weende om de doden die voor hem waren gestorven. "Dit mag nooit meer gebeuren," sprak hij. "Niemand zal nog ooit zo'n onheil over mijn continent brengen. Dood alle volgelingen van Sinured en zijn valse leer. Vervolg zijn kinderen, herkenbaar aan hun witte haren met de bloedrode strepen, en leg ze aan een ketting of vernietig ze, al naar u goeddunkt. Het zaad van de krijgsheer moet tot in het laatste geslacht worden uitgeroeid. Pacificeer het Barkidische rijk, want de mensen daar zijn gevoelig voor valse leerstellingen. Noem het naar de man die het monster naar de bodem van de zee heeft gejaagd."

En opeens waren de oude tempels weer terug. Ulldraels macht liet ze herrijzen waar ze het dringendst nodig waren om de mensen troost en vertrouwen te geven.

De mensen in het koninkrijk Barkis moesten al hun wapens opgeven, de beelden van Tzulan en Sinured werden vernietigd, de hoofdstad van het monster werd met de grond gelijkgemaakt en zijn vesting tot op de laatste steen geslecht.

Het koninkrijk Barkis werd het koninkrijk Tûris, genoemd naar de dappere Rogogardische admiraal die Sinured voorgoed had verslagen.

En opnieuw omhelsden zij de leer van Ulldrael.'

Historische Almanak van Ulldart,
deel xxi, blz. 1055

Provinciehoofdstad Granburg, koninkrijk Tarpol, zomer 442 n. S.

De weinige warme maanden in de provincie Granburg stonden volledig in het teken van de landbouw. De kleine boeren en dagloners ploeterden op de velden om het schrale graan te oogsten en voorraden hooi aan te leggen. In de boerenschuren werd de hele dag gewerkt. Tot laat in de avond sloegen de knechten met dorsvlegels de aren van de halmen.

De gouverneur reed samen met Waljakov veel door de omgeving, zag toe op het werk en hielp tot verbazing van de lijfwacht en de boeren zelfs mee, om te ervaren hoe het was om zo hard te moeten werken. Miklanowo had hem dat geadviseerd.

'Een bestuurder moet aan den lijve ondervinden wat zijn onderdanen presteren, voordat hij zich het brood en het vlees laat smaken,' vond de brojak. 'Die wijsheid vergeten de andere herenboeren en edelen maar al te graag. Daarom hebben ze ook geen overzicht.'

Hoewel de gouverneur blaren op zijn vingers en handen kreeg en het gezwoeg niet erg kon waarderen, merkte hij toch dat de mensen hem met andere ogen bekeken dan Jukolenko, die tijdens zijn bewind hooguit de moeite had genomen om de zakken graan te tellen.

En terwijl Lodrik zich serieus om zijn presentatie en het belang van de provincie bekommerde, vloog de tijd. Waljakov en de vriendelijke grootgrondbezitter Miklanowo waren uitstekende leermeesters en onder hun leiding ging de jongen snel vooruit.

Stoiko stond versteld over de dagelijkse vorderingen van zijn pupil, die voor zijn ogen geleidelijk tot een jonge man uitgroeide en zelfs al een blonde baard droeg. Hij kreeg de baard ook in de keel, zijn stem werd zwaarder en zijn ogen verloren hun waterige blik. Wat Granburg ook met hem deed, het was een verandering ten goede.

Hij viel zo'n twintig kilo af en het vet maakte plaats voor het begin van sterke spieren. De lijfwacht liet de jongen rennen, springen en vooral veel zweten, onderwierp hem aan de zwaarste oefeningen en een harde discipline, maar uiteindelijk bespeurde Lodrik ook de veranderingen bij zichzelf, en dat was de beste motivatie om vol te houden en door te gaan.

Hij spande zich vooral in met de sabel, en hoewel hij volgens Waljakov geen echt natuurtalent was, ontwikkelde hij zich toch tot een behendige zwaardvechter, die de ongewone techniek van zijn leraar goed wist na te volgen.

De lijfwacht liet de gouverneur ook tegen soldaten in het strijdperk treden en algauw verloor hij bijna geen duel meer.

Ondertussen kreeg Lodrik ook inzicht in de papieren, die in de kanselarij niet langer tot onoverzichtelijke stapels aangroeiden, maar keurig geordend in kasten verdwenen. En tot vreugde van de Granburgers schafte de landvoogd vier corrupte wetten van Jukolenko af.

De mensen mochten nu, zonder het betalen van belasting, afgevallen takken als brandhout meenemen en hun varkens in de eikenbossen laten wroeten. De Granburgse personele belasting, die Jukolenko als dekking van 'bestuurlijke uitgaven' had ingevoerd werd ingetrokken, evenals de opcenten op de oogstbelasting voor de gouverneur.

De boeken wezen uit dat de vorige landvoogd de afgedragen zakken graan niet voor eigen gebruik maar voor de verkoop had gevorderd. Dat bewijs van ambtsmisbruik zou Lodrik bij gelegenheid naar voren brengen, mocht het ooit tot een proces tegen zijn voorganger komen.

Jukolenko had zich met zijn vrouw woedend op zijn landgoed teruggetrokken, waar hij nog altijd met de andere herenboeren en edelen naar een oplossing zocht voor hun situatie, die sinds Lodriks komst steeds moeilijker werd.

Waljakov liet het huis van de voormalige landvoogd in de gaten houden en had een klein netwerk van spionnen opgebouwd dat hem voortdurend op de hoogte hield van de laatste complotten van de edelen en brojaken.

Helaas lekte er niet veel uit, omdat de mannen zonder aanwezigheid van bedienden vergaderden. En zonder bedienden moesten de spionnen vertrouwen op verdenkingen, flarden van gesprekken en onvoorzichtige discussies.

Tot nu toe had niemand het gewaagd zich openlijk tegen de jonge gouverneur te verzetten, maar de lijfwacht vermoedde dat het niet lang zou duren voordat de bom zou barsten. Maar hij was voorbereid.

Miklanowo leerde Lodrik veel over de Granburgse mentaliteit. Het lezen van sagen en sprookjes uit de provincie behoorde net zo tot zijn dagelijkse werk als het voeren van gesprekken met mensen die door de grootgrondbezitter aan hem werden voorgesteld.

In juridische geschillen waar de wet niet duidelijk scheen, besloot Lodrik meestal ten gunste van de zwakste partij, wat hem geliefder maakte bij het gewone volk dan bij de rijkere koopmansstand. Maar de steun van de Granburgers was de gouverneur liever dan die van de Ontarianen of andere rijke kooplui. En zijn eerste zaak, met de varkenshandelaar en de kleine pachter, had hem een bekendheid opgeleverd waarvan sommige schrijvers slechts konden dromen als stof voor hun boeken.

Toch bleef de bevolking op straat terughoudend en voorzichtig tegenover de gouverneur en kwamen er nooit veel mensen op audiëntie. Het feest dat hij ter ere van zijn aantreden had gegeven was goed ontvangen, maar van een overweldigende deelname van de Granburgers was geen sprake geweest.

Toch dacht Miklanowo dat Lodrik het binnenkort wel zonder zijn hulp zou kunnen stellen. Hij kondigde dan ook aan dat hij die winter weer uit het paleis zou vertrekken, zodat de gouverneur nog meer verantwoordelijkheid in staatszaken kon nemen.

Nu Lodrik zijn belangstelling voor vrouwen had ontdekt, ook al was zijn eerste ervaring met zijn achternicht niet bemoedigend geweest, oefende hij zich in een hoffelijke, welbespraakte omgang met het vrouwelijke geslacht.

Zijn interessante en volgens Lodrik ook lastige lessen op dat gebied kreeg hij van Stoiko, die er veel van scheen te weten. Ook Waljakov droeg een steentje bij, hoewel hij, zoals Lodrik begreep, zich wat gereserveerder opstelde tegenover de dames. Zijn raadsman was voorstander van een korte, sprankelende conversatie, om dan zonder omwegen tot het doel te geraken.

De jongeman besloot in de toekomst een gezonde tussenweg te proberen, in het besef dat hij niet de meest briljante causeur onder de zonnen was. Weliswaar kon hij tegenwoordig een aardig praatje houden met dienstmeiden, vrouwen en meisjes uit het gewone volk, maar de werkelijke test die hij zichzelf had gesteld heette Norina.

Nog steeds was hij onder de indruk van de dochter van Miklanowo, hoewel hij haar sinds hun korte ontmoeting niet meer had gezien. Zijn interesse in haar werd alleen maar groter. Terwijl Aljascha met haar achterbakse geflirt op zijn lusten had gewerkt, dichtte hij Norina veel mooiere en hogere gevoelens toe. Maar zijn onzekerheid bleef, omdat ze die eerste keer niet echt vriendelijk tegen hem was geweest.

Er kwamen maar zelden berichten uit de hoofdstad Ulsar, en weinig nieuws. Met zijn vader ging het goed; de oude man was een zware verkoudheid weer te boven gekomen. De Tarpolers en heel Ulldart maakten zich wel zorgen om de ogenschijnlijke verdwijning van de 'TrasTadc', maar de Kabcar had het gerucht verspreid dat de troonopvolger uit angst voor aanslagen naar een geheime plaats was overgebracht.

Zoals altijd heerste er in de provincie Worlac onrust wegens het verlangen zich van Tarpol los te maken, wat Grengor Bardri¢ met allerlei beloften van een grotere autonomie voorlopig had voorkomen.

Lodrik begon steeds meer plezier te krijgen in het ambt van gouverneur. De edelen en brojaken hielden zich rustig, de mensen kregen respect voor hem en met een beetje geluk zouden ze hem aan het eind van het jaar hun vertrouwen schenken.

Miklanowo's inspanningen voor de Granburgers gaven Lodrik veel meer aanzien, hoewel hij zich soms afvroeg of hij wel in staat zou zijn de provincie in zijn eentje te leiden.

Uitnodigingen van de landadel, gebruikelijk onder het vorige bewind, werden door het paleis niet geaccepteerd. In plaats daarvan verwachtten de Granburgers Lodrik over een paar weken bij de waag, waar elk jaar het oogstfeest werd gehouden.

Maar eerst stonden er prettiger zaken op de agenda.

Miklanowo had een uitstapje naar zijn eigen landgoed voorgesteld, zodat de gouverneur een kijkje kon nemen bij zijn Granburgse adviseur. Bovendien wilde de brojak nog wat kleine boeren uitnodigen, die de landvoogd welgezind waren en dat met een spontaan feest duidelijk wilden maken.

Zoals altijd maakte Waljakov een grimas, maar hij protesteerde niet en trof zonder morren de noodzakelijke voorbereidingen. Zo vertrok de met bladgoud versierde koets van de gouverneur, waarin ook Stoiko en Miklanowo meereisden, met een escorte van twaalf van de beste ruiters.

'Ik vind al dit vertoon nogal pijnlijk.' De jongeman boog zich door het raampje naar buiten, peuterde een flinter van het vliesdun gewalste edelmetaal los en liet het door de lucht fladderen. 'Ik kan nauwelijks geloven dat Jukolenko zoveel waslec aan dit soort onzin heeft uitgegeven.'

'De Kabcar is niet veel zuiniger.' De brojak tuurde over de velden, waar de boeren, pachters en dagloners de oogst binnenhaalden. 'Dat is juist het probleem, dat de adel en de rijken het zuurverdiende geld van hun onderdanen verspillen.'

'Dat klinkt nogal revolutionair,' zei Lodrik, quasi dreigend. 'Bij iedere andere koninklijke vertegenwoordiger was uw kop eraf gegaan, mijn beste Miklanowo. En wat de Kabcar betreft kan ik u verzekeren dat hij echt veel zuiniger is.'

Stoiko schraapte zijn keel. 'Laat ik zeggen dat hij de belastinginkomsten aan andere zaken besteedt dan uw voorganger. Maar zuiniger is hij zeker niet. Als ik alleen al aan de verzameling pijpen denk die ik daar ooit heb gezien. Eén van die kunstwerkjes kost al meer dan het bladgoud op dit rijtuig, dat bovendien een slechte vering heeft. We hadden onze reiskoets moeten nemen.'

'Of een paard,' opperde de landvoogd, terwijl hij het kussen in zijn rug rechttrok en met zijn andere hand de drinkzak pakte die aan de zijwand bungelde.

Hoewel de zomer al ten einde liep, brandden de zonnen nog behoorlijk warm boven Tarpol, tot ongenoegen van Lodrik met zijn metalen borstkuras. Maar voor de rijpe velden, een droge oogst, het stro en het hooi was de bijna verzengende hitte een zegen van Ulldrael.

Ze hoorden hoefgetrappel naast het raampje en zagen Waljakov op zijn lievelingspaard, een blauwzwarte hengst met witte sokken en spieren waarop elke boerenknol jaloers zou zijn geweest. Het robuuste strijdros luisterde naar de naam Treskor en droeg de lijfwacht al vijf jaar langs alle wegen en over het slagveld. De littekens op zijn benen, zijn flanken en zijn borst bewezen de militaire ervaring van het trotse dier, dat zelfs in een storm nog zo rustig bleef alsof het in een warme stal stond.

Dat alles had Lodrik op hun ritten stukje bij beetje van zijn lijfwacht gehoord. Toen had hij een spottende opmerking over het brede dier gemaakt, waarop Waljakov hem de historie van het paard had verteld. Graag had de landvoogd het strijdros in actie gezien.

'Met dit vermaledijde rijtuig vallen we net zo op als een vuurtoren in de nacht, excellentie,' mopperde Waljakov. 'Het is maar een kwestie van tijd voordat de eerste rovers rond de koets zullen opduiken. Dat ding riekt naar goud.'

'Geen enkele struikrover zou het wagen de koets van de gouverneur en een eenheid zwaarbewapende soldaten aan te vallen,' antwoordde Lodrik rustig.

'Struikrovers misschien niet, maar wel wanhopige, arme mensen,' mompelde Stoiko van opzij.

'Zwartkijker,' schamperde de gouverneur.

'Wat zei hij?' vroeg de lijfwacht.

'Nee, niks. Rij jij maar aan het hoofd en maak je niet druk. Er zal niets gebeuren,' wimpelde Lodrik hem af, voordat Stoiko zijn woorden kon herhalen om de lijfwacht nog ongeruster te maken. 'En jij,' zei hij met opgetrokken wenkbrauwen tegen zijn raadsman, 'houd je opmerkingen maar voor je. Als Waljakov het hoort, draait hij subiet om en kunnen we weer terug naar het paleis.'

'Ik bedoel het niet verkeerd.'

Miklanowo lachte fijntjes. 'Geen zorg, excellentie. Hier bent u veilig. Een rustiger route bestaat er niet.'

'Ik heb zo mijn ervaring met lange ritten, Miklanowo. De laatste keer, op weg hierheen, hebben we een zwangere vrouw een gruwelijke dood zien sterven omdat Kolskoi zijn honden zomaar losliet.' Met een huivering dacht Lodrik terug aan het gekerm, de geruisloze beesten en de bloedrode sneeuw.

De koets hobbelde verder en de zonnen schenen meedogenloos op de reizigers neer, zodat ze algauw indommelden. Een verkwikkende slaap was het niet.

In een klein boerendorp, een verzameling van vijf boerderijen en dertig hutten, hield de stoet laat in de middag halt om de vermoeide paarden te laten drinken en enkele minuten rust te gunnen.

Koel bronwater borrelde uit de grond omhoog en sijpelde door een gemetselde goot naar een grote bak van enkele meters doorsnee, bedoeld als trog voor de koeien, zoals bleek uit de oude, verdroogde koeienvlaaien eromheen.

Vermoeid klommen de drie mannen uit de koets en gingen aan de rand van de bron zitten, in de schaduw van een grote Ulldrael-eik.

Het duurde niet lang voordat de eerste kinderen opdoken. Met open mond en grote ogen staarden ze van veilige afstand naar de paarden en de koets, maar de duidelijk zichtbare wapens van de soldaten weerhielden de vuile jongens en meisjes ervan om dichterbij te komen.

Volwassenen lieten zich niet zien.

Lodrik nam een slok uit de bron, goot wat water over zijn gezicht en zijn haren en liet zijn blik over de hutten dwalen. De meeste leken bouwvallig. Ergens ontbrak een deel van het dak, bij een andere hut hingen de stenen boven de voordeur gevaarlijk scheef. Het enige gebouw dat een enigszins verzorgde indruk maakte was de kleine tempel voor Ulldrael.

'Een troosteloze toestand,' stelde de gouverneur vast.

Miklanowo knikte. 'Ik ken dit dorp. Al het vee is gestorven aan een epidemie. En de velden hier leveren te weinig op om nog iets over te houden voor de handel.'

'Hoe betalen ze dan hun pacht aan u?' Stoiko hield zijn handen in het water en bette zijn gezicht. 'Het zal geen vetpot zijn.'

'Ik vraag geen pacht van de mensen hier. Dat is zinloos,' antwoordde de brojak. 'Alsof je zou proberen een naakte man iets uit zijn zak te stelen. Ze moeten al vechten voor hun bestaan, meer kun je niet verwachten. Ik help ze waar ik kan, maar er lijkt wel een vloek op te rusten.'

De raadsman zag dat er zich iets afspeelde achter Lodriks gefronste voorhoofd. 'Hebt u een idee, heer?'

Opeens klaarde het gezicht van de gouverneur op en kwam hij overeind. 'Wacht maar.'

Zonder dat Waljakov het zo snel in de gaten had liep hij naar het groepje kinderen, dat bleef staan omdat het maar één man was die op hen toe stapte.

Maar toen ook de reusachtige lijfwacht in beweging kwam om zijn beschermeling te volgen, verdwenen de jongens en meisjes in de hutten.

'Dan maar anders,' mompelde de landvoogd. 'Ik wil de dorpsoudste spreken!' riep hij zo luid als hij kon. 'Ik ben hara¢ Vasja, koninklijke beambte van de Kabcar en gouverneur van de provincie Granburg. Kom naar buiten.'

'Wat bent u van plan?' Waljakov keek oplettend om zich heen.

'Jij maakte toch bezwaar dat de koets te veel opviel met al dat goud?' vroeg Lodrik. De militair grijnsde instemmend. 'Dan zal ik daar wat aan doen.'

Voorzichtig ging een van de houten deuren open. Een oudere man, in lompen gekleed, bleef in de middagzon staan. Toen, steunend op een stok, hinkte hij naar hen toe, liet zich op een knie vallen en drukte zijn zongebruinde gezicht tegen de grond.

'Heb medelijden, excellentie!' jammerde hij. 'Ons dorp heeft de belastingen niet betaald, maar spaar ons leven. Een verschrikkelijke ziekte heeft ons vee gedood en we hebben niets meer om u te betalen.'

Lodrik knikte naar zijn lijfwacht, die de oude man met één

hand in zijn kraag greep en voorzichtig overeind trok, zoals een moeder doet met haar peuter die gevallen is.

'Ik smeek u, excellentie, om in elk geval onze jongsten niet te straffen,' jammerde de man weer.

De gouverneur zag de wanhoop in de bijna blinde ogen van de dorpeling, die duidelijk vreesde voor zijn eigen leven en dat van zijn dorpsgenoten.

'Je begrijpt me verkeerd,' stelde hij hem gerust. 'Niemand zal hier bestraft worden.'

Verbazing gleed over het gezicht van de oude man. 'Maar al die soldaten dan...?'

'Dat is mijn lijfwacht. Ze zullen niemand een haar krenken, behalve als ik aangevallen word.' Lodrik glimlachte. 'Ik hoorde nu pas van jullie situatie, oude man, en ik zou jullie graag helpen.' Hij wees naar de koets en verhief zijn stem. 'Dit rijtuig is op bevel van jullie vorige gouverneur Jukolenko en met jullie belastinggeld helemaal met bladgoud afgewerkt. Ik ben niet zo gesteld op al die opsmuk. Kom hier en haal maar zo veel van het bladgoud van die koets als jullie willen. Verdeel het goud dan onder de mensen, zodat hier binnenkort weer koeien rond de trog staan en de hutten kunnen worden opgeknapt.'

'Niet de meest voor de hand liggende oplossing om u van dat bladgoud te ontdoen,' fluisterde Waljakov, 'maar wel een goed idee.'

'Uwe excellentie wil dat we het goud van die koets halen?' De oude man staarde hem ongelovig aan. 'Alles?'

'Je gaat je gang maar,' zei de gouverneur goedgehumeurd en hij draaide zich om.

Langzaam strompelde de oude man naar het rijtuig toe, langs de zwaarbewapende soldaten, die hij niet uit het oog verloor. Toen bleef hij staan en scheurde een groot vel bladgoud van de zijwand af.

Abrupt draaide hij zich om en keek afwachtend om zich heen.

Maar toen geen van de soldaten ingreep, wapperde hij uitgelaten met het vel bladgoud in de lucht.

Op dat teken gingen er nog meer deuren open en waagden de dorpelingen zich naar buiten.

'Geen angst,' riep Lodrik. 'Er is voldoende voor iedereen.'

De eerste bewoners stormden op hem toe, lieten zich op hun knieën vallen en kusten zijn schoenen, zijn benen, zijn handen en zijn ring, voordat ze hun eigen stuk bladgoud van de koets trokken.

'Ja, het is wel goed,' weerde de gouverneur het eerbetoon af en hielp de mensen overeind. 'Voor mij hoeven jullie niet in het stof te knielen. Een bedankje is wel voldoende.'

Hij liep terug naar Miklanowo en Stoiko, die het tafereel hadden gevolgd en een buiging maakten voor de landvoogd.

'Wij nemen onze hoed af voor zoveel vindingrijke vrijgevigheid,' vertolkte de raadsman hun gevoelens, zonder een spoor van ironie in zijn ogen. 'U hebt sneller geleerd dan wij dachten.'

'Ik kan ook wel iets bedenken, als ik wil. Maar ik heb goede leermeesters,' retourneerde Lodrik het compliment.

Zwijgend keken ze toe hoe de mannen, vrouwen en kinderen vol vreugde ook de laatste restjes edelmetaal van het hout scheurden, terwijl ze nog regelmatig een buiging maakten voor de gouverneur.

'U begrijpt dat u in het paleis nu ook een toeloop kunt verwachten?' vroeg Stoiko na een tijdje als grap.

'Waarom eigenlijk niet? Bedelaars en armoedzaaiers zijn er genoeg in Granburg.' Lodrik sloeg zijn raadsman op de schouder. 'Ik dacht er al aan, maar nu jij het zegt weet ik het zeker.'

'Het volk zal u op handen dragen,' voorspelde Stoiko, en hij masseerde zijn schouder. 'Waljakov mag het wel wat rustiger aan doen met uw krachttraining, anders breekt u me nog mijn botten, heer.'

Opeens werd het viertal omringd door kinderen met wat eten

in hun hand, dat ze de gouverneur aanboden.

Lodrik besefte dat het waarschijnlijk hun laatste voorraden waren, en ondanks zijn rammelende maag bedankte hij vriendelijk.

'We moeten weer verder,' zei Waljakov, 'anders is het al donker voordat we aankomen.'

De landvoogd kwam overeind en klom in de koets. Vlak voordat ze wegreden stak hij zijn hoofd nog door het raampje.

'Over een jaar kom ik terug. Dan wil ik hier alleen nog dikke koeien en goed doorvoede, blije mensen zien.' De bewoners juichten hem toe en de kinderen bleven nog een hele tijd achter de koets aan rennen.

'De eerste klap is een daalder waard,' citeerde Stoiko een oud gezegde. 'En de tweede?'

'Wacht maar tot we weer in Granburg zijn,' zei Lodrik stralend. 'Eindelijk lijkt het te gaan zoals ik me had voorgesteld.'

Een eenvoudige hofstede met een groot aantal stallen en bijgebouwen tekende zich af tegen de avondhemel. Fakkels verlichtten het pad vanaf de brede weg naar de poort.

De gebouwen vormden een gesloten rechthoek en fungeerden met hun stevige muren als een kleine vesting, voor het geval roversbenden een begerig oog op het vee of de voorraden lieten vallen.

Bij de nadering van het groepje openden een paar mannen de poort en lieten hun landheer en zijn gasten binnen.

De koets reed de grote binnenplaats op en hield halt voor het hoofdgebouw.

Miklanowo was de eerste die uitstapte. Bij wijze van welkom hielp hij de gouverneur uit het rijtuig.

'Mag ik u hartelijk begroeten op mijn landgoed, excellentie?' De brojak maakte een buiging. 'Mijn huis en haard staan tot uw beschikking.' Dienstmeiden brachten zout, brood en wijn voor de nieuwkomers. Waljakov liet zijn soldaten met een kort bevel afstijgen voordat hij zelf van Treskors rug sprong.

'Dank u voor uw gastvrije ontvangst, ook al is dat geen verrassing, want ik ken uw vriendelijkheid al langer,' antwoordde Lodrik, en hij liet zich de gaven goed smaken.

'Kom mee, dan zal ik u een korte rondleiding geven. Daarna wacht het avondmaal.' De brojak liep naar de stallen aan de linkerkant. 'Het feest is pas morgen. Dan verwacht ik ook mijn Norina weer terug.'

'O, is ze er niet?' Te laat bespeurde de landvoogd de duidelijke interesse in zijn vraag. Haastig herstelde hij zich. 'Omdat ze zo'n prettig gezelschap is, bedoel ik.'

'Nou, u bent de eerste die dat over haar zegt,' lachte haar vader en hij streek over zijn baard. 'De meesten vinden haar veel te bijdehand. Ze kan nooit haar mond houden.'

'Ik weet het,' mompelde Lodrik, en hij trok zijn borstkuras recht. Het werd tijd om zich uit dat ellendige ijzeren korset te bevrijden en een bad te nemen. Hij voelde zich smerig, plakkerig en hij stonk naar zweet.

Maar Miklanowo had geen medelijden met de gouverneur en sleepte hem vol trots mee door alle gebouwen, te beginnen met de stallen, via de slaapverblijven voor het personeel tot aan de waskeuken en de korenschuur. Na een schier eindeloze rij trapjes, treden, kamers en gangen vond de brojak het genoeg en keerde hij met zijn gast naar het hoofdgebouw terug.

'Mag ik van een verdere bezichtiging afzien?' vroeg Lodrik. 'Ik wil graag alles bij daglicht bekijken, ook de hele boerderij opnieuw, als u wilt, maar nu heb ik dorst en een vreselijke honger. Als die kinderen uit het dorp me nu iets hadden voorgehouden, zou ik het uit hun handen hebben gegrist.'

'Heel onnadenkend van me, excellentie.' Zijn Granburgse mentor wees naar een zware houten deur. Door de kieren zweefden hen de heerlijkste geuren tegemoet.

'Ach, ik ruik ham!' De landvoogd stormde naar binnen en bleef toen stokstijf staan bij de aanblik van de tafel. 'Alleen brood, kaas en ham? U bent toch een rijke boer?' Zijn stem klonk diep teleurgesteld. 'Begrijp me niet verkeerd, het is voortreffelijk voedsel, maar na die lange reis had ik trek in een goed stuk gebraden vlees. Dat heb ik toch wel verdiend.'

'Neem me niet kwalijk, excellentie, maar mijn provisiekamer moet eerst worden aangevuld. Ik vind het bijzonder pijnlijk, maar u zult uw honger moeten stillen met een warme stoofpot.' De brojak keek ongelukkig. 'Norina is met nieuwe voorraden hierheen onderweg.'

'En als we nog snel een jacht organiseren om wat smakelijks te verschalken?' stelde de landvoogd hoopvol voor. Maar Waljakov schudde zijn kale hoofd.

'Het is al te donker. De reeën zijn in het voordeel. Ze zouden al zijn gevlucht voordat we ze in de gaten kregen.'

De stoofpot werd binnengebracht en door de dienstmeiden op fraai beschilderde porseleinen borden geschept.

'Op de een of andere manier komt me dit bekend voor,' zuchtte de jongeman. 'Straks komt er nog een hijgende touwslager binnenstormen die zijn vrouw zoekt.'

De brojak wierp Stoiko en de lijfwacht een verbaasde blik toe, maar de raadsman maakte een sussend gebaar.

'Aan tafel dan, excellentie. Ik kan u beloven dat het zal smaken. Mijn kokkin doet voor niemand onder.' Miklanowo schoof de landvoogd een stoel onder zijn achterste voordat hij zichtbaar verbouwereerd ging zitten en zelf zijn lepel in de stoofpot stak.

Na het eten, dat inderdaad voortreffelijk was, verdween Lodrik geeuwend naar zijn kamer, die hem door de brojak persoonlijk werd gewezen. Waljakov stelde het wachtrooster op en Stoiko zat te lachen met een van de keukenmeiden.

'O, voordat ik het vergeet, excellentie,' zei de heer des huizes op weg naar Lodriks kamer, 'sluit alle luiken vannacht goed af en doe ze niet open, wat voor geluiden u ook hoort.'

Miklanowo bleef staan en opende de deur van een ruime kamer met alle comfort – hoe bescheiden ook, vergeleken bij het paleis. Het stoorde Lodrik niet.

'Waarom mag ik geen raam opendoen? Het zal wel warm worden. 's Nachts heb je nog wat koelte.' Met een paar handgrepen maakte hij de gespen van zijn pantser los en even later ploften zijn sabel en zijn borstkuras op de grond.

''s Nachts zijn er, hoe zal ik het zeggen, vliegende dieren onderweg, die misschien per vergissing uw kamer kunnen binnenkomen en u laten schrikken.' De brojak zette de kandelaar op de tafel. Met een gloeiende spaander stak hij alle olielampen in de kamer aan. 'Ze zijn heel nieuwsgierig en soms lastig, maar verder niet gevaarlijk.'

'Ik ben niet bang voor een paar vleermuizen die om mijn hoofd fladderen.'

'Ze zijn manshoog, excellentie,' verklaarde Miklanowo onverstoorbaar, en hij blies de spaander uit.

Langzaam draaide Lodrik zich om. 'Weet Waljakov daarvan?'

'Ik zal het hem direct zeggen, dan kan hij het doorgeven aan zijn mannen. Zoals gezegd, die dieren doen geen kwaad als je ze met rust laat. Ze komen niet altijd voorbij, hooguit een paar keer per jaar, of als er iets bijzonders is gebeurd. Maar omdat ze zeker hebben gezien dat ik bezoek heb, zullen ze een blik op u willen werpen.'

'Wat zijn dat dan voor beesten – monsters?'

'We weten het niet precies, omdat nog niemand met ze heeft gepraat,' moest de brojak bekennen. 'Met hun grote vleugels zie je ze hier en daar op de topgevels en daken zitten, als stenen waterspuwers. Ze kijken wat er allemaal gebeurt en verdwijnen weer tegen het krieken van de dag. Bij daglicht voelen ze zich niet prettig, dat weten we wel.'

'Hebt u niet geprobeerd om van ze af te komen?'

'We hebben geen idee hoeveel het er zijn. Daarom zou het dom zijn de strijd met hen aan te binden. Zolang ze zich vreedzaam gedragen laten we ze maar.' Miklanowo knipperde met zijn ogen. 'We zijn hier op het platteland, excellentie. Daar gaan dingen soms anders dan in de stad. En nu wens ik u welterusten.' Zachtjes trok hij de deur in het slot.

'Ulldrael sta me bij.' Lodrik schudde zijn hoofd en haalde zijn nachthemd uit de hutkoffer die de bedienden hadden neergezet.

Na een korte aarzeling legde hij zijn sabel naast zijn bed, haalde een boek over bijzondere gevallen in de Tarpoolse wetgeving tevoorschijn en begon te lezen bij het schijnsel van de lampen. Voordat hij ging slapen wilde hij nog een paar bladzijden hebben doorgewerkt.

Lodrik schrok wakker uit een lichte slaap en greep zijn sabel. Hij was daadwerkelijk boven de droge teksten van het wetboek ingedommeld.

Buiten was het inmiddels pikkedonker, maar het raam stond nog altijd wagenwijd open. De gordijnen wapperden zachtjes in de lauwe bries. Een paar olielampen waren door de tocht gedoofd, de andere brandden zwak. De olie raakte op.

De landvoogd haalde het boek van zijn borst, stond op en sloot alle luiken en ramen, nadat hij zich er met een blik van had vergewist dat hij alleen was. Toen doofde hij alle lampen, behalve die naast zijn bed. Ten slotte liep hij in zijn dunne nachthemd terug.

'Dat boek moet ik onthouden als ik ooit moeite heb om in slaap te komen,' mompelde de jongeman en hij draaide zich op zijn zij. Met een krachtige ademstoot blies hij ook de laatste lamp uit. Een sliertje rook kringelde omhoog.

Maar hij kon de slaap niet meer vatten.

Eerst was het slechts een onrustig gevoel, dat langzamerhand tot een zekerheid werd, zonder dat Lodrik zijn ogen hoefde te openen. Iemand staarde hem aan.

Hij ging langzaam rechtop zitten, pakte geruisloos zijn sabel en tuurde door het donker.

'Wie is daar?' vroeg hij gebiedend. 'En hoe ben je binnengekomen?'

Als antwoord openden zich twee grote, gloeiende, purperrode ogen, vlak naast hem, en vervolgens nog een paar ogen aan zijn voeteneind. Op een plank lichtten twee rode puntjes op en ten slotte zag hij er nog twee aan de andere kant van zijn bed.

Hij klemde het wapen wat steviger in zijn hand. 'Ik zal jullie niets doen als jullie mij met rust laten, begrepen? Ik heb jullie per ongeluk opgesloten. Het spijt me.' Hij struikelde bijna over zijn woorden. 'Je hoeft alleen maar die kleine grendel terug te schuiven, dan kun je eruit. Heel simpel. Niemand houdt jullie tegen en ik zal niet schreeuwen of om hulp roepen.' Hij wachtte even. 'Wie zijn jullie eigenlijk, in Ulldraels naam?'

De purperen ogen kwamen wat dichter naar zijn bed toe.

Lodrik hoorde een zacht, licht getrippel, als van honden, maar geen ademhaling. Toen een geluid als van perkament dat langs elkaar wreef, en opeens stonden ze zo dicht om hem heen dat hij ze had kunnen aanraken als hij had gewild.

Maar daar had hij totaal geen behoefte aan. Het liefst zou hij de kamer zijn ontvlucht, maar iets zei hem dat hij niet ver zou komen als zijn griezelige bezoekers dat niet wilden. Hij wist niet eens hoe ze eruitzagen. Lodrik zag alleen die onheilspellende ogen, ongeveer net zo hoog als ze zich bij een reus van een man zouden hebben bevonden.

'Wij zijn de Waarnemers, hoge heer,' klonk een fluisterstem in zijn hoofd. 'Wij observeren de mensen tijdens hun korte leven en noteren dingen die onze gebieder interesseren. Nu u gekomen bent, hoge heer, willen wij u dienen, zoals we ooit een ander hebben gediend.'

'Dus jullie hebben voor Jukolenko gespioneerd?'

Een zacht, veelstemmig gelach klaterde op in zijn hoofd. 'O nee, hoge heer. Hij was niets, vergeleken bij u. U bent de enige die betere tijden kan laten terugkeren.'

'Ik doe in elk geval mijn best om iets te veranderen.' Lodrik bleef wantrouwend en hoopte dat Miklanowo de waarheid had gesproken toen hij zei dat deze wezens geen kwaad deden als ze met rust werden gelaten.

'Dat weten we,' klonk het. 'Al onze broeders en zusters wachten op de dag dat u ze oproept om te tonen wat ze waard zijn.'

Er viel iets lichts op de deken. De landvoogd deinsde terug en bracht zijn arm met de sabel omhoog.

'Als u ons nodig hebt, hoge heer, en de tijd is rijp, draai de steen dan drie keer in de vatting en binnen een paar dagen zullen we ter plaatse zijn.'

Twee paar ogen draaiden weg en de jongen hoorde het geluid van de grendels toen de ramen en de luiken werden geopend.

'Hoge heer, we houden ons aanbevolen. Met genoegen zullen wij verkondigen dat de mooiste tijd niet ver meer is.'

Magere schimmen met reusachtige, vleermuisachtige grijze vleugels klommen achter elkaar op de vensterbank en vlogen weg. In het zwakke maanlicht zag Lodrik naakte, menselijke gedaanten, handen met lange nagels, voeten als klauwen, en schedels met nauwelijks vlees erop, waarin grote, diepe oogkassen purperrood oplichtten.

'Met hoeveel zijn jullie? En wíé zijn jullie?' De gouverneur liet zijn sabel zakken.

Het laatste wezen hurkte nog even op de vensterbank, vouwde met het geklapper van een reusachtige vlag zijn brede vleugels open en keek hem recht aan. De diepliggende ogen lichtten op met een dieprode, pulserende gloed.

'Wij zijn de Waarnemers, hoge heer. En we zijn met vele honderden.' Weer hoorde hij die fluisterstem enkel in zijn hoofd. Het wezen had zijn smalle mond met de bleke lippen niet geopend. Langzaam liet hij zijn kop zakken. 'Wij wachten tot u ons roept, hoge heer.' Met een krachtige beweging zette het schepsel zich af en verdween in het niets.

Lodrik sprong op en rende naar het raam.

Vier menselijke schaduwen met grote, leerachtige vleugels zweefden door de lucht en verwijderden zich in hoog tempo van de boerderij. Met krachtige, sierlijke vleugelslagen klommen ze naar de nachtelijke hemel.

De landvoogd volgde hun baan, tot ze in het donker waren verdwenen.

Diep in gedachten liep hij naar zijn bed terug en zocht het voorwerp dat de bezoeker had achtergelaten.

Tussen de plooien van zijn beddengoed vond hij een amulet, ter grootte van zijn handpalm, met merkwaardige versieringen van zwartglinsterend metaal. In het midden zat een matglanzende steen met de kleur van een donkere roos. Het materiaal voelde niet koud aan, maar ongeveer net zo warm als Lodriks eigen hand.

De volgende dag, als het licht was, zou hij het sieraad met al zijn details nog eens goed bekijken, maar zonder dat iemand het zag. Zijn gevoel zei hem dat hij dit geschenk en zijn nieuwe, griezelige dienaren beter geheim kon houden.

De rest van de nacht bleven de vliegende wezens door zijn gedachten spoken. Hoewel hij meer sprookjes, sagen en legenden had gelezen dan de meeste Tarpolers, kon hij zich met de beste wil van de wereld niet herinneren ooit een beschrijving van deze bezoekers te hebben gelezen. Zodra hij weer terug was in het paleis van Granburg zou hij zich net zo lang in de boeken begraven tot hij een aanwijzing had gevonden.

Na een uitgebreid ontbijt liet de grootgrondbezitter de paarden zadelen om de landvoogd een indruk te geven van de landerijen en de mensen.

Lodrik liep naar zijn paard toe, stak een hand uit naar de teugels, maar opeens legde het dier zijn oren naar achteren en danste opzij.

De stalknecht kalmeerde het onverwachts nerveuze paard, maar ook een tweede poging de hengst te beklimmen mislukte door gesteiger en getrappel. Een andere knecht kon maar net op tijd opzij springen, anders hadden de hoefijzers een afdruk op zijn hoofd achtergelaten.

'Ik begrijp er niets van,' mompelde de gouverneur. 'Het lijkt wel of hij voor een roofdier terugdeinst.'

'Maar er is nergens een roofdier te bekennen.' Waljakov steeg af en hielp Lodriks paard te kalmeren. 'Dat hebben wij weer.'

'Misschien heeft hij gewoon geen zin in een tochtje,' grijnsde Stoiko vanaf zijn eigen paard.

Pas na tussenkomst van de lijfwacht liet de schimmel de jongeman in de buurt komen en in het zadel klimmen. Maar hij hield zijn oren plat en gedroeg zich ook verder heel vreemd. Lodrik moest onderweg al zijn moeizaam aangeleerde technieken toepassen om het dier de juiste kant op te krijgen.

Miklanowo deed zijn best om er een leuke, afwisselende rit van te maken, maar Lodrik was er met zijn aandacht niet bij. Zijn zwijgzaamheid en afwezigheid bleven niet onopgemerkt bij Stoiko en Waljakov.

'Wat zit u te piekeren, heer?' probeerde de raadsman de jongen uit te horen. 'Die arme Miklanowo doet van alles om het u naar de zin te maken, maar u rijdt rond alsof het u allemaal geen zier kan schelen. Wat zit u dwars?' Hij knipoogde even. 'Is het soms Norina?'

'Wat?' Lodrik schrok op en rechtte zijn rug. 'O, neem me niet kwalijk. Ik ben nogal moe. Het was een vreselijke nacht. Laten we maar teruggaan. Ik moet nog even slapen.'

Stoiko nam de landvoogd onderzoekend op, knikte even en gaf de verandering in de plannen aan de rest van het groepje door.

De brojak maakte zich zorgen omdat zijn gast zo weinig belangstelling toonde. Tevergeefs probeerde Stoiko hem duidelijk te maken dat de gouverneur alleen maar moe was en nog een paar uur rust wilde. Maar de gedachte dat de jongeman in zijn huis niet goed geslapen had stelde de herenboer niet echt gerust.

'Ik hoop in elk geval dat Norina op tijd is met de voorraden, zodat ons feestmaal kan doorgaan,' zei hij tegen Waljakov. 'Anders zou ik een slechte indruk achterlaten bij de excellentie.'

Lodrik zat zwaar op zijn paard en sjokte door het interessante landschap alsof hij in gedachten heel ergens anders was.

De amulet, die hij verborgen onder zijn wapenrusting droeg, lag warm tegen zijn huid en voelde bijna levendig aan. Het raadselachtige sieraad had een geruststellende uitwerking die de landvoogd zelf niet kon verklaren.

'Kijk, excellentie, daar rijdt Norina.' Stoiko wees naar de vlakte die voor hen lag. 'Als we voortmaken, kunnen we haar inhalen en het laatste eind met haar meerijden naar de boerderij. Goed idee?'

'Natuurlijk. Doe maar.' Lodrik staarde naar een punt in de verte. 'Ik wacht hier wel zo lang.'

'Hij hoort niet eens wat ik tegen hem zeg,' zei de raadsman tegen de lijfwacht. 'Is dat nou een soort provinciale depressie? De melancholie van het platteland? Of is al die schone lucht hem naar zijn hoofd gestegen?'

Waljakov haalde zijn schouders op. 'Misschien heeft hij genoeg van jouw voortdurende geklets en geeft hij geen antwoord meer.'

De gouverneur keek langzaam op. 'Maar natuurlijk! Het waren Modrak.' Zijn gezicht klaarde op en hij scheen weer op aarde neer te dalen. 'Het waren Modrak!' Toen pas leek hij de kleine stoet voor hen uit te zien. 'Hé, is dat Norina niet? Waarom halen we haar niet in? Dan kunnen we samen naar de boerderij terugrijden.' Hij sloeg zijn hakken tegen de flanken van zijn paard en ging ervandoor.

'Ik zou durven zweren dat ik een paar seconden geleden precies hetzelfde zei. Of niet? Zo slecht kan iemand niet slapen dat hij de volgende morgen zo afwezig is.' De raadsman steunde vertwijfeld zijn handen op zijn zadel en knipperde tegen de heldere hemellichamen. 'Maar zo fel schijnt de zon niet meer. Dan komt het dus toch door slaapgebrek. En wat, bij Ulldrael, mogen Modrak wel zijn?'

'Erachteraan,' beval de lijfwacht zijn mannen laconiek en hij sprintte de glooiende heuvel af. Stoiko en de brojak volgden wat rustiger.

Norina zag de ruiters op haar kleine wagenstoet afstormen en hield halt. De bewapende knechten stelden zich naast haar koets op, met hun sabels half getrokken.

'Halt!' riep ze de landvoogd toe. 'Wie bent u? Maak u bekend voordat u dichterbij komt.'

Lodrik hield zijn paard in en richtte zich op in het zadel. 'Herken je het wapen van de Kabcar en dat van de gouverneur van Granburg niet? Ik ben hara¢ Vasja, koninklijke beambte en gouverneur van deze provincie. Bovendien hadden we al eerder het genoegen.'

'Het wapen van de gouverneur kan iedere struikrover wel op zijn jasje naaien.' Haar ogen fonkelden. 'En hara¢ Vasja ken ik wel, maar die ziet er heel anders uit dan u.'

Op de achtergrond naderden in volle draf Waljakov en de soldaten.

Lodrik keek grijnzend naar de jonge vrouw, die geen spoor van angst toonde.

Ze droeg een lichte, donkerrode linnen jurk, en haar pezige hand lag dreigend op het heft van de behoorlijk lange dolk aan haar zijde. Haar voeten staken in hoge laarzen. Sinds hun laatste ontmoeting had Norina zich, wat vrouwelijke rondingen betrof, wat verder ontwikkeld, maar slank was ze nog altijd. Haar lange zwarte haar hing los en het kleine litteken op haar rechterslaap lichtte een beetje op.

De landvoogd maakte een lichte buiging. 'Ik ben de echte gouverneur, dat verzeker ik je. Als je me niet gelooft, vraag het dan je vader.'

Nu pas herkende de jonge vrouw Miklanowo en Stoiko, die in alle rust kwamen aanrijden, terwijl Waljakov zich naast zijn pupil had opgesteld.

'Neem me niet kwalijk, excellentie.' Norina's gezicht stond stomverbaasd, en ze maakte een knicks. 'U bent zo veranderd dat ik u echt niet meer herkend zou hebben.'

'Zie je, Waljakov? Je training heeft toch succes. Niemand aan het hof van mijn...' – de lijfwacht schudde waarschuwend zijn hoofd – '... leenheer zal me nog herkennen als ik terugkom. De soldaten zullen me waarschijnlijk als een indringer in mijn kraag grijpen.'

'Kind, daar ben je dan.' De brojak steeg van zijn paard, spreidde zijn armen en kwam naar zijn dochter toe, die haar vader liefdevol omhelsde. 'Heb je alles meegenomen wat ik je had gevraagd?'

Norina knikte. 'Onze voorraadschuren zijn nog goed gevuld. De pachters komen al met de nieuwe oogst.' Ze wees naar de ossen die achter de laatste karren waren gebonden. 'En goed vlees hebben we ook.'

'Wat ligt daar allemaal op die wagen?' wilde Lodrik weten en hij stuurde zijn paard erheen om onder het zeildoek van de lading te kunnen kijken.

'Excellentie, het zou een verrassing zijn, of was u dat vergeten?' Miklanowo versperde hem de weg. 'Als u het ritje niet leuk vond, bederf dan in elk geval niet vanavond uw plezier en het mijne. Het eten zal beter zijn dan een stoofpot, dat beloof ik u.'

'Nog beter? Goed dan. Ik hou je aan je woord, Miklanowo.'

De gouverneur glimlachte tegen Norina en draaide zijn paard naar haar toe. 'Dan kunnen we nu wel verder rijden, toch?'

'Natuurlijk, excellentie.' Ze klom op de bok van de koets, liet de zweep knallen, en de kar kwam in beweging. De landvoogd bleef naast haar rijden.

'Ik wilde je zopas geen schrik aanjagen,' begon hij na een korte stilte. 'Ik dacht echt dat je me meteen zou hebben herkend.'

'Ik schrok ook niet, excellentie. Ik heb heel goede bewakers bij me. Bovendien moet u toegeven dat onze eerste ontmoeting in een halfdonkere kamer was, en de tweede maar heel kort.' Ze wierp een keurende blik op zijn postuur. 'Die baard staat u goed. En u bent duidelijk afgevallen. Hoe is u dat gelukt?'

Lodrik knikte naar Waljakov. 'Hij heeft me afgebeuld bij de sabeltraining, stenen laten sjouwen en nog andere folteringen bedacht om me bloed en tranen te laten zweten.'

'Bij hem heeft het gewerkt, en bij u duidelijk ook.' Met een lichte beweging van haar rechterhand corrigeerde ze het paardenspan. 'Als u zo doorgaat, excellentie, zult u zich straks de dames van het lijf moeten slaan.'

'Dank je, maar daar heb ik voorlopig even mijn bekomst van.'

Ze keek hem verbluft aan en trok haar wenkbrauwen op. 'Volgens mij bent u de eerste man die ik dat hoor zeggen, afgezien van mijn vader.'

'Hoe moet ik dat uitleggen?'

'Om het niet al te diplomatiek te zeggen, excellentie – de edelen hier in de buurt hebben naast het verhogen van de belastingen maar één liefhebberij: vrouwen. Het liefst elke dag een andere, en als ze niet wil... wie kan het schelen?' Haar toon was minachtend en van haat vervuld. 'Lijfeigenen hebben geen rechten.'

'Interessant om te horen,' zei Lodrik en hij draaide zich in zijn zadel om. 'Maar je vader is anders? Geen wonder, want zijn houding tegenover de pachters is echt revolutionair.'

'Hij gedraagt zich gewoon als een verantwoordelijk mens,' antwoordde Norina scherp. 'Tenslotte stroomt er ook door de aderen van de adel niets anders dan rood bloed. Ze eten, slapen en drinken net als een boer. Ze gaan ook naar de wc. Als het aan mij lag, zou er hier heel wat veranderen.'

'Ik heb altijd al gedacht dat je vader gevaarlijke ideeën had,' kreunde de landvoogd. 'Zeg zoiets nooit tegen een andere koninklijke beambte, want dan beland je sneller in de kerker dan je lief is. Heb ik me niet ingespannen om wetten te veranderen, zodat de Granburgers minder heffingen hoeven te betalen? Is dat dan niets? Waarschijnlijk kan ik een oorvijg van de Kabcar krijgen als hij ervan hoort.'

'Een oorvijg? Begrijp me niet verkeerd.' Norina keek hem aan en lachte zwakjes. 'Uw besluiten zijn heel goed, excellentie, en hebben u bij het gewone volk geliefd gemaakt. Maar dat bedoel ik niet. Ik heb het over een fundamentele verandering in Tarpol, weg van de Kabcar. Het klopt toch niet dat één enkele man zoveel macht over anderen heeft.'

'Je vader voelt zich anders heel prettig in zijn positie als grootgrondbezitter,' wierp Lodrik tegen.

'Heeft hij u verteld wat hij altijd met de heffingen deed?' Haar ogen bliksemden. 'Hij verdeelde ze onder de pachters die een slechte oogst hadden of hun afdracht aan de gouverneur niet konden betalen.'

De landvoogd schudde zijn hoofd. 'Dat wist ik niet. Maar Tarpol is altijd al door een klein groepje geregeerd. Ook onze buurlanden hebben koningen die...'

'En Palestan dan? Of Agarsië?' De jonge vrouw maande de paarden tot meer snelheid.

'Dat zijn handelsstaten,' zei Lodrik geringschattend.

'Die rijker en machtiger zijn dan de koninkrijken Tarpol en Borasgotan samen. Ze hebben een grote raad van gekozen vrouwen en mannen, die gezamenlijk beslissingen nemen,' ging Norina verder. 'En Rogogard heeft een hetman, die wel het bevel heeft over de piraten in de oorlog, maar verder niet veel over de mensen te vertellen heeft.'

'Dat zijn uitzonderingen, die...'

'In geen enkel ander land – behalve in Tersion, in het zuiden – is de lijfeigenschap zo streng geregeld als bij ons,' viel de dochter van de brojak hem oneerbiedig in de rede, terwijl ze de zweep over het span legde. Het paard van de gouverneur moest in galop overgaan om de koets te kunnen bijhouden. De vaten en kisten in de laadbak wiebelden gevaarlijk. 'Kijk eens naar Aldoreel, excellentie, of naar Ilfaris. Zelfs de standenmaatschappij van Hustraban is opengebroken. Daar zitten edelen samen met boeren en gewone handarbeiders aan één tafel, zonder dat de mindere partij in het cachot wordt gegooid.'

'Is er een reden om zo hard te rijden?' vroeg Waljakov, die aan de andere kant van de wagen opdook.

'Tarpol was en zal altijd een koninkrijk blijven, met een standenmaatschappij,' verklaarde Lodrik stellig. 'Al ga je op je kop staan. Zelfs als de Kabcar hervormingen door zou voeren zou de adel in opstand komen en hem afzetten. Is dat zo moeilijk te begrijpen?'

'En is die adel zoveel anders dan de Tarpolers hier, excellentie?' Norina grijnsde. De landvoogd was in de val getrapt. 'U staat tegenover dezelfde problemen die u zojuist voor de Kabcar beschreef. Nietwaar? En u redt het toch ook?'

'Dat moeten we maar afwachten,' temperde de gouverneur haar conclusie, geërgerd dat de jonge vrouw hem te slim af was geweest. 'Ik heb geen zin meer in deze discussie.'

'Neem me niet kwalijk, maar is het echt nodig om er zo'n vaart in te zetten?' probeerde de lijfwacht voor de tweede keer. 'Er zitten overal kuilen en ik vraag me af of de assen dit houden.'

'Als u geen argumenten meer hebt, wilt u niet meer discussiëren. Zo is het toch, excellentie?'

'Nee.' Wanhopig zocht Lodrik naar een weerwoord. 'Ik eh... ik vind het juist leuk om met je te discussiëren, maar niet vanuit het zadel. Vanavond kunnen we wel verder praten, als je wilt.'

Ze kneep haar ogen halfdicht en remde een beetje af. 'Ik verheug me erop, excellentie.'

Verslagen liet de landvoogd zich naar Stoiko terugzakken.

'Een harde dobber, heer?' vroeg de raadsman geamuseerd.

'De eerste ronde is voor haar,' zuchtte Lodrik, met mondhoeken die tot op zijn stijgbeugels hingen. 'Ze is een gevaar voor Tarpol met haar theorieën. Je had haar moeten horen.'

Stoiko lachte. 'Ik heb haar gehoord, en ik moet zeggen dat de jongedame u aardig te pakken had. Ze weet goed haar mondje te roeren.' Hij liet zijn stem dalen en fluisterde op samenzweerderige toon: 'Onder ons gezegd, u zou met haar moeten trouwen zodra u Kabcar bent.'

'En de revolutie het paleis binnenhalen, of hoe had je je dat voorgesteld?' vloog de troonopvolger op. 'Met al haar geld zou ze heel Tarpol tegen me kunnen opzetten.'

'Aan de andere kant kunt u haar dan makkelijker onder de duim houden, heer. En dan was ze altijd aan uw zijde. U bent toch ook op een andere manier in haar geïnteresseerd, meer dan u voor mij en anderen verborgen kunt houden, of vergis ik me?'

'Ook al heeft ze de scherpste tong die ik ooit heb gehoord, toch heeft ze ook andere kwaliteiten, die ik erg in haar bewonder.'

'Ja, een knap smoeltje. En vooral dat kleine litteken op haar slaap geeft haar iets stoers, alsof ze een gevecht niet uit de weg gaat,' zei Stoiko dromerig. 'Toen ze u nog niet had herkend en naar die dolk greep, zag dat er best dreigend uit.'

'Ik had het niet over haar schoonheid,' bromde de gouverneur. 'Ze is eerlijk en ze zegt wat ze denkt. Dat stel ik op prijs.'

'Tsja, wat heb je aan schoonheid als een vrouw zo vals is als een slang?' merkte de raadsman op. 'En bij die vergelijking met uw achternicht doe je de slang nog onrecht, als ik zo vrij mag zijn.'

'Ik hoop dat ze met een eenvoudige ambtenaar zal trouwen,' zei Lodrik. 'Ik had mijn vader nog snel een bericht moeten sturen om een heel bescheiden huwelijk voor haar te regelen.'

'Dat zal niet gebeuren,' meende Stoiko. 'Dit huwelijk moet een definitieve band smeden tussen Tarpol en de baronie. Het mag geen excuus voor verwijdering zijn. Ik denk dat kolonel Mansk de gelukkige wordt.'

De landvoogd snoof. 'Mij best. Hij heeft niets beters verdiend, met zijn idee om mij naar Granburg te sturen.'

'U wilt toch niet zeggen dat het u hier niet bevalt, met dit prachtige uitzicht?' De raadsman keek weer naar Norina. 'En u hebt hier meer geleerd dan ik of uw andere leraren u in Ulsar hadden kunnen bijbrengen. Om nog maar te zwijgen over al die meer of minder gevaarlijke avonturen.'

'Dat is wel waar,' mompelde Lodrik, en hij legde zijn hand tegen zijn borstkuras, ter hoogte van de amulet.

Aan de horizon doemden de muren van de boerderij op en de dieren zetten er zelf de sokken in omdat ze de stal roken.

Terwijl de gouverneur zich door Stoiko nog een paar adviezen liet geven voor het vervolg van de discussie met de dochter van de brojak, reed de stoet de binnenplaats op.

Miklanowo loodste de jongeman meteen na het afstijgen naar de grote salon en dwong hem de belofte af dat hij in geen geval in de keuken zou komen om iets te zien van de voorbereidingen van het feestmaal.

Met enige tegenzin stemde de landvoogd toe. Hij maakte van de gelegenheid gebruik om zich schijnbaar in de boekenverzameling van de vriendelijke herenboer te verdiepen. In werkelijkheid bekeek hij achter een van de dikke, opengeslagen boeken het sieraad dat hij van zijn nachtelijke bezoekers had gekregen.

Het hele oppervlak van de amulet was voorzien van een donkere oranje bovenlaag. Slechts hier en daar lichtte het metaal zwart op als de zon erop viel. De schaarse heldere inscripties hadden een zilveren glans.

De donkere steen in het midden van het kleinood, zo groot als een oog, wisselde in een rustgevend ritme van licht naar donker, pulserend als een langzaam kloppend mensenhart.

Nieuwsgierig draaide Lodrik het sieraad om en ontdekte nog een paar vervuilde inscripties, die een veel eigenaardiger patroon hadden dan de versieringen op de voorkant. Als het lettertekens waren, dan zeiden ze de jongeman niet veel. Misschien was het de taal van de Modrak.

De Modrak, zoals hem tijdens de rit plotseling te binnen was geschoten, behoorden tot het rijk der fabelen. Ze hadden niets met de moerasmonsters van doen, maar golden als raadselachtige wezens die – als hij het zich goed herinnerde – de nabijheid van mensen opzochten zonder met hen in contact te treden.

De Modrak werden maar bij één schrijver vermeld, daarom had het zo lang geduurd voordat hij ze had kunnen plaatsen. Volgens de auteur zouden de schepsels zich voeden met de slechte emoties van de mensheid. Woede, agressie, angst, wanhoop, haat, ruzie en strijd vormden het favoriete voedsel voor de Modrak, reden waarom ze tegenwoordig niet meer zo vaak werden gesignaleerd als in de tijd van Sinured.

Voorzichtig legde Lodrik de amulet op tafel en streek er peinzend met zijn vinger overheen.

Waarom hadden de Modrak dit voorwerp juist aan hem gegeven? Wat moest hij ermee? Zou hij in Granburg zoveel haat opwekken dat de wezens konden terugkeren? Verstonden ze dat onder 'betere tijden'? En waarom zou hij hun hulp nodig hebben?

Allemaal vragen waarop de troonopvolger geen antwoord had.

Hij besloot zo min mogelijk onvrede en tweedracht te zaaien, maar met zijn hervormingen de mensen in de provincie juist gelukkiger te maken. Waar tevredenheid heerste, hadden die griezelige wezens met hun gloeiende ogen niets te zoeken, omdat er geen voedsel voor ze was. Hij twijfelde alleen nog of hij de amulet moest bewaren of niet.

'*Beken en rivieren in Granburg*,' las Waljakov de titel van het dikke boek.

Lodrik schrok op en probeerde een geïnteresseerd gezicht te trekken.

'Echt onvoorstelbaar hoeveel waterwegen er hier zijn. En allemaal hebben ze hun eigen historie en verhalen,' verklaarde hij snel. 'Waarom sluip je altijd zo stilletjes binnen?'

'Ik heb drie keer geklopt, heer. Maar nu begrijp ik waarom u niet reageerde. Het lijkt me knap lastig om een boek op zijn kop te lezen.'

De gouverneur knipperde met zijn ogen. 'Wat?'

'Uw boek, heer.' De lijfwacht legde zijn mechanische hand op de bovenkant van het dikke deel. 'Het ligt op zijn kop, voor het geval u dat nog niet had gemerkt.'

'Ik keek net naar een tekening die verkeerd ingebonden was,' loog hij koelbloedig, terwijl hij de randen van het boek greep om te voorkomen dat Waljakov zijn scherm zou wegtrekken en de amulet zou zien.

'Zoekt u iets over de Modrak? Stoiko zei dat u die naam had geroepen.'

'Ja. Ja, precies. Ik zocht de Modrak,' maakte Lodrik haastig gebruik van de onverwachte uitweg. 'Ik hoorde in het laatste dorp een paar mensen over een beek met die naam praten, en onderweg herinnerde ik me dat weer. Ik weet ondertussen zoveel over de provincie, maar de rivieren en beken zijn nog een witte vlek. Daar wilde ik iets aan doen.'

'Het interesseert u nogal.' De lijfwacht scheen het leugentje te geloven en de landvoogd slaakte een onhoorbare zucht van opluchting. 'Wat ik nog vragen wilde, heer: hebt u vannacht niet goed geslapen? Miklanowo vertelde me over die merkwaardige wezens die zo nu en dan voorbij schijnen te komen.'

'Ja, dat zei hij ook tegen mij, maar ik heb niets bijzonders gezien. Waarschijnlijk hadden ze te veel ontzag voor jouw mannen, oude ijzervreter,' probeerde de jongeman een luchtige toon aan te slaan. 'Ik zou ze graag eens van dichtbij hebben bekeken.'

'Net als die kullak toen, die u bijna had verslonden?'

'Wat een onzin, Waljakov.' Lodrik maakte een afwerend gebaar. 'Sindsdien kan ik heel wat beter met een sabel overweg, zoals je zelf al zei. Ik had me wel kunnen verdedigen.'

'Moet u niet verder bladeren? U kent die tekening wel uit uw hoofd.'

'Ik wil er nog even op studeren. Bovendien lees ik liever in mijn eentje.'

'Ik begrijp het, heer. Als ik niet mag zien wat u achter dat boek verborgen houdt, ga ik maar weer.' De lijfwacht draaide zich om en verdween.

De landvoogd vergewiste zich ervan dat de gespierde militair werkelijk was vertrokken voordat hij de amulet haastig weer onder zijn borstschild stak, het boek dichtsloeg en terugzette in de kast.

'Hij merkt ook werkelijk alles,' mompelde Lodrik, verbaasd over de opmerkingsgave van de man.

Een diep gerommel klonk uit zijn maag. Hopelijk zou het feestmaal snel beginnen, want hij kreeg steeds meer honger. 'Zelfs een stoofpot zou er wel in gaan,' zei hij bij zichzelf.

Na bijna anderhalf uur werd de gouverneur door zijn Granburgse gastheer uit de salon opgehaald en naar zijn kamer gebracht om zich nog even op te frissen voordat het feest begon.

Terwijl Lodrik zich met water en zeep een snelle wasbeurt gaf om zich daarna in het officiële grijze uniform van zijn functie te hijsen, luisterde hij naar de geluiden van buiten.

Hij hoorde mensen lachen en praten. Muziekinstrumenten werden gestemd. De jongeman meende violen en gitaren te herkennen, en heel even de klanken van een trekharmonica, toen een muzikant vingeroefeningen deed.

Opeens zweefde de lucht van gebraden vlees naar binnen en kreeg Lodrik heerlijke visioenen van een sappig gegrilde os.

Met gezwinde spoed legde hij zijn sjerp om, gespte zijn koppelriem vast en streek de laatste kreukels uit de stof.

Voor de deur wachtten Stoiko en Waljakov, die zich ook op hun paasbest hadden uitgedost.

De lijfwacht maakte indruk als altijd, een reus van pezen en spierbundels, met die bekende, bijna boosaardige uitdrukking op zijn gezicht. Weinig mensen konden vermoeden dat het karakter van de man ook zijn milde kanten had.

Stoiko wist ook wel dat hij naast die imposante figuur geen kans had, dus gooide hij het over een andere boeg en probeerde met een geamuseerd lachje een soort contrast met de lijfwacht te vormen.

'Uwe excellentie ziet er prachtig uit,' prees de raadsman.

'Het uniform zit nog wat te krap, maar het ziet er heel wat beter uit dan een paar weken geleden.' Waljakov trok de stugge kraag recht.

'Te krap? En dat zeg jij?' Stoiko draaide zich om en klopte hem op zijn bovenarmen, die bijna uit de mouwen van zijn uniform knapten. 'Zoek maar een hoek om rustig tegenaan te leunen, anders barst je nog uit je kleren als je een arm optilt.'

'Ik wil jullie niet storen,' zei Lodrik toen hij tussen hen door liep, 'maar ik sterf van de honger. Dus ik ben onderweg naar de plek waar eindelijk iets te eten is voor de op één na belangrijkste man in Tarpol.'

'En voor mensen die iets minder belangrijk zijn?' vroeg de raadsman grijnzend, toen hij achter de troonopvolger aan liep. Waljakov sloot de rij.

Miklanowo ving het drietal stralend van vreugde bij de ingang op. 'Aha, gouverneur. Ik wilde u al komen halen.'

'Niet nodig. Ik kom op de heerlijke geuren af. Ze brengen mijn maag tot waanzin.'

'Des te groter mijn genoegen dat ons kleine feestmaal ter ere van de koninklijke landvoogd eindelijk kan beginnen.' Met een zwierig gebaar opende de brojak de deur. 'Heren, de gouverneur van Tarpol, hara¢ Vasja.'

Nauwelijks was de jongeman met een onzeker lachje de eetkamer binnengestapt toen de muziek inzette.

Het was geen Tarpoolse militaire mars, geen klassiek thema of volksliedje, maar veel sneller, temperamentvoller en warmbloediger dan de landvoogd ooit had gehoord.

Strijkstokken flitsten over snaren, vingers dansten over de toetsen van een trekharmonica en een vrouw sloeg met een tamboerijn een ritme waarbij niemand zijn voeten stil kon houden.

'Kom, dan zal ik u naar uw plaats brengen, excellentie.' De brojak pakte zijn elleboog en loodste Lodrik langs een grote tafel met alle gasten op een verhoging. Ze bogen voor hem toen hij voorbijkwam.

Er was een plaats voor hem vrijgehouden aan het hoofd van de minstens tien meter lange tafel. Stoiko kwam links van hem te zitten, terwijl de lijfwacht zich achter de stoel van zijn beschermeling opstelde.

'Mag ik u mijn gasten voorstellen, excellentie?' Miklanowo dook rechts van hem op en werkte de hele rij af. Niet alle namen drongen meteen tot de landvoogd door, maar hij besefte wel dat er maar weinig hoge adel aanwezig was. De meeste mensen aan tafel waren pachters, middelgrote boeren en een paar echt rijke brojaken.

Eén voor één toostten ze met hem en gingen weer zitten zodra hun naam was genoemd, met een korte beschrijving van hun achtergrond.

Lodrik nam de gasten scherp op, maar bij niemand kon hij enige vijandigheid bespeuren. Waarschijnlijk zaten hier zijn beste bondgenoten in de provincie voor zover het zijn maatregelen tegen de rest van de elite betrof.

Hij dacht terug aan zijn discussie met Norina, die naast haar vader zat. Met een huivering herinnerde hij zich wat voor veranderingen zij had voorgesteld. Maar stel dat haar ideeën helemaal niet zo slecht waren? Wat meer gelijkheid, daar raakte hij van overtuigd, zou het land misschien geen kwaad doen.

Na een eeuwigheid kwam er een einde aan de introductie en beduidde zijn gastheer dat er een kleine speech van de gouverneur werd verwacht.

Daar had Lodrik op gerekend, en hij had zijn tekst al klaar toen hij opstond.

'Heren, voor zich ziet u een jonge man die zich in de bijzondere positie bevindt om in de bloei van zijn jeugd het gezag te hebben over een provincie die hem niet uitsluitend welwillend tegemoet is getreden. De meesten denken waarschijnlijk nog dat ik deze post heb gekregen omdat mijn vader zaliger een hoge functionaris aan het hof van de Kabcar was. Toch denk ik dat ik het een en ander heb gedaan om de mensen hier van het tegendeel te overtuigen. Mijn voorganger heeft jarenlang zijn van de Kabcar verkregen functie misbruikt om het gewone volk uit te buiten en de pachters onnodige extra heffingen op te leggen.' Hij zweeg een moment en liet zijn blik over de gasten dwalen. Ze hingen allemaal aan zijn lippen en wachtten vol spanning op wat er komen ging. 'Al sinds mijn aantreden, dat iedereen nogal verraste, heb ik geprobeerd iets aan dit onrecht te veranderen. Maar ik sta tegenover een netwerk van intriges onder een groot deel van de adel die met Jukolenko is bevriend. Toch geef ik het niet op, want niet alleen heb ik trouwe kameraden bij me...' – hij keek even naar Stoiko en Waljakov – 'maar ook heb ik in Granburg nieuwe, goede vrienden gevonden, zonder wie ik het nooit zou hebben gered.' Hij knikte naar Miklanowo. 'Deze man is van onschatbare waarde voor alle goedwillende burgers van Granburg, en ik hoop dat hij me nog vele nuttige adviezen zal kunnen geven. Met zijn hulp zal ik niet rusten voordat er gerechtigheid heerst in Granburg, zoals dat in de Tarpoolse wet voor alle onderdanen is vastgelegd.' Hij hief zijn beker. 'Op de Kabcar en het koninkrijk. Mogen ze allebei nog heel lang bestaan.'

De gasten sloten zich daarbij aan, leegden hun bekers en betoonden hun bijval door ermee op de tafel te slaan.

'En waar blijft dat eten nou?' riep iemand. Iedereen lachte, de muziek zette weer in en de schalen werden binnengebracht.

Lodrik ging zitten en nam nog een slok uit zijn kroes. Zijn hand trilde van opwinding.

'U wordt steeds beter, heer,' zei Stoiko, en hij schepte groente op een bord dat hij de landvoogd aanreikte. 'Het zal niet lang meer duren voordat u een hele menigte kunt toespreken.'

'Ik zou van de zenuwen geen woord kunnen uitbrengen,' zei de jongeman en hij klemde zich met twee handen aan de rand van de tafel vast. 'Het ergste is nog wel dat ik helemaal geen trek meer heb.'

'Ach, heer, u weet toch dat de trek met het eten komt?' De raadsman schoof een stuk gebraden vlees op zijn bord, met wat andere lekkernijen. En het duurde inderdaad niet lang voordat de geuren de landvoogd toch in verleiding brachten.

Even later was er geen kruimel meer op zijn bord te vinden en leunde Lodrik achterover in zijn stoel, terwijl hij tevreden boerde.

'Als u in het bos zo'n geluid liet horen zou u per vergissing als wild zwijn zijn neergeschoten,' merkte Waljakov op, die onbeweeglijk als een soldatenstandbeeld achter Lodriks stoel stond.

'Ik zal vast wel lekker smaken,' zei de jongeman, en hij spoelde met een eenvoudige maar goede landwijn de laatste restjes weg.

Hij keek een tijdje naar de muzikanten, in een hem onbekende klederdracht, die met een ongelooflijke snelheid en nog grotere behendigheid hun vingers over snaren, trommels, toetsen en klankgaten lieten glijden.

'Miklanowo, waar komen die mensen vandaan? Ik heb hun klederdracht nog nooit gezien en hun muziek nooit eerder gehoord.'

'O, dat zijn goede vrienden uit Borasgotan, die elk jaar in de oogsttijd komen helpen om het graan van het land te halen. Dagloners, die gelukkig ook nog uitstekende muzikanten zijn. Ik hoop dat u ervan geniet?'

'Heel erg.' Onder de tafel tikte de landvoogd met zijn voeten in de maat. 'Wat voor dans is dit?'

'Norina, wil je zijne excellentie de passen laten zien?'

Lodrik werd knalrood. 'Ik wilde zelf niet dansen! Daar ben ik heel slecht in.'

Met enige schrik zag hij dat de knappe jonge vrouw al met een lachje was opgestaan en een buiging voor hem maakte. 'Mag ik de eer, excellentie?'

'Daar ga je spijt van krijgen,' voorspelde de landvoogd zachtjes. 'Ik trap je alleen maar op je tenen. Ik kan echt niet dansen.'

'De passen zijn zo eenvoudig dat iedereen ze kan leren, excellentie. Zelfs u. Let goed op.' Ze bewoog zich op de maat van de muziek, terwijl Lodrik naar haar voeten keek en probeerde haar passen te onthouden, wat hem gelukkig redelijk snel lukte.

'En verder?'

'U legt uw handen op mijn heupen, ik leg mijn handen op uw schouders, en dan doen we de passen samen,' antwoordde ze.

Aarzelend pakte hij haar vast zoals ze had gezegd, en voordat hij nog iets vragen kon trok Norina hem al mee.

Aanvankelijk strompeldeLodrik zo'n beetje achter haar aan, maar toen kreeg het aanstekelijke, wilde ritme hem te pakken. Steeds sneller draaiden ze rond en dansten ze op de tonen die de dagloners uit hun instrumenten toverden. Had de dochter van de brojak eerst nog geleid, bij het derde nummer nam de gouverneur de leiding over en toonde zich een redelijke danser.

'Zullen we even pauzeren, excellentie?' vroeg Norina op een gegeven moment buiten adem. Haar enigszins amandelvormige ogen glommen van plezier in het licht van de fakkels en het aangestoken haardvuur. Zweetdruppeltjes parelden op haar voorhoofd.

'Hoezo? Ik heb de mooiste vrouw van heel Ulldart in mijn armen. Waarom zou ik dan ophouden met dansen?' riep Lodrik uitbundig, en hij zwierde gevaarlijk door de bocht.

'Dat moet u niet zeggen, anders ga ik me nog wat verbeelden,' lachte ze. Haar zwarte haar danste door de lucht en streek aangenaam kriebelend langs de wangen van de landvoogd.

De muzikanten hadden zichtbaar plezier in de inspanningen van de dansparen en verhoogden het tempo nog wat. De tamboerijn hitste de paren op, maar Lodrik en Norina gaven geen krimp.

Een ander paar kon niet meer op tijd uitwijken en een botsing was onvermijdelijk.

Op het nippertje wist de jonge gouverneur zijn evenwicht te bewaren, maar de dochter van de brojak struikelde, viel tegen hem aan en klemde haar armen om zijn hals om niet te vallen.

Hij voelde de hitte van haar lichaam door de stof van zijn uniform heen, keek in haar donkere ogen en hoorde de overmoedige, vrolijke lach van de jonge vrouw.

In een opwelling boog hij zich naar voren en drukte haar een lange kus op haar mond. Toen liet hij haar los, geschrokken van zijn eigen moed, en wachtte op de knallende oorvijg die hij voor zo'n brutaliteit verdiend had.

Maar de klap bleef uit.

Norina keek hem aan, maar ze lachte nog steeds. 'U bent echt veranderd, excellentie. Opeens kunt u complimentjes maken en waagt u een kus, onder het oog van alle gasten. Doet u dat bij alle dames met wie u danst?'

'Ik... nee. Alleen bij jou. Nee, ik bedoel...' stamelde hij, hevig blozend. Met een diepe buiging mompelde hij een verontschuldiging. 'Ik kan je beter naar je plaats terugbrengen. Je wilde toch al pauzeren.'

'Dank u, excellentie. En als u me nog eens wilt kussen, kunt u me beter eerst om toestemming vragen, ook al bent u dan de plaatsvervanger van de koning.'

De rest van het gezelschap scheen niets van het voorval te hebben gemerkt. De dansers zwierden nog altijd rond, de andere gasten klapten in de maat mee of praatten op enige afstand in kleine groepjes over de Granburgse politiek en alledaagse zaken.

'Leuk gedanst?' vroeg Miklanowo toen Lodrik met zijn dochter bij de tafel terugkwam.

'Zijne excellentie heeft meer aanleg dan hij zelf dacht, ook al maakte hij aan het eind een misstap,' antwoordde het meisje en ze schonk zich een beker wijn in.

'U bent helemaal rood van al dat dansen, heer,' lachte Stoiko fijntjes. 'Het zal wel vermoeiend zijn.'

'Zeker, maar ik heb ervan genoten,' antwoordde Lodrik kort en hij sloeg een borrel achterover. Daarna vulde hij zijn kroes met water. 'Van die misstap heb ik spijt, maar die was op dat moment niet te vermijden.'

Een luid gesis, gevolgd door een geweldige vuurtong, trok de aandacht van het gezelschap. Een van de muzikanten had zijn instrument verruild voor een fakkel en een drinkzak, waaruit hij iets in zijn mond nam.

'Een vuurspuwer!' riep de gouverneur verrast. 'Ik wist niet dat u ook artiesten had uitgenodigd.'

'Mijn landarbeiders zijn heel veelzijdig. Vuurspuwers, jongleurs, verhalenvertellers, handlezers... Er zitten allerlei talenten bij.'

Weer schoot er een straal vuur door het donker. Lodrik kon de hitte voelen.

In alle rust legde de man de brandende fakkel op zijn tong en sloot zijn mond. Een paar ogenblikken later blies hij donkere rookwolken uit zijn neus, nam het gedoofde hout weer uit zijn mond en maakte een buiging voor de stomverbaasde toeschouwers.

'Wilt u niet weten hoe uw toekomst eruitziet?' vroeg een van de gasten aan de gouverneur. 'Het zou toch handig zijn als u een verrassing al van tevoren zou zien aankomen.'

'Ik geloof niet in dat soort kunsten,' zei Lodrik afwijzend. 'Er is niemand die het lot van een ander kan voorspellen.'

'Dan vergist u zich toch ernstig, excellentie.' De man keek hem samenzweerderig aan. 'Ik kan u verzekeren dat Fatja mij een paar dingen heeft verteld die later letterlijk zijn uitgekomen.'

'Dan heeft ze daar zelf voor gezorgd, neem ik aan. Het was zeker een voorspelling van diefstal?' mengde Waljakov zich in het gesprek. 'Ik ken die charlatans. Ze hebben maar één talent: andere mensen geld uit de zak kloppen met hun raadselachtige verhalen. De enigen die werkelijk over een goddelijke gave beschikken zijn de cerêlers.'

'Nu doet u mijn mensen toch onrecht,' verdedigde Miklanowo zijn vrienden. 'Ik heb ook dingen gehoord die later echt zijn gebeurd.'

'Diefstal en verdwenen geld, zoals ik al zei.' De lijfwacht liet zich niet van zijn stuk brengen. 'Huwelijken en tragische sterfgevallen zijn ook heel geliefd – omdat ze maar zo zelden voorkomen.'

'Je hebt zeker slechte ervaringen met waarzeggers?' merkte Stoiko op.

'Ik niet, maar een heleboel mensen die ik ken wel.'

'Neemt u eens de proef op de som,' raadde de brojak hem aan. 'Het kost u niets, excellentie. U hoeft alleen maar te luisteren.'

'Ik ben wel een beetje nieuwsgierig geworden, dat geef ik toe.' Lodrik stond op. 'Waar vind ik die dame?'

'Kom maar mee. Ik geloof dat ze in de slaapschuur is.' De Granburgse gastheer ging voorop, gevolgd door de gouverneur, Stoiko, Waljakov en Norina.

Ze liepen de gemeenschappelijke ruimte door naar de grote slaapzaal, waar de brojak bleef staan. 'Ik zal even kijken of ze tijd heeft, excellentie. Eén moment.'

Hij verdween en kwam even later terug. 'Ze is er klaar voor.'

Het groepje stapte naar binnen en ontdekte na enig speuren een meisje van hooguit twaalf, dat achter het raam naar de opkomende manen keek.

Haar haar glinsterde zilver in het schijnsel, haar gezichtje stond ernstig en leek heel volwassen voor haar leeftijd. Ze droeg een eenvoudige linnen jurk en slofjes, en aan haar rechtermiddelvinger blonk een ring.

Toen ze naar haar toe kwamen maakte ze een lichte buiging. 'Het is me een eer de gouverneur van Granburg te ontmoeten.'

'Aangenaam,' antwoordde Lodrik. 'Ik denk dat we je moeder zoeken, kind. Weet je waar we Fatja kunnen vinden?'

'Ik ben Fatja,' stelde ze zich voor. Miklanowo en Norina grijnsden.

'Ik zou graag wat over mijn toekomst willen weten,' begon Lodrik, die zijn verbazing niet liet blijken. Maar de lijfwacht maakte een laatdunkend gebaar.

'Het wordt steeds mooier. Nu gebruiken ze al kinderen voor hun bedrieglijke praktijken,' stelde hij korzelig vast. 'Heer, ik weet niet of het een goed idee is u door een meisje de hand of wat dan ook te laten lezen.'

'Meestal lees ik mensen niet de hand, maar kijk ik ze in de ogen.' Ze tilde haar hoofd op en keek Waljakov strak aan. 'Die van u zijn heel interessant. Ze verbergen veel geheimen.'

'Je houdt hier ogenblikkelijk mee op, anders zul je wat beleven.' Zijn mechanische hand gaf een ruk aan zijn sabel. 'Niemand leest mijn gedachten als ik dat niet wil.'

'Waarom wind je je dan zo op?' vroeg Stoiko verbaasd. 'Ik dacht dat het allemaal bedrog en flauwekul was?'

'Ze werkt op mijn zenuwen,' bromde de militair verontschuldigend.

'Maar ik ben heel benieuwd wat ze in míjn ogen leest.' De gouverneur ging tegenover haar zitten.

'Ik wil u wel iets vertellen, maar zonder toeschouwers, excellentie. Niemand mag zijn toekomst aan anderen verraden.' Fatja keek afwachtend rond. De eerste die zich verroerde, tot ieders verbazing, was Waljakov. De anderen volgden.

'Als die heks rare dingen doet, waarschuw me dan, heer,' riep de lijfwacht bij de deur. Haastig trok hij zijn hoofd terug toen hij het meisje zag kijken.

'Sinds wanneer kun jij het lot van anderen voorspellen?' wilde Lodrik weten.

'Sinds ik praten kan, excellentie. Ik weet ook niet hoe het kan. Misschien is het een gave van Ulldrael.'

'Is het magie?'

Ze schudde haar hoofd. 'Er is geen magie meer op Ulldart, afgezien van de talenten van de cerêlers, dat weet u ook.' Fatja keek in zijn blauwe ogen. 'En wilt u nu stil zijn? Denk maar aan niets. Ik zal zien wat de toekomst u brengen gaat.'

Hij staarde in haar ondoorgrondelijke pupillen en voelde een geweldige zuigkracht, die alle gedachten uit zijn hoofd leek te trekken. Op een gegeven moment zag hij alleen nog het zwart van haar ogen en dacht hij nergens meer aan. Een innerlijke leegte breidde zich uit, en hij gaf zich eraan over. Het was een heel vreemd en licht gevoel. Hij zweefde en zweefde, totdat...

'Excellentie? Excellentie, kunt u me horen?' Het meisje schudde hem zachtjes bij zijn schouder.

Lodrik had enkele seconden nodig om weer in de wereld terug te keren. Verward keek hij om zich heen.

'Is dat normaal als jij de toekomst voorspelt, dat iemand zich dan zo raar voelt? Alsof ik dronken was.' Hij sloot zijn ogen en legde zijn hoofd in zijn nek. 'Heel bijzonder. En hoe ziet mijn toekomst eruit?'

Fatja schraapte haar keel. 'U wordt de opvolger van een heel grote, gevreesde vorst en u zult over veel onderdanen regeren. U krijgt veel kinderen – één van de vrouw van wie u houdt, drie van de vrouw die u veracht en één van wie u niet zult weten dat het van u is.'

'Heel interessant.' Lodrik keek haar aan met duidelijke nieuwsgierigheid. 'En verder? Zal ik een goede vorst zijn, net als mijn... als de Kabcar? En hoe oud zal ik worden?'

'Dat weet ik niet, excellentie,' antwoordde de vermoeide waarzegster. 'Ik heb niet zoveel kunnen zien. Er is iets aan u dat mijn waarneming stoort. Maar dat geeft niet, want er zijn ook mensen bij wie ik helemaal niets kon zien.'

'Is dat echt alles wat je weet? Dat valt wel een beetje tegen.'

'U zult een groot heerser zijn, die met succes tegen zijn buren strijdt en ze terugslaat,' verklaarde Fatja na een tijdje. Ze aarzelde. 'U zult onverwachte hulp krijgen bij uw plannen. Maar ik zie ook een voortdurende bedreiging van een macht die u omgeeft en u naar het leven staat, excellentie. Als die macht erin slaagt u te doden, vervalt alles wat ik u over uw kinderen en de rest van uw toekomst heb voorspeld.' Ze pakte zijn arm. 'Nog één ding. Een man in uw naaste omgeving is niet wat hij beweert te zijn. Dat moet ik u nog meegeven.'

'Dank je, Fatja.' De gouverneur stond op. 'Waar kan ik je vinden als ik je gave nog eens nodig heb?'

'Laat het hierbij, excellentie. Als de toekomst niet meer wil prijsgeven, zal ze dat bij een tweede poging ook niet doen, geloof me.' Ze stond ook op en maakte een knicks. 'Het spijt me dat ik u niet meer kon vertellen.'

Lodrik stapte naar buiten, waar zijn vrienden wachtten.

'En? Tevreden met uw toekomst?' Stoiko keek nieuwsgierig.

'Dat weet ik nog niet,' zei de landvoogd peinzend, en hij liep hen voorbij.

Waljakov en Miklanowo probeerden niets te laten blijken, maar heimelijk hoopten ze allemaal dat de landvoogd toch iets van zijn lot bekend zou maken, voor zover de kleine Fatja het hem had verteld.

Maar de jongeman zweeg hardnekkig en begaf zich in het feestgedruis om lastige vragen te ontlopen.

Fatja beheerste zich tot de gouverneur van Granburg de kamer had verlaten, maar toen stortte ze in. Met haar laatste krachten liet ze zich op de vensterbank zakken, leunde tegen de koele muur en steunde haar hoofd in haar handen.

Ze had beelden gezien van een onvoorstelbare gruwelijkheid, beelden om gek van te worden.

In haar visioenen zag ze grote, oude, halfverwoeste oorlogsschepen, die zich door het water sleepten, en genadeloze, van haat vervulde soldaten, die moordend en plunderend over ooit bloeiende vlakten trokken en alles neermaaiden wat op hun pad kwam. Een prachtige vrouw met de afschuwelijkste ogen die Fatja ooit had gezien, voerde het bevel over de troepen, terwijl een knappe jongeman in een ring van glinsterende energie stond en met zijn purperen adem een dorp in de as legde. Moeders en kinderen werden met een grote knuppel doodgeslagen door een lachende, mismaakte, kreupele reus in een prachtige wapenrusting, en boven alle gebeurtenissen uit gloeiden de reusachtige ogen van Tzulan. Wat de gouverneur hier ook mee te maken had, deze toekomst zou verdriet en rampspoed brengen over het hele continent.

Langzaam herstelde ze een beetje, maar het tafereel had zich onuitwisbaar in haar geheugen geprent.

'Wat heb je gezien, kleine vrouw?' hoorde ze een fluisterstem in haar gedachten.

Geschrokken keek ze op en ze zag een schraal menselijk wezen met een bleke huid en een afstotelijke kop, dat geruisloos op de vensterbank was neergedaald. Op zijn rug had hij een paar machtige, leerachtige vleugels en zijn oogkassen gloeiden purperrood. Zijn gespannen houding verried zijn alertheid om onmiddellijk op elke beweging van het meisje te kunnen reageren.

'Wat heb je gezien, kleine vrouw?' herhaalde het schepsel loerend.

'Wat wil je?' Een ijzige angst maakte zich van Fatja meester. Dit was een van de Waarnemers, aan wie het Borasgotanische volk verschrikkelijke krachten toeschreef.

'Dus je hebt het lot van onze hoge heer ontdekt?' fluisterde de stem dreigend in haar hoofd. 'Vertel niemand wat je hebt gezien, anders zullen we je vinden en vermoorden. We zullen je ziel roven en verslinden, je lichaam schenden en je hele familie vernietigen als je maar één woord zou verraden, kleine vrouw.'

De Waarnemer strekte een klauw naar haar gezicht uit en streelde haar zacht langs haar slaap en over haar wang, tot aan haar hals. De centimeter lange nagel bleef met een zachte druk op haar keel rusten. 'Nergens ben je veilig voor ons, kleine vrouw, vergeet dat nooit.' Met zijn andere klauw trok hij haar een plukje haar uit. 'Daarmee zullen we je vinden, overal.'

Fatja knikte haastig. 'Ik zal het aan niemand vertellen, dat beloof ik jullie.'

'Vannacht nog zul je van de boerderij vertrekken, terug naar Borasgotan of waarheen je maar wilt,' beval de Waarnemer met zijn gedachtespraak, terwijl hij zijn afschuwelijke gezicht vlak bij het hare bracht.

Zijn oogkassen pulseerden in het donker en verlamden alle

verzet dat het meisje had kunnen opbrengen. De lucht van verrot vlees walmde haar tegemoet toen het wezen zijn dubbele rij messcherpe tanden ontblootte, die als dodelijke, smerige zwarte pieken in zijn stinkende muil staken.

'Wacht niet te lang, kleine vrouw.' De vleugels vouwden zich open en droegen het schepsel de nacht in.

Haastig sprong Fatja van de vensterbank, pakte wat spulletjes en haar kleren in een leren buidel en stapte uit het raam, om geen gasten tegen te komen die vragen konden stellen.

Ze wilde alleen nog weg van hier, en snel. Weg van deze schepsels en weg van de gouverneur, die banden had met machten waarmee zij niets te maken wilde hebben.

Fatja rende door het donker, terwijl ze in haar hoofd nog steeds het gefluister van de Waarnemer meende te horen.

De volgende dag begon de terugreis naar de residentie van de gouverneur. In alle vroegte pakten Lodrik en zijn gevolg hun zaken in, om nog voor de broeierige hitte van de middag een flink eind te kunnen rijden.

De landvoogd bedankte Miklanowo uitvoerig voor het feest en het uitstapje vanuit de hoofdstad, dat een welkome afwisseling van zijn dagelijkse beslommeringen en intriges was geweest.

Met een voorwendsel maakte de jongeman zich uit het groepje los om persoonlijk afscheid te nemen van Norina. Hij vond haar in de salon, verdiept in een boek.

Lodrik hoestte zacht, om haar aandacht te trekken.

De dochter van de brojak keek op en fronste haar voorhoofd. Hij zag dat hij stoorde.

'Wat kan ik voor uwe excellentie doen?' Ze klonk nors, afwijzend. De moed zonk hem in de schoenen.

'Ik wilde afscheid van je nemen, Norina,' zei hij, en hij kwam dichterbij. 'Ik heb genoten van de feestavond gisteren. Vooral van onze dans.'

'U hebt zich goed geweerd, excellentie,' zei ze, wat vriendelijker nu. 'En nu rijdt u weer terug naar uw paleis om zich om de belangen van de provincie te bekommeren. Vergeet mijn goede raad niet.'

'Dat zal ik zeker niet doen.' Hij schraapte al zijn moed bijeen. 'En jou zal ik ook niet vergeten.' Opeens kreeg hij een ingeving. Snel haalde hij de amulet onder zijn borstkuras vandaan. 'Ik wilde je iets geven. Het moet geluk brengen en je tegen gevaren beschermen.'

Nu keek ze echt verbaasd. 'Maar dat was toch niet nodig, excellentie.' Ze nam het sieraad in haar hand en bekeek het uitvoerig. 'Ik ben er heel blij mee. Dank u, excellentie. Het is een heel ongewone amulet, echt zeldzaam, dat zeker.'

'Ik heb hem ook onder mysterieuze omstandigheden gekregen.' Meer wilde Lodrik er niet over zeggen, bang dat Norina het geschenk zou teruggeven als ze het hele verhaal kende. 'En noem me alsjeblieft geen "excellentie" meer. Toen, in de slaapkamer, zei je ook gewoon jij. Waarom zou het nu anders zijn?' Hij keek naar haar gezicht, met die bruine ogen, diep als donkere vijvers. 'Ik heb nog eens goed over alles nagedacht wat we op de heenweg hebben besproken. En ik denk dat je gelijk hebt.'

'Hoe bedoelt u...' Ze zweeg en herstelde zich. 'Ik wilde zeggen: hoe bedoel je dat?'

'Er is werkelijk een omwenteling nodig in Tarpol. Ik zal de Kabcar voorstellen doen als ik weer aan het hof kom. Misschien laat hij jou wel komen om je ideeën met je te bespreken.'

De jonge vrouw lachte stralend en hing de amulet om haar hals. Ze streek haar rode jurk glad en keek Lodrik aan. 'Hoe staat me dat, excellentie?'

Betoverend, fantastisch en goddelijk, waren de eerste woorden die bij de landvoogd opkwamen, maar hij wist niet goed wat hij antwoorden moest.

'Geen enkele vrouw zou zo'n sieraad beter staan dan jou, Norina.' Hij deed nog een stap naar haar toe en legde de ketting onder de kraag van haar jurk.

Op dat moment keek ze hem in zijn ogen en Lodriks hart maakte een sprong toen hij iets van instemming in de hare dacht te lezen.

'Mag ik?' vroeg hij schor.

'Wat?' fluisterde ze terug. De uitdrukking in haar ogen was niet veranderd.

'Je kussen. De volgende keer moest ik toch om toestemming vragen?' herinnerde hij haar daaraan. Hij had het opeens vreselijk warm in zijn uniform, het bloed bonsde in zijn oren en zijn handen waren nat van het zweet.

Vanbuiten drong de stem van de lijfwacht door, die luidkeels naar de gouverneur informeerde en steeds dichterbij kwam.

Haar ademhaling ging sneller. 'Ja, dat mag.' Ze boog haar hoofd wat naar voren.

Maar Lodrik was zo overdonderd dat hij als verlamd stond.

Waljakov klopte op de deur van de kamer. 'We moeten gaan, heer.'

Als een zoutpilaar stond de jongeman tegenover Norina, die met gesloten ogen op haar kus wachtte. Hij voelde zich hulpeloos als een gehypnotiseerd konijn. Dus nam het meisje zelf het initiatief.

De dochter van de brojak strekte haar armen uit, pakte zijn gezicht en trok zijn mond tegen haar lippen. Toen duwde ze hem zachtjes weg.

'Ga nu. Anders vertrekken ze nog zonder je.'

Als een dronkenman wankelde de landvoogd naar de deur en opende die net op het moment dat de lijfwacht wilde binnenkomen.

Wantrouwend wierp Waljakov een blik door de kamer.

Norina zat weer achter de tafel, ogenschijnlijk verdiept in haar boek, en keek niet op. Lodrik liep langs hem heen met een gelukzalige uitdrukking op zijn gezicht. De lijfwacht schudde zijn hoofd.

'Heer, is dat de gewoonte hier?'

'Wat bedoel je, mijn beste Waljakov?' De landvoogd zag fladderende vlinders om zich heen, sterren en vreugdevuren. Hij had slappe knieën, maar hij voelde zich geweldig.

De militair grijnsde breed. 'Boeken op hun kop lezen. Ik had kunnen zweren dat Norina haar boek ook verkeerd om vasthield.'

De gouverneur gaf wijselijk geen antwoord. Vlug liep hij de hal door en stapte in de koets, waar Stoiko al zat te wachten.

'Miklanowo komt later,' verklaarde hij de afwezigheid van de grootgrondbezitter. 'Hij moest nog met een paar pachters praten. Over een week zien we hem weer in Granburg.'

'Goed.' Lodrik keek uit het raampje, in de hoop nog een laatste glimp van Norina op te vangen, maar de koets reed bij de boerderij vandaan zonder dat hij haar zag.

'U kijkt een beetje teleurgesteld,' merkte Stoiko op. 'Is er iets?'

'O, het is niet zo belangrijk,' zei de jongeman ontwijkend. 'Laten we maar een partijtje schaken.'

Nu wist de raadsman zeker dat er iets niet in orde was. Normaal probeerde de landvoogd altijd onder het schaken uit te komen. Hij moest bij gelegenheid maar eens vragen of Waljakov iets wist.

'Natuurlijk, heer. Altijd. Ik zet een waslec in.'

'Ik ook,' zei Lodrik en hij begon de stukken neer te zetten. 'Ik krijg opeens een idee. Zullen we op de terugweg door het gebied van hara¢ Kolskoi rijden?'

Stoiko dacht even na. 'Dat is toch die magere edelman met die scherpe groene ogen en dat litteken op zijn wang – de eigenaar van die verschrikkelijke vechthonden?'

'Precies. Een klein verrassingsbezoekje kan toch geen kwaad, wel? Misschien treffen we de andere samenzweerders bij hem aan en kunnen we een theekransje houden.'

'Het is een amusante gedachte,' grijnsde de raadsman, en hij boog zich uit het raampje om de verandering in de plannen aan de koetsier en aan Waljakov door te geven.

'De koetsier zegt dat het een omweg is van minstens een week,' meldde hij even later aan de landvoogd.

'Dat is nog wel te doen, vind ik. Het oogstfeest begint pas over twee weken, dus blijft er genoeg tijd over voor de voorbereidingen als we weer thuis zijn.' Hij deed een zet. 'Jouw beurt.' De jongeman staarde peinzend naar het bord met de gestileerde legertjes. 'Soms voel ik me als een van die stukken. Mijn vader bepaalt hoe alles gaat en ik moet gehoorzamen, net als de stukken op het bord.'

'U kunt het ook andersom zien, heer. Dit is Granburg, en u bent de man die hier aan de touwtjes trekt en de stukken verschuift.' Stoiko deed zijn zet en wees naar zijn zwarte koning. 'Dat is Jukolenko. Die moet u slaan, zonder te veel van uw pionnen – gewone Granburgers – te verspelen. Daarvoor hebt u een paar bondgenoten, om hem zo in het nauw te brengen dat hij moet opgeven. Ik ben uw loper, Waljakov zou een goede toren zijn en Miklanowo de andere loper.'

'En Norina mijn dame.' Lodrik was weer aan zet en schoof zijn loper naar voren.

Stoiko deed alsof hij die laatste opmerking van de gouverneur niet had gehoord en viel Lodriks loper aan.

Ze schaakten een tijdje zwijgend verder.

'Maar Jukolenko heeft één belangrijk voordeel tegenover u. Hij offert zijn stukken zonder dat hij erg voorzichtig hoeft te zijn, omdat hij toch al een slechte reputatie heeft. Hoe meer boeren er onder uw beleid sterven, des te meer de andere boeren gaan geloven dat u net zo erg bent als de zwarte koning,' zei Stoiko op een gegeven ogenblik, toen zijn leger gevaarlijk was uitgedund.

Lodrik sloeg een opgerukte zwarte pion met zijn loper, maar

zag over het hoofd dat Stoiko inmiddels voor dekking had gezorgd.

Met zichtbaar genoegen nam de raadsman de tweede loper van het bord en verving hem door de zwarte dame, die nu de witte koning bedreigde. 'Bovendien is Jukolenko waarschijnlijk veel geniepiger. U bent Miklanowo kwijt, heer.'

'Daar heb ik mijn kameraden voor,' wierp de gouverneur tegen, terwijl hij met zijn paard de dame sloeg, blij dat Stoiko een fout had gemaakt.

'Daar moet u niet te veel op vertrouwen, heer. Nieuwe kameraden zijn voor u niet zo makkelijk te vinden.' Een zwarte pion sloeg het paard, terwijl door die manoeuvre de diagonaal van de zwarte loper – door Lodrik heel dom genegeerd – vrijkwam en de koning opnieuw gevaar liep.

'Ik heb de pest aan dit spelletje.'

'Maar het is een goede voorbereiding op het koningschap. Het leert u dat u voortdurend op uw hoede moet zijn en voor voldoende dekking moet zorgen.'

Lodrik voerde een rokade uit en ging in de aanval met zijn toren. 'Zo ongeveer?'

Gelaten sloeg Stoiko met zijn opgerukte zwarte pion een witte en zette de koning schaak, onder dekking van het paard. 'Bijna, heer.' Lodriks stuk stond ingesloten en kon geen kant meer op. 'Dat is ¢arije en mat.'

'Laten we hopen dat Jukolenko nog slechter speelt dan ik,' zuchtte de gouverneur en hij stelde zijn stukken weer op. 'Deze keer maak ik het je niet zo makkelijk.'

'Dan zet ik graag weer een waslec in,' verklaarde Stoiko laconiek.

Na zijn tiende verloren partij was de gouverneur ervan overtuigd dat hij er als vorst niets van bakte. Gelukkig hield de koets eindelijk halt en kon de stoet zich op de nacht voorbereiden. Een herberg hadden ze sinds hun vertrek niet meer gezien. Onderweg waren ze alleen nog door een verlaten dorp gekomen, zoals Waljakov had gemeld.

De lijfwacht was er zichtbaar ongelukkig mee om in de openlucht te moeten bivakkeren, maar in het donker doorrijden over deze onbekende wegen was gekkenwerk, vooral omdat ook in dit deel van de provincie het begrip wegenonderhoud volslagen onbekend was. Lodrik nam zich voor de verantwoordelijke edelen eens stevig de les te lezen.

De nacht verliep zonder incidenten en dus zette de colonne de volgende morgen de reis weer voort. Dat ging drie dagen zo door: schaken, slapen en eten. Tegen de namiddag van de vierde dag zagen ze eindelijk korenvelden waarop lijfeigenen aan het werk waren.

Een van de boeren, die zich deemoedig plat in het stof wierp, wees hun de weg naar Kolskois landhuis, dat drie warst verderop lag.

'Ik ben benieuwd met welke eer de man ons zal ontvangen,' zei Stoiko. 'Waarschijnlijk stuurt hij zijn honden op ons af. Hij zal de straf die u hem ooit hebt opgelegd nog niet zijn vergeten, heer.'

'Ik hoop dat het een goede les voor hem was.'

Stoiko borg het schaakspel op. 'Heer, u hebt dat wandelende geraamte van dichtbij gezien, net als ik. Wat denkt u dat die man van zijn straf heeft geleerd?'

Lodrik keek uit het raampje. 'Ik ben bang dat je gelijk hebt. Het enige wat hij heeft geleerd is waarschijnlijk dat hij in de toekomst geen getuigen van het gedrag van zijn honden in leven moet laten.'

'In zijn ogen zal het wel domme pech zijn geweest dat uitgerekend de toekomstige gouverneur voorbijkwam op het moment dat zijn vervloekte Borasgotanische vechthonden die arme vrouw verscheurden. Een geluk voor ons dat het niet op zijn eigen grondgebied gebeurde, anders hadden we hem niet eens ter verantwoording kunnen roepen.'

De jongeman slaakte een luide zucht. 'Verantwoording? Als een crimineel lachend zijn waslec betaalt en gewoon doorgaat met zijn praktijken? Hoe meer ik hier meemaak, des te meer begrip ik krijg voor Norina's ideeën over de situatie hier in Tarpol.'

'Crimineel is wel een zwaar woord voor wat hij gedaan heeft, of juist niet gedaan. In feite was zijn enige fout dat hij niet goed op zijn honden had gepast,' dacht de raadsman hardop. Maar dat was bij Lodrik tegen het zere been.

'Wat voor woord moet ik dán gebruiken voor iemand die zich niets van een mensenleven aantrekt? Natuurlijk kennen we in Tarpol lijfeigenschap, maar toch bestaat ook die onderlaag uit mensen van vlees en bloed, met een eigen ziel.'

'U hebt niet toevallig met Norina van verstand geruild?' vroeg Stoiko voorzichtig.

'Nee, maak je geen zorgen.' Hij keek de man ernstig in zijn ogen. 'Maar ze heeft me wel aan het denken gezet. Ik kijk nu veel kritischer naar dingen die iedereen heel normaal vindt. De onvrede onder het gewone volk is in de loop der jaren niet echt afgenomen, wel? De provincie Worlac vecht al jaren voor haar onafhankelijkheid, en ik weet zeker dat edelen als Jukolenko of Kolskoi de oorzaak zijn van heel wat ellende. Ik zou willen dat ik nog veel meer kon veranderen.'

'Dat zal niet eenvoudig zijn, heer, maar als u eenmaal Kabcar bent, komen er mogelijkheden die nu nog in het verschiet liggen,' zei de raadsman bemoedigend. 'Bovendien zijn lang niet alle edelen en hoge heren in het rijk zulke types als hier in Granburg.'

De landvoogd keek hem vastbesloten aan. 'We zullen binnenkort met Miklanowo en Norina om de tafel gaan zitten en hervormingen uitwerken die ik aan mijn vader zal voorleggen zodra we terug zijn. Het zou toch belachelijk zijn als we tijdens het leven van mijn lieve papa niet de eerste veranderingen konden doorvoeren.'

'Natuurlijk, heer. En Waljakov is de vrolijkste, grappigste en meest spontane kerel van heel Tarpol,' wierp Stoiko tegen. 'Uw vader is een oude ijzervreter, met permissie. Kijk eens naar zijn afkomst, en de uwe, en hoe uw familie zich altijd tegen vernieuwingen heeft verzet. Daarbij is een boomstam nog buigzaam.'

'Toch zullen we het proberen,' besloot Lodrik. 'Hoewel we niet meteen met de deur in huis moeten vallen.'

Stoiko lachte. 'Dat zal de Kabcar leuk vinden. Hij heeft zijn zoon naar de provincie gestuurd om een goede bestuurder van hem te maken en krijgt een jongeman terug die zijn hele rijk op de schop wil nemen. Ik ben bang dat zijn briljante idee kolonel Mansk nog de kop zal kosten.'

De landvoogd lachte met hem mee. 'Ja, dat zal hem echt plezier doen.'

Het was niet ver meer. Het laatste stuk van de rit dommelden ze in. Zo nu en dan schrokken ze wakker als de koets onzacht door een kuil hobbelde, voordat ze weer onrustig verder sliepen.

Aan het eind van de middag reed de koets een kleine stad binnen met tweehonderd huizen, hutten en schuren. Ze stopten voor een grote hofstede op een kleine heuvel in het midden van de nederzetting. Hun bestemming was bereikt.

Slaapdronken klauterde Lodrik uit het rijtuig en rekte zich uit.

Twee dienstmeiden, die net uit een schuur kwamen, maakten een snelle buiging en stapten fluisterend het grote vakwerkhuis binnen.

Waljakov gaf de soldaten bevel om af te stijgen. Hij liet er vier achter voor de bewaking van de koets en mompelde een instructie tegen iemand, terwijl de rest van het gevolg de gouverneur en Stoiko naar het huis escorteerde.

Een van de vier soldaten verdween in looppas naar de stallen en kwam meteen terug om verslag uit te brengen aan Waljakov.

'Er staan daar meer paarden dan er ruimte is in de stallen,' zei hij, met een saluut. 'Drie ervan zijn nog nat van het zweet en worden net drooggewreven.'

De lijfwacht gaf hem een teken om terug naar de koets te gaan. 'Heer, het schijnt dat u de juiste intuïtie had over Kolskoi en de andere samenzweerders.'

'Niet zo snel,' waarschuwde de gouverneur. 'Het kan ook een jachtpartij zijn.'

Voordat ze bij de deur kwamen, stapte een lakei naar buiten en maakte een buiging voor de groep.

'Breng ons onmiddellijk naar hara¢ Kolskoi en zijn gasten,' beval Lodrik. 'Ik ben hara¢ Vasja, de koninklijke stadhouder in de provincie Granburg. Wijs ons de weg, we kondigen ons zelf wel aan.'

De zichtbaar nerveuze bediende ging hen voor. De drie mannen en hun acht soldaten liepen door een marmeren hal met kostbare bustes en sculpturen, dure tapijten, wandkleden en portretten van de voorouders van de edelman aan de muren.

Haastig liepen ze een gang door naar een grote ruimte die vol stond met trofeeën. Bijna alle gevaarlijke roofdieren van Granburg, van een grote sneeuwkat via een wolf tot een indrukwekkende kullak – die akelige herinneringen bij Lodrik opriep – waren in verschillende houdingen opgezet en leken nog levendig genoeg. De vloer was bedekt met berenvellen en aan de muren hingen geweien en koppen van eenvoudig roodwild.

Stoiko wees naar een onbeweeglijke gestalte met een doek eroverheen, die midden in de kamer stond. 'Een dorpeling die hij per ongeluk heeft neergelegd?'

'Dat is de reden waarom al die gasten hier zijn, excellentie,' verklaarde de lakei vanaf de tuindeur. 'Hara¢ Kolskoi wilde zijn nieuwste jachttrofee laten zien. Het hele gezelschap heeft zich voor een voorstelling in de tuin verzameld, excellentie.' De lakei trok zich terug.

'Laten we maar eens kijken,' mompelde Lodrik en hij stapte naar buiten, met de anderen op zijn hielen.

Ongeveer twintig mannen hadden zich in de tuin van de binnenplaats verzameld. Ze stonden met hun rug naar de nieuwkomers toe en hadden de gouverneur niet in de gaten.

Al hun aandacht was geconcentreerd op een man in een donkerbruine leren wapenrusting met ijzerbeslag. Hij legde net een pijl op de pees van een manshoge hoornen voetboog en richtte op een doelwit dat de landvoogd niet kon zien.

De schutter concentreerde zich even, trok toen met een snelle beweging de pees naar achteren, stelde iets bij en liet de pijl los. Na een paar seconden was de klap van de inslag te horen, alsof er een dikke spijker met een zware slag door een stuk blik geslagen werd.

De gasten applaudisseerden en er stegen kreten van bewondering op.

De man in de merkwaardige wapenrusting legde zijn voetboog neer. Met gespierde onder- en bovenarmen, die niet onderdeden voor die van Waljakov, boog hij het hout terug om de pees los te maken en de boog te ontspannen.

Lodrik wachtte tot het applaus was verstorven. Enthousiast klapte hij toen in zijn handen. 'Bravo!' riep hij luid. 'Dat moet een meesterlijk schot zijn geweest, ook al heb ik niet gezien waar het insloeg.'

Kolskoi draaide zich op zijn hakken om, alsof hij door een monster werd aangevallen.

'Verdomme, wat... is dat voor een grote eer, excellentie, u hier te zien,' begroette de edelman hem. De neusgaten van zijn haakneus sperden zich open. 'En zo onverwachts! Als een donderslag bij heldere hemel.'

'Donderslag? Terwijl het zonnetje zo heerlijk schijnt?' vroeg de jonge landvoogd en hij daalde de treden af. 'Geen wonder dat ik een ritje maak. Maar u kijkt alsof de hemel omlaag is gekomen. Bent u niet blij uw gouverneur te zien?'

De gasten bogen allemaal diep, zodra ze begrepen wie er voor hen stond.

'Het is me een grote eer u te mogen begroeten,' glimlachte de schrale man, maar zijn scherpe groene ogen verrieden hem. Lodrik zag de onverholen haat in zijn blik. 'U bent natuurlijk meer dan welkom. Sta me toe u mijn vrienden voor te stellen.' De ha-ra¢ noemde de namen van alle brojaken en grootgrondbezitters. 'En dat is meester Hetrál, mijn nieuwe jachtopziener. Ik heb hem aangesteld om nog veel van hem te leren.'

De schutter keerde zich meer dan stomverbaasd naar de edelman om, maar sprak geen woord.

Hij had een nietszeggend gezicht met een dichte ringbaard. Zijn donkerbruine haar droeg hij in een eenvoudig bloempotkapsel en zijn linkeroog ging schuil achter een met brokaat gestikt lapje. Gouden ringen, die glinsterden in de ondergaande zonnen, sierden zijn oren. Onder zijn leren wapenrusting droeg hij een eenvoudig hemd en een leren broek met bijpassende laarzen van zacht leer.

Hij nam Lodrik onderzoekend op en maakte toen een hoffelijke buiging met een knieval en een passend handgebaar, in schril contrast met zijn onopvallende garderobe.

'Excellentie, u moet het mijn jachtopziener niet kwalijk nemen dat hij u niet met woorden begroet, want dat kan hij niet, al zou hij het willen. Hij is stom,' verklaarde de edelman de zwijgende voorstelling. 'Maar lezen en schrijven kan hij wel.'

'Willen de heren een stap opzij doen, zodat ik kan zien waarop uw meesterschutter zijn pijl had gericht?' vroeg de landvoogd aan de mannen, die gehoorzaam maar aarzelend en een beetje ongerust plaats voor hem maakten.

Waljakov floot tussen zijn tanden toen hij het doelwit van de pijl zag.

Een borstharnas was op honderd passen afstand om een strozak gesnoerd. Precies ter hoogte van het hart was de pijl ingeslagen. Alleen de schacht met de veren stak er nog uit.

Lodrik keek eerst zijn raadsman aan en toen Kolskoi. 'Een heel merkwaardige schietschijf.' Hij slenterde erheen. 'Die moet ik eens van dichtbij bekijken.'

'Het was een weddenschap, excellentie,' verklaarde de edelman met een strak gezicht. 'Alleen een weddenschap.' De hele groep drong achter hem op.

De gouverneur kneep zijn ogen tot spleetjes toen hij de treffer van nabij zag. Wat hem zopas nog niet was opgevallen waren de beide andere wapenrustingen die achter het eerste harnas stonden opgesteld. Uit de laatste stak de punt van de pijl nog een vingertop lang naar buiten, zo groot was de kracht van het schot geweest.

'Bij Ulldrael,' zei de gouverneur ontzet. 'Wat voor wapens gebruikt uw jachtopziener, Kolskoi, en op welk wild jaagt hij? Bij alle goden! Waar hebt u zulke mannen voor nodig?'

Een paar bedienden kwamen aanrennen en trokken de harnassen uit elkaar om het gezelschap het effect van het schot nog beter te laten zien.

De pijl was compleet door het eerste pantser heen gegaan, in het tweede harnas had de driekantige, geslepen en bijna een el lange ijzeren punt zich van zijn houten schacht losgemaakt. Vervolgens had hij zich door de derde wapenrusting geboord, maar zonder volledig aan de andere kant uit te treden.

'Wat is dat voor een wapen, dat dwars door drie harnassen heen gaat?' vroeg Lodrik, die nog steeds niet van de verrassing bekomen was. 'En waar gebruikt u het voor? Ik vraag het niet nog een keer, Kolskoi.'

'Zouden uwe excellentie en de andere gasten me willen volgen? Dan zal ik u het antwoord laten zien.' En de edelman liep voor hen uit.

Ook Hetrál volgde, met de ontspannen boog losjes over zijn schouder. Het ooglapje, dat hij blijkbaar alleen droeg om beter te kunnen richten, had hij afgedaan.

Kolskoi liep naar de kamer met de trofeeën, wachtte tot iedereen aanwezig was en trok toen met een ruk de doek van de verborgen gestalte.

'Dat is de reden waarom ik een nieuwe jachtopziener nodig heb, excellentie!'

Het bijna manshoge wezen stond half rechtop, met aan elke kant twee grijparmen, elk voorzien van drie scherpe klauwen, en een dikke laag schubben over zijn hele lijf. De zware kop ging schuil onder een ondoordringbaar hoornen pantser, de ogen lagen plat in de schedel en de korte maar krachtige kaak met spits toelopende tanden hing halfopen.

Uit zijn bek stak een gespleten tong met scherpe uiteinden. In plaats van een neus had hij twee kleine gaten, en in zijn met schubben bedekte hals zaten een paar gleuven, ongeveer zo breed als een vinger, waardoor hij vermoedelijk lucht aanzoog.

'Dit monster heeft samen met twee van zijn soortgenoten een van mijn dorpen uitgemoord – alle mannen, vrouwen, kinderen en dieren,' verklaarde Kolskoi, terwijl zijn gasten nog vol afschuw naar het opgezette exemplaar staarden, dat er zo levendig uitzag alsof het elk moment op de mannen zou kunnen afstormen om hen de ingewanden uit het lijf te rukken.

De edelman wees op talloze meer of minder diepe kloven in de schubben. 'Dat zijn de littekens van hooivorken, zwaarden en gewone pijlen. U ziet dat je tegen zo'n monster met normale middelen niet veel bereikt. Daarom heb ik meester Hetrál laten komen, die mij bij de jacht moet helpen. Hij is een Tûriet en heeft de meeste ervaring met moerasmonsters.'

'Hoe hebt u dit exemplaar te pakken gekregen?' vroeg Waljakov. Op zijn gezicht brak opeens iets van enthousiasme door.

'Dat was geluk,' gaf de magere edelman toe en hij streelde het wezen over zijn kop. 'Hij had een been gebroken en was in een touw verstrikt geraakt. Het kostte een van mijn knechten het leven toen hij het monster wilde onderzoeken omdat hij dacht dat het al dood was.' Hij tikte op de snee aan de zijkant van de hals. 'We hebben bijna een halfuur nodig gehad voordat we eindelijk zijn vervloekte kop van zijn romp hadden geslagen. Die grijparmen met klauwen hebben een groot bereik en zijn absoluut dodelijk. En met zijn tong snijdt hij de keel van zijn slachtoffers door.'

'Waarom hebt u het garnizoen niet gewaarschuwd? Die kunnen u helpen bij de jacht,' zei de jongeman, terwijl hij een paar stappen naar voren deed om het monster van dichtbij te bekijken.

Kolskoi schudde zijn hoofd en kneep zijn ogen half dicht. 'Zulke dingen knap ik als jager liever zelf op. Het is waarschijnlijk de grootste uitdaging die ik ooit ben tegengekomen.'

'En wanneer wilt u zichzelf als lekker hapje aan dit schepsel aanbieden?' Stoiko wierp een argwanende blik op de klauwen van het wezen. 'Overschat u zichzelf niet een beetje?'

'Meester Hetrál weet waar het op aankomt en hoe we die twee andere exemplaren kunnen opsporen,' antwoordde Kolskoi zelfverzekerd. Er gleed een lachje over zijn gezicht en zijn haakneus trilde alsof hij een geur opsnoof. 'Ik wil u graag uitnodigen om mee te gaan, excellentie. Uw lijfwacht lijkt me wel iemand die een goede jacht op waarde weet te schatten.'

'Ik zal erover denken,' bedankte Lodrik voor de uitnodiging. 'Maar laten we nu wat eten. En maak voor vannacht een paar kamers gereed voor mij en mijn mensen. Ik blijf hier nog even. Ik ben veel te benieuwd hoe dit gaat aflopen.'

'En vooral welk monster over welk monster zal zegevieren,' zei zijn raadsman zacht.

De gouverneur draaide zich om naar de stomme jachtopziener. 'Ik weet dat jullie in Tûris veel last van die moerasmonsters hebben. Hoeveel heb jij er al gedood?'

Hetrál hief zijn boog en stak eerst vijf en toen drie vingers omhoog.

'Zo, al acht!' mompelde de jonge landvoogd, maar de jager schudde grijnzend zijn hoofd en herhaalde zijn gebaar.

'Heer, ik geloof dat hij drieënvijftig bedoelt,' zei Waljakov.

'Drieënvijftig?' riep Lodrik. 'Dat is écht heel veel. Laat me je pijlen eens zien.'

Hetrál haalde er een uit zijn koker en reikte die Lodrik aan.

De landvoogd boog zich over de pijl en bestudeerde de punt alsof hij er verstand van had. 'Een mooi staaltje vakwerk.' Hij gaf hem weer terug. 'Als je die monsters hebt gedood, ga dan met mij mee naar Granburg. Dan kun je mij lesgeven. Ik heb zeker meer training en instructie nodig dan Kolskoi.' Hij draaide zich om naar de edelman. 'Of hebt u bezwaar?'

De man gaf geen antwoord, maar haalde zijn schouders op. Maar zijn blik sprak weer boekdelen.

'U weet dat u Kolskoi zijn huurmoordenaar hebt afgetroggeld?' Met een geamuseerde uitdrukking op zijn gezicht kwam Stoiko de kamer van Lodrik en Waljakov binnen. 'Of geloofde u soms zijn verhaal over dat monster?'

'O, dat verhaal kan best waar zijn, maar natuurlijk was Hetrál in de eerste plaats ingehuurd om mij een kopje kleiner te maken,' beaamde de gouverneur de verdenking van zijn raadsman. 'Anders zou hij de eerste jager zijn geweest die op een harnas oefende. Alleen om de slagkracht van het wapen te bewijzen had hij wel iets anders kunnen verzinnen. Zelf had ik hem op dat opgezette schepsel laten schieten; dat was pas echt het bewijs geweest dat die pijl zich door een pantser van schubben kan boren. Verder had ik het vermoeden dat Kolskoi zijn gasten gerust wilde stellen dat de dagen van de gouverneur waren geteld.'

'Laten we hopen dat de man weet wat loyaliteit betekent zodra hij bij u in dienst komt, heer. Ik heb me zijn arsenaal van pijlen laten demonstreren,' merkte Waljakov op, terwijl hij met een paar druppels olie zijn mechanische hand smeerde. 'Hij heeft echt voor elk type harnas een speciale punt: lang en dun tegen maliënkolders, driekantig geslepen tegen borstschilden of overlappende pantsers. Ze zijn gebaseerd op zware werpspiezen – heel lang, en extra zwaar voor meer slagkracht. Ik ben ervan overtuigd, heer, dat deze man iedere militair op Ulldart uit het zadel kan schieten, wat voor wapenrusting hij ook draagt.'

'Wat is dat eigenlijk voor een boog die hij gebruikt? Ik dacht altijd dat een kruisboog het meest effectieve wapen was.' De landvoogd wachtte op een uitleg van zijn lijfwacht.

'Normaal is dat ook zo,' knikte de militair, 'maar dit wapen is een uitzondering. Het ziet eruit als een kromme hoornen voetboog, maar het is in werkelijkheid opgebouwd uit een aantal componenten. Verschillende houtsoorten, knoken en stroken leer zijn met elkaar verlijmd, vertelde hij me. Het hoorn dient alleen als vatting voor de andere materialen. De boog is helemaal aan hem aangepast en ik moet zeggen dat het mij zelfs moeite kost om de pees een tijdje gespannen te houden.' Hij bewoog zijn metalen vingers een voor een en luisterde of hij iets hoorde knarsen. 'Met een gewone pijl, die niet zo zwaar is als die speciale projectielen, schiet hij al bijna zevenhonderd sabellengten ver.' De kaalgeschoren lijfwacht keek de anderen aan. 'De man is de gevaarlijkste boogschutter die ik ooit heb ontmoet. Als u hem niet in dienst had genomen hadden we hem met een voorwendsel moeten arresteren – of elimineren.'

Er werd geklopt en een bediende meldde dat het jachtgezelschap klaarstond voor vertrek.

'Midden in de nacht?' vroeg Lodrik verbaasd.

'Meester Hetrál zei dat de monsters alleen 's nachts jagen en overdag een donkere schuilplaats zoeken, excellentie,' verklaarde de bediende. 'Hara¢ Kolskoi en tien andere heren gaan achter de monsters aan en zouden het bijzonder op prijs stellen als uwe excellentie zich bij de jacht zou aansluiten.'

'Dat kan ik me goed voorstellen. Persoonlijk had ik overdag hun schuilplaats gezocht, met olie laten vollopen en de schepsels gewoon verbrand,' gaf Stoiko zijn mening. 'Een jacht in het pikkedonker op een tegenstander die dan duidelijk in het voordeel is, lijkt me geen goed idee.'

'Dus blijf ik hier.' De gouverneur draaide zich weer om naar de lakei. 'Zeg maar tegen Kolskoi dat ik te moe ben van de reis en niet zo'n ervaren jager dat ik, net als hij, in het donker op monsters wil gaan jagen.' De bediende maakte een buiging en verdween.

'Ik wed om tien waslec dat hij minstens vier man kwijtraakt,' grijnsde de raadsman. 'Hoewel het natuurlijk nog mooier zou zijn als meester Hetrál als enige terugkwam.'

'Maak je geen illusies. Als het monster en Kolskoi elkaar hebben besnuffeld, maken ze gemene zaak,' zei Lodrik met een lachje. 'Waarschijnlijk belooft onze gastheer het schepsel vier dorpen voor mijn leven.'

'Misschien hadden we toch beter kunnen meegaan,' bromde Waljakov. 'Ik zal de wacht eens inspecteren.'

Vanaf de binnenplaats klonk het geluid van klepperende paardenhoeven die zich snel verwijderden over de keitjes. Een halfuur later waren de gouverneur en de anderen op Kolskois hofstede diep in slaap.

Het eerste wat Stoiko aan het ontbijt vaststelde was dat hij zijn weddenschap had verloren. Alle mannen die 's nachts waren uitgereden waren ook teruggekeerd, maar met de toestand van de meesten – behalve Kolskoi en meester Hetrál – was het slecht gesteld.

Zeven van de dappere jagers hadden diepe wonden opgelopen. Bij een van hen moest een been en bij een ander de linkeronderarm worden afgezet. Alleen door een snelle, roekeloze vlucht hadden de jagers zich het vege lijf weten te redden. Of ze hun verwondingen zouden overleven was nog de vraag.

Geen wonder dat hun gastheer niet in een opperbeste stemming was. Zijn rechterbovenarm zat in het verband.

'Het is niet gegaan zoals u het zich had voorgesteld?' kon Lodrik zich niet inhouden. 'Maar u hebt het monster toch wel te pakken gekregen?'

Tandenknarsend schudde Kolskoi zijn hoofd en nam een lepel soep. 'Het beest verraste ons toen we ons wilden splitsen.'

'Tegenover zo'n monster hebt u de groep gesplitst?' vroeg de lijfwacht. Meester Hetrál hief bezwerend zijn handen als teken dat hij met die onzinnige beslissing niets te maken had.

'Straks zullen we de sporen van het gedrocht volgen en het in zijn schuilplaats met olie verbranden,' schetste de edelman zijn verdere plannen. 'Mijn trofee heb ik tenslotte al.'

'Waar heb ik dat idee eerder gehoord?' zei Stoiko en hij keek naar de bediende van de vorige avond, die deed alsof zijn neus bloedde.

'Dan kan meester Hetrál dus met ons mee naar Granburg,' stelde de landvoogd vast. 'Voor die speurtocht hebt u geen jachtopziener nodig.'

'Hij moet nog wel de sporen van het andere monster vinden en dat kan even duren,' protesteerde Kolskoi zacht. 'Ik stuur hem wel uw kant op zodra ik mijn grondgebied van deze plaag heb bevrijd, excellentie.'

'Het grondgebied van de Kabcar, zult u bedoelen. Maar als u niet meer van plan bent de strijd met het monster aan te knopen, is een gewone spoorzoeker ook voldoende,' weerlegde de gouverneur. 'Daar heeft het garnizoen specialisten voor.'

'Laten we het erop houden dat meester Hetrál mij vandaag

nog helpt en u dan achternareist. Een ruiter kan een koets binnen twee dagen hebben ingehaald. Akkoord, excellentie?' Met zijn scherpe ogen staarde hij de jongeman kwaadaardig aan.

De halsstarrigheid waarmee Kolskoi probeerde de jachtopziener bij zich te houden beviel Lodrik niet erg.

'Ach, wat maakt het ook uit?' zei hij ten slotte met een berustend gebaar, terwijl hij naar achteren leunde in zijn stoel. 'Ik heb nog tijd genoeg om te oefenen met pijl en boog. Het probleem met die monsters is dringender en moet zo snel mogelijk worden opgelost.' Hij keek de Tûriet aan. 'Wij rijden via de hoofdweg rechtstreeks naar Granburg terug. Je kunt ons makkelijk volgen.' Toen draaide hij zich weer om naar Kolskoi. 'En de volgende keer dat ik op bezoek kom, hara¢, verwacht ik dat de wegen weer in goede staat verkeren. U hebt het onderhoud schandalig verwaarloosd.'

'Ik zal onmiddellijk maatregelen nemen, excellentie,' beloofde de edelman. Met een glimlach stond hij op. 'En wilt u mij en meester Hetrál nu excuseren? We moeten op zoek naar die monsters.'

'Een koppige figuur.' Stoiko roerde in zijn thee en veegde een paar kruimels uit zijn snor. 'Hebt u ook zo'n onbehaaglijk gevoel, heer?'

Lodrik knikte, evenals Waljakov. Met een onheilspellend voorgevoel troffen ze de voorbereidingen voor het vertrek en een uur later stapten ze in de koets om de reis voort te zetten, terug naar het paleis van de gouverneur.

Het wiel brak midden in een aangenaam koel bos. Langs de weg groeiden dichte struiken en ondoordringbaar kreupelhout, zodat zelfs een beer hier ongezien op de loer zou kunnen liggen.

Waljakov detacheerde vloekend de helft van de soldaten om het wiel te verwisselen. Stoiko en Lodrik stonden erbij en volgden het werk.

'Voortaan reis ik alleen nog maar te paard,' bezwoer de gouverneur. 'Het is altijd hetzelfde met die koetsen.'

Waljakov bekeek het gebroken wiel en de kuil in de weg wat zorgvuldiger. Toen gaf hij bevel om op te schieten met het verwisselen. De soldaten die nog in het zadel zaten hielden hun kruisbogen gereed.

'Heer, dat wiel moest precies op deze plek breken,' vertrouwde hij de landvoogd zachtjes toe. 'De spaken waren dicht bij de nerf doorgezaagd en de bodem hier vertoont verse sporen. Iemand heeft de kuilen nog dieper gemaakt dan ze al waren. U kunt misschien beter weer in de koets stappen.'

'Ik ga voortaan te paard, zoals ik al zei,' herhaalde Lodrik en hij maakte een veelzeggende grimas.

Opeens stormde er iets tevoorschijn uit het kreupelhout en stortte zich op het dichtstbijzijnde paard.

Hinnikend sloeg het dier tegen de grond, boven op zijn ruiter, hevig bloedend uit een paar diepe buikwonden.

De lijfwacht gaf de jongeman een flinke zet, zodat hij voorover de koets in tuimelde. Uit zijn ooghoeken zag de gouverneur dat de aanvaller hetzelfde wezen was waarvan hij een opgezet exemplaar in Kolskois trofeeënkamer had gezien – maar dan een stuk levendiger en duizend keer zo dodelijk.

Drie haastig afgevuurde pijlen ketsten zonder effect tegen de schubben en hoornplaten van het monster, dat nu midden tussen de soldaten sprong die met het wiel bezig waren. Het richtte een ware slachting aan. De mannen hakten wel met hun sabels op het schepsel in, maar hun wapens drongen niet door het pantser heen.

De paarden zonder ruiters waren allang gevlucht. Wanhopig trachtten de anderen hun dieren rustig te houden. Ook het span voor de koets steigerde en probeerde ervandoor te gaan, maar de remmen hielden de koets nog tegen.

Drie soldaten lagen al op de grond toen Waljakov een van de

grijparmen wist te raken met een zware slag. Stuiptrekkend rolde het afgehouwen lichaamsdeel de greppel in. Het monster slaakte een ijselijke gil en wierp zich op de lijfwacht. De andere drie soldaten kwamen hun aanvoerder te hulp.

Schubben vlogen door de lucht en een lilakleurig vocht sijpelde uit de kleinere wonden van het wezen, maar tot ieders grote ontzetting had het gapende gat waar de grijparm had gezeten zich alweer gesloten.

'Richt op zijn hals!' schreeuwde Waljakov. 'Op de openingen aan de zijkant. Daar is hij het meest kwetsbaar!'

Ondertussen sleurde Stoiko de troonopvolger nog verder de koets in en stelde zich voor het portier op om Lodrik te beschermen.

De tong van het monster schoot uit en sneed een van de soldaten de keel door. De twee linker grijparmen doorboorden het lichaam van een andere lijfwacht en gebruikten de halfdode man als schild tegen de sabels. Als een pop werd het kermende slachtoffer heen en weer geslingerd.

Toen zijn gebrul verstomde, vervolgden de soldaten hun aanval op het schepsel, zonder zich nog te bekommeren om de resten van hun dode kameraad. Diens lichaam begon steeds meer op een kapotgescheurde aardappelzak te lijken, gevuld met bloed en darmen, die nu aan alle kanten uitpuilden.

Lodrik hees zich in de koets omhoog en volgde het meest afschrikwekkende en beestachtige gevecht dat hij ooit in zijn leven had gezien. Verlamd van angst verwonderde hij zich erover dat die mannen daarbuiten zich met zo'n bovenmenselijke vastberadenheid tegen het monster bleven verzetten in plaats van jammerend de benen te nemen.

Waljakov vloekte, zwoegde en brulde. Met zijn sabel liet hij een regen van slagen op de aanvaller neerkomen, maar op het laatste moment wist het gedrocht steeds weer het lijk als dekking te gebruiken of zelf weg te duiken.

Toch werden ook de watervlugge bewegingen van het monster geleidelijk trager en sloeg de vermoeidheid toe. Nog maar vijf soldaten van de twaalf vochten tegen het schepsel en begonnen steeds meer de overhand te krijgen.

Lodrik voelde een warme adem in zijn nek en hoorde een zacht gesnuffel, gevolgd door een knetterend geluid.

Hij liet zich naar voren vallen, draaide zich gelijktijdig op zijn rug en stak zijn sabel met gestrekte arm naar boven om een eventuele slag te kunnen pareren.

Met een geweldige kracht sprong het laatste van de drie monsters door het raampje de koets binnen en sloeg de jongeman de sabel uit zijn hand. Geen van de soldaten buiten het rijtuig merkte wat er gebeurde, zelfs Stoiko niet.

De grijparmen bogen zich naar achteren om kracht te zetten voor een klap die een einde aan het leven van de landvoogd zou maken. Lodrik kon niets anders doen dan het wezen aanstaren en de dood in de ogen zien.

De talloze kleine gaatjes voor in de kop van het gedrocht bewogen zich. Bijna vragend boog het zich naar de gouverneur toe, met zijn smoel vlak voor Lodriks gezicht. Weer hoorde hij dat knetterende geluid, en hij vroeg zich af of dat de spraak van het wezen kon zijn. Het monster verspreidde geen lucht, constateerde de jongeman verbaasd; het stonk geen uur in de wind, zoals de Modrak.

In de spierwitte pupillen van het schepsel stonden verbazing en nieuwsgierigheid te lezen voordat het zijn kop een eindje terugtrok en zijn grijparmen liet zakken.

Lodrik begreep die reactie niet, maar kreeg weer hoop dat hij toch nog levend uit de koets vandaan zou komen.

Toen klonk er een schreeuw van het andere monster, gevolgd door een triomfantelijke brul van Waljakov.

Het wezen tegenover de landvoogd sprong op, spande zijn gespierde, geschubde armen en wees ermee naar de landvoogd voordat hij zich aansloot bij het gekerm van zijn stervende soortgenoot.

De soldaten, Waljakov en Stoiko draaiden zich bliksemsnel om en zagen nu pas de levensgevaarlijke bezoeker die zich angstwekkend voor hun beschermeling verhief. Het schepsel keek de gouverneur verwijtend aan, alsof hij hem voor een verrader hield.

Voordat Lodrik wist wat er gebeurde zag hij het rechteroog van het wezen uit zijn oogkas puilen, met een ondefinieerbare galachtige massa erachteraan. Uit de wond stak een dunne, driekantige ijzeren pijlpunt naar voren.

Het wezen bracht een merkwaardig klaaglijk geluid voort toen met een zacht gesis een volgende pijl van achteren in zijn schedel sloeg, zich een weg naar voren baande en ter hoogte van de neus naar buiten kwam.

Langzaam viel het wezen naar voren.

De deur van de koets werd opengerukt, krachtige armen grepen de jongeman onder zijn oksels en sleurden hem naar buiten. Het volgende moment sloeg het dode monster voorover tegen het hout. Zijn poten braken door de vloer en bleven een paar centimeter boven de weg bungelen.

Een hoorbare zucht ging door de rijen van de overgebleven soldaten. Achter hen lagen het kadaver van het eerste beest dat door Waljakov was gedood en ettelijke lichamen van hun gewonde of gesneuvelde kameraden.

'Ik geloof dat ik weet aan wie ik mijn leven te danken heb,' zei de gouverneur, die nog slappe knieën had toen de lijfwacht hem weer op zijn benen zette. 'Er is maar één man die zulke pijlen gebruikt.'

Bijna geruisloos stapte Hetrál om de koets heen en maakte een buiging voor Lodrik.

'U had geen minuut later moeten komen, meester Hetrál.' De gouverneur schudde hem de hand. 'Ik ben u heel veel verschuldigd.' Waljakov en Stoiko wensten de schutter geluk en bekommerden zich toen om de gewonden.

Hetrál maakte een bezwerend gebaar en begon de pijlpunten uit de kop van het monster te trekken.

'U gaat met me mee naar Granburg?' wilde de jongeman weten. De schutter knikte.

'Geweldig! Hebt u toevallig Kolskoi ook gezien?' Hetrál schudde van nee en knikte naar de weg. 'O, op zijn boerderij. Ik dacht dat hij op de monsters wilde jagen? Was hij bang geworden?' Zijn redder haalde zijn schouders op, maar grijnsde van oor tot oor.

'Leg de gewonden in de koets en de doden op het dak,' beval Lodrik. 'We zullen ze naar het volgende garnizoen brengen, waar ze kunnen worden geholpen of begraven. Wij rijden direct naar Granburg, voordat iemand het gerucht verspreidt dat ik dood zou zijn.'

'Heel verstandig,' stemde Waljakov in. 'Normaal zou ik hier blijven om uit te zoeken wie dat wiel heeft doorgezaagd.' Hij inspecteerde de verwondingen van zijn mannen. 'Maar er is haast bij.'

'Moeten we dat nog wel uitzoeken, of weten we het allang?' vroeg Stoiko, terwijl hij op een paard sprong. De zwaar gehavende groep maakte zich gereed voor vertrek.

Na twee dagen rijden in een uiterst gedrukte stemming bereikten ze het garnizoen, waar een grote opwinding ontstond toen opeens de gouverneur midden in het kamp opdook. De groep leverde de doden en gewonden af, gunde zich een uurtje slaap en reed toen weer verder naar de provinciehoofdstad.

'Laten we nu eens aannemen dat het Kolskoi was die opdracht heeft gegeven het wiel door te zagen en de kuilen uit te diepen. Hoe is het de edelman dan gelukt om onopgemerkt bij de koets te komen en het wiel uitgerekend daar te laten breken waar de moerasmonsters op de loer lagen of in elk geval voorbijkwamen?'

mompelde Stoiko peinzend voor zich uit.

'Wie zegt dat de hara¢ die nacht, toen hij zo ontredderd terugkwam, die beesten niet toch gevangen heeft genomen en ergens in de buurt van de weg heeft vastgebonden of opgesloten?' opperde de lijfwacht.

'Maar dan zou ook Hetrál verdacht zijn,' merkte Lodrik op.

De lijfwacht klemde de teugels wat steviger in zijn hand en kneep zijn ogen samen. 'Het zou wel veel verklaren. Als Tûriet weet hij precies hoe je met die schepsels omspringt, en hij was die avond bij de jachtgroep.'

'Als Kolskoi zoveel moeite had gedaan met die monsters, waarom zou Hetrál dan nu opduiken als grote redder?' verdedigde de landvoogd zijn nieuwe schietinstructeur hardnekkig.

'Ja, dat begrijp ik ook niet,' gaf Stoiko toe. 'Misschien is hij echt een fatsoenlijke kerel, die toevallig bij Kolskoi in dienst kwam zonder te weten dat de man Tzulans kleine broertje zou kunnen wezen.'

'En omdat hij werkelijk een monsterdoder schijnt te zijn, heeft hij die speciale pijlen nodig. In Tûris is dat een beroep met veel aanzien, vergeet dat niet,' maakte de landvoogd een eind aan de discussie. 'Ik denk dat we ons zorgen maken om de verkeerde man. En nu moeten we het tempo wat opvoeren. Ik wil op tijd zijn voor het oogstfeest en eerst nog uitgebreid in bad. En naar de kleermaker. Door alle opwinding ben ik minstens tien kilo afgevallen.'

Granburg, provinciehoofdstad Granburg, late zomer 442 n. S.

'Het bevalt me niet.' Waljakov keek omlaag naar de binnenplaats van het paleis, waar zijn mannen zich hadden verzameld. Vijftig bewapende ruiters waren als escorte voor het langverwachte oogstfeest aangewezen, de rest had bevel zich paraat te houden. 'Er zijn te veel mensen op de been en het is te druk op straat om u tegen een aanslag te kunnen beschermen.'

Lodrik droeg het grijze uniform van een koninklijke beambte, met het zilveren en groene stiksel, een zware sabel aan zijn zij en glanzend gepoetste rijlaarzen.

Kritisch bekeek hij de snit van het uniform in de spiegel en trok snel de laatste kreukels glad. 'Als jouw spionnen de waarheid spreken, ben ik redelijk geliefd bij de Granburgers – of zijn ze in elk geval niet van plan me te vermoorden.' Hij trok zijn uniformjas aan en wreef de zilveren knopen op met een kanten zakdoek. 'Wat Jukolenko betreft, denk ik niet dat hij iets in het openbaar zal ondernemen. Ze moeten eerst die tegenslag met de moerasmonsters nog overwinnen en ze zullen zich wel gedeisd houden.' De gouverneur draaide zich nog eens om zijn as en strekte zijn armen. 'Hoe zie ik eruit?'

Waljakovs gezicht betrok. 'U wordt me een beetje te zorgeloos, heer. Dit is uw eerste openbare optreden van enige omvang.

De wachtposten bij de stadspoort hebben al meer dan duizend bezoekers geteld, en als maar de helft van de stad komt opdagen, moeten we rekening houden met bijna vierduizend mensen op het plein.'

Lodrik dacht even na. 'Dan is een escorte van vijftig man niet meer dan een druppel op een gloeiende plaat.' De lijfwacht knikte somber. 'Dus nemen we ze niet mee.' Lodrik zette de hoed met de brede rand op. 'Om de mensen te laten zien hoeveel vertrouwen de gouverneur heeft. Alleen jij en Stoiko gaan met me mee.'

'Bent u nou helemaal...' viel Waljakov uit, maar gelukkig werd er aangeklopt en kwam Stoiko binnen, gevolgd door Miklanowo.

'Bent u klaar, heer?' vroeg de raadsman met een plichtmatige buiging. 'We moeten zo meteen weg.'

'Hij neemt mijn escorte niet mee!' riep Waljakov ontdaan en hij gooide in wanhoop zijn handen in de lucht. Miklanowo grinnikte om zoveel vertoon van emotie, heel uitzonderlijk voor de gespierde man.

'Geen slecht idee,' beaamde de brojak, wat hem een woedende blik van de lijfwacht opleverde. 'Daaruit blijkt dat de landvoogd niet bang is en de bevolking vertrouwt.'

'Ik denk ook niet dat er iets zal gebeuren,' zei Stoiko. 'Zo'n gebaar wekt inderdaad vertrouwen, maar toch aarzel ik nog. Laten we ons beperken tot een erewacht van tien ruiters. Tenslotte moeten we ook een beetje voor de dag komen.'

'Akkoord.' De jongeman trok haastig zijn handschoenen aan terwijl hij naar de deur liep.

'Ik zal het mijn mannen zeggen,' bromde Waljakov en hij stormde de kamer uit.

'U bent niet erg diplomatiek tegen hem geweest, geloof ik, heer?' Stoiko sloeg de laatste pluisjes van het uniform van de gouverneur.

'Moet dat dan?' antwoordde Lodrik. 'Jullie proberen me allemaal wat meer zelfvertrouwen te geven, nu zie je wat het gevolg is. Waar is meester Hetrál?'

'Meester Hetrál is bezig een nieuwe pijl voor zijn boog te ontwerpen. De tekeningen die ik heb gezien lijken me heel interessant: een stompe punt met een rij weerhaken erachter. Heel pijnlijk, zou ik denken.' De raadsman streek over zijn snor.

'Hij is een gereserveerd mens.' Lodrik nam in het voorbijgaan nog een beker wijn mee en dronk hem leeg. 'Maar de beste schutter van het hele continent, neem ik aan. En loyaal, naar het schijnt. Ik ben tenminste nog niet door een pijl getroffen.'

'Laten we hopen dat het zo blijft,' verzuchtte Stoiko.

Wat later reden Lodrik, Stoiko en Waljakov naar de waag, met vijf soldaten voor aan de colonne en vijf aan het eind. Miklanowo nam een andere route om wat eerder op de markt te zijn en zijn plaats in te nemen op de tribune.

De straten van de provinciehoofdstad waren feestelijk versierd. Overal wapperden bonte wimpels en vlaggen uit de ramen van de vakwerkhuizen, aan de deuren hingen dikke bundels graan en als bekroning stonden de twee zonnen stralend aan de blauwe hemel.

Op alle kleinere pleinen werd door groepjes speelmannen gezongen en gedanst, potsenmakers vertoonden hun kunsten en overal zweefden de heerlijkste geuren uit tientallen fornuizen in de hele stad, waar de verse specialiteiten van de streek werden gebakken.

De feestgangers maakten ruimte voor het groepje ruiters en bleven op eerbiedige afstand zodra ze het grijze uniform van de gouverneur herkenden.

'Je trekt een gezicht dat voldoende is om alle aanvallers af te schrikken,' zei Lodrik lachend tegen Waljakov. 'Ontspan je toch een beetje. Er zal heus niets gebeuren. We hebben de laatste dagen onze portie opwinding en spanning wel gehad.'

'Zeg dat wel, heer,' bromde de man, maar nog altijd hield hij de straten en steegjes argwanend in de gaten.

De groep bereikte de drukke markt voor de waag, waar een grote tribune was opgebouwd die hoog boven de mensenmassa uittorende.

Op de ereplaatsen had het gildebestuur zich al geïnstalleerd, samen met Jukolenko, Kolskoi en andere edelen en grootgrondbezitters. Nog maar twee plaatsen in het midden waren vrij.

Toen de mannen dichterbij kwamen, stond het gildebestuur op en maakte een buiging. De landvoogd en zijn kameraden stegen af en beklommen de tribune.

'Ik ben bijzonder verheugd en vereerd,' verklaarde de gildemeester, 'dat uwe excellentie zelf de moeite heeft genomen het feest bij te wonen.'

De jongeman knikte welwillend en liet zich op een van de vrije plaatsen zakken.

'Ik stel het zeer op prijs dat ik door het gildebestuur ben uitgenodigd. Ik beschouw het als een grote eer.' Waljakov dacht er liever niet over na welke kansen een schutter hier had, zelfs als hij maar half zo bedreven was als Hetrál. Hij stelde zich half voor de landvoogd op, terwijl Stoiko naast Lodrik kwam zitten. 'Wanneer begint het oogstfeest?'

'De speelmannen staan al bijna klaar.' De man wees naar een steegje, waar muzikanten zich gereedmaakten. 'Dan gaat het beginnen. Ze marcheren voor de tribune langs en zingen een paar liederen. Daarna wordt het feest officieel geopend.'

De gouverneur gaf zijn lijfwacht een teken om opzij te gaan. 'Zo zie ik de helft niet. Kom maar achter me staan, Waljakov.'

De sterke man keek niet gelukkig, maar gehoorzaamde het bevel.

'Hoe is het met uw arm, hara¢ Kolskoi?' De landvoogd boog zich naar hem toe.

De edelman met de haakneus maakte een buiging. 'Dank u

voor uw belangstelling, excellentie. De wond is goed geheeld. U had het genoegen de twee andere monsters te doden, heb ik gehoord?'

'Dat was de verdienste van Waljakov en Hetrál,' wees Lodrik hem terecht. 'Daar had ik weinig mee te maken. Ulldrael zelf moet mij die Tûriet hebben gestuurd, anders zou ik hier niet meer hebben gezeten. En mijn dank aan u, Kolskoi, dat u hem missen kon.'

De magere man glimlachte overdreven vriendelijk en draaide zich weer om.

Lodrik grijnsde en liet zijn blik nieuwsgierig over de menigte beneden glijden, waar mensen de producten van de houten kraampjes keurden of zich de lekkernijen van de straatventers goed lieten smaken.

Op de grote markt stonden drie podia waar toneelspelers, acrobaten en grappenmakers het volk amuseerden.

Regelmatig keken de mensen naar de tribune, maar ze meden rechtstreeks oogcontact met de gouverneur. In plaats daarvan knikten ze de leden van het gildebestuur toe.

'Het liefst zou ik ook daarbeneden lopen,' zei de landvoogd zachtjes tegen Stoiko. 'Anoniem, als een gewone Granburger.'

'Vermommingen zijn altijd een tweesnijdend zwaard, heer,' antwoordde de raadsman, terwijl hij van een bediende een zilveren beker met donkere wijn aanpakte. 'Als je zonder escorte op weg gaat en toch wordt herkend, kan dat heel vervelend worden. In de regel stuit je dan net op mensen die de gouverneur niet mogen.' Hij nam een slok en grijnsde. 'Een van de eerste Bardri¢s werd bij zo'n gelegenheid flink afgetuigd. Bovendien zou Waljakov nooit toestemming geven voor zo'n avontuur.'

De lijfwacht reikte ook Lodrik een beker met wijn aan, die langs een voorproever was geweest. 'Hij heeft gelijk, heer.'

'Goed, goed.' Lodrik nam een grote slok wijn. 'Het was maar een idee.'

De leider van de speelmangroep gaf een teken dat zijn muzikanten gereed waren, de gildemeester hief zijn hand en de fanfare zette in. Met veel tamtam marcheerde de speelmangroep het plein over, onder luid en geestdriftig applaus.

Ze maakten drie rondjes voordat ze voor de tribune bleven staan en abrupt zwegen. Na een korte pauze begon de muziek opnieuw, maar nu speelden ze de militaire Bardri¢-mars, de officiële aankondiging van de gouverneur. Aan het einde van de mars daalde er een stilte neer over het plein.

Lodrik wachtte enkele ogenblikken voordat hij overeind kwam en naar de leuning van de tribune liep. Hij wist de blikken van de Granburgers op zich gericht en voelde de plotselinge spanning.

In stilte deed hij een schietgebedje tot Ulldrael voordat hij zijn keel schraapte en zijn stem verhief.

'Granburgers!' Luid schalde het woord over de hoofden van de mensen. 'Laat ons de goden danken voor de rijke oogst die wij dit jaar weer mochten binnenhalen. Onze schuren en loodsen liggen vol, en bij wijze van uitzondering heeft onze provincie meer dan genoeg. Deze dag moet een feestdag worden voor de goden, onze beschermer Ulldrael en vooral voor iedereen die de afgelopen weken zo hard op de akkers heeft gewerkt.' Hij hief zijn bokaal hoog in de lucht. 'De veranderingen die ik sinds mijn aantreden heb ingevoerd zullen doorgaan, dat beloof ik u. Ik nodig u allen uit om samen met mij op die belofte te drinken. De wijn is voor mijn persoonlijke rekening. Op Granburg en op de goden. Lang leve de Kabcar en het volk van Tarpol!'

Heel even bleef het stil. Toen klonk er een geroep uit duizend kelen en tot zijn aangename verbazing hoorde Lodrik dat zijn naam werd gescandeerd.

Geen van de edelen of grootgrondbezitters nam erg enthousiast aan de toost deel. Jukolenko en Kolskoi lieten hun beker zelfs onaangeroerd.

De stralende gouverneur groette de menigte en ging weer zitten.

'Uitstekend, heer,' glimlachte Stoiko. 'U hebt het ijs gebroken.'

'Werkelijk heel goed,' beaamde Waljakov, die een zuur gezicht trok. 'Nu hebben de brojaken en edelen pas echt reden om u af te zetten. U hebt zo veel ijs gebroken dat we moeten oppassen om niet in het smeltwater te verzuipen.'

'Ach, wat.' Lodrik voelde zich uitbundig, bijna euforisch. Steeds weer hoorde hij zijn naam. De mensen juichten hem toe alsof hij de toekomstige Kabcar was – wat wel klopte, maar dat wisten de Granburgers niet. De Tadc wilde hier nooit meer vandaan. Dit was een dag die eindeloos mocht duren.

'Ik ga naar beneden, naar de mensen toe,' besloot de gouverneur, en hij stond op.

'Dat meent u niet, heer!' Waljakov fronste zijn voorhoofd. 'Ik had u toch gezegd waarom dat echt niet gaat?'

'U kunt beter boven blijven, heer,' probeerde ook Stoiko de jongeman te weerhouden, met een dringende ondertoon in zijn stem. 'Wie weet hoe de Granburgers op uw aanwezigheid zullen reageren?'

Lodrik negeerde hun protesten en liep de treden af. De lijfwacht kwam vloekend in beweging en volgde hem.

Toen de mensen zagen dat de landvoogd naar beneden kwam, zwol het gejuich aan en werd het enthousiasme nog stormachtiger.

De gouverneur ging onder in de menigte. Talloze handen klopten hem op de schouder en mensen probeerden hem de hand te schudden. Hij kreeg bekers met wijn voorgehouden en iedereen had een waarderend woord.

'Heel dapper,' mompelde Jukolenko, en hij hief zijn bokaal. 'Of moet ik zeggen: achterlijk?'

'Het is zo... hoe zal ik het zeggen?... zo volks.' Kolskoi huiverde. 'Het mankeert er nog maar aan dat hij met een burgermeisje trouwt, dan is het beeld compleet.'

Lodrik liep niet meer op zijn eigen benen, maar werd door de Granburgers opgetild, alsof ze hem aan elkaar wilden doorgeven. Algauw deinde hij ergens midden op het plein. Waljakov was hem al kwijt en probeerde met de hulp van tien soldaten tot hem door te dringen, wat bijna onmogelijk was in het gewoel.

Lodrik onderging alles als in een mooie droom. De euforie bleef en werd met elke slok wijn die hij nam nog groter. Het liefst zou hij alle Granburgers hebben omarmd en nooit meer losgelaten.

'Kom terug, heer!' brulde de lijfwacht, terwijl hij iedereen die hem voor de voeten liep als speelgoed opzijschoof.

Opeens zag Waljakov een beweging in de mensenmassa. Iemand baande zich doelgericht een weg naar de gouverneur, net zo vastberaden als de lijfwacht zelf. Het was een blonde man, die met een onverzettelijke uitdrukking op zijn gezicht in een rechte lijn op Lodrik afging.

Waljakov kreeg een angstig vermoeden en verdubbelde zijn inspanningen.

Helaas had de andere man meer ruimte tussen de Granburgers, waarvan hij handig gebruikmaakte, zodat hij sneller vooruitkwam dan Waljakov, die alleen met grof geweld een pad kon vrijmaken.

Ook Stoiko had vanaf de tribune de man ontdekt, die in dit tempo de troonopvolger veel eerder zou hebben bereikt dan Waljakov.

'Weg daar, heer! Terug naar de tribune!' riep de raadsman, maar de eenzame, wanhopige waarschuwing ging verloren in het rumoer.

De edelen en brojaken hoorden zijn kreet des te beter.

'Heb jij die man op hem afgestuurd?' vroeg Jukolenko nieuwsgierig aan Kolskoi, terwijl hij zich enigszins in zijn stoel omdraaide om alles beter te kunnen volgen. 'Is dit het nieuwe plan, na de mislukking met die moerasmonsters?'

'De situatie met die monsters moest ik improviseren, daarom ging het fout. Ik heb geen idee wat er daarbeneden gebeurt,' verklaarde de hara¢ stomverbaasd. 'Maar als we geluk hebben, lossen onze problemen met de landvoogd zich vanzelf op.'

De lijfwacht was nog maar enkele meters bij de gouverneur vandaan toen de onbekende Lodrik had bereikt en hem bij de panden van zijn uniform greep.

De gouverneur verloor zijn evenwicht en viel. De andere man viel met hem mee en Waljakov verloor hen uit het oog. Hij had inmiddels zijn sabel getrokken en sloeg met de vlakke kant om zich heen. Zijn mannen waren teruggegaan en op hun paarden gesprongen, waarmee ze nu door de mensenmassa ploegden.

Eindelijk had Waljakov de plaats bereikt waar Lodrik en de onbekende tegen de grond waren gegaan.

Met een snelle beweging greep hij de man die boven op de gouverneur lag in zijn nek en sleurde hem grommend overeind. De handgreep van de sabel kwam twee keer met kracht in het gezicht van de onbekende terecht, die verslapte in Waljakovs greep.

De soldaten drongen de mensen met hun paarden terug en maakten ruimte voor de gevallen landvoogd, die bewegingloos op de keitjes lag. Bloed sijpelde uit zijn achterhoofd op de stenen.

'Nee,' fluisterde Stoiko. 'Machtige Ulldrael, laat hem niet sterven!'

Jukolenko glimlachte ijzig, proostte en nam een slok van zijn wijn, terwijl Kolskoi gespannen toekeek.

Over het marktplein daalde een onheilspellende stilte neer. De Granburgers beseften de ernst van de situatie.

Waljakov smeet de onbekende en zijn wapen achteloos opzij en knielde bij Lodrik neer. De borst van de jongeman rees en daalde nog heel zwak.

'Hij leeft! Een draagbaar, snel!' riep de lijfwacht. 'De gouverneur moet onmiddellijk terug naar het paleis. En haal een cerêler!'

'Heel jammer,' mompelde Kolskoi tegen Jukolenko. 'De knaap is taaier dan ik had gedacht.'

Met een nijdige glans in zijn ogen zette de voormalige gouverneur zijn bokaal weer neer. 'Afwachten maar. Misschien is hij toch dodelijk gewond. Ik ken de cerêler en zijn familie goed.' Hij benadrukte dat laatste woord. 'Heel goed, zelfs.'

Bliksemsnel was er een draagbaar gevonden, en de soldaten brachten de bewusteloze landvoogd door de straten naar het paleis. Talloze mensen sloten zich aan en volgden de stoet zwijgend tot aan het grote gebouw, waar ze op de binnenplaats wachtten.

Roerloos stonden Waljakov, Stoiko en Miklanowo om het bed terwijl Lodrik door de cerêler werd onderzocht.

'Hij heeft meer geluk dan verstand.' De kleine man, zo groot als een kind van acht, inspecteerde de plaatselijke hoofdwond van de gouverneur. 'De schedel is niet gebroken en ook zijn nek lijkt nog intact.'

'Wanneer komt hij weer bij?' Stoiko keek bezorgd op zijn pupil neer.

'Ik kan wel iets doen om hem wat sneller bij bewustzijn te brengen,' zei de cerêler peinzend. 'Die hoofdwond zal ook zonder mijn bescheiden bijdrage wel genezen. Hij is alleen bewusteloos geraakt door de klap tegen de stenen.'

'Doe iets, zodat hij zich weer even aan het volk kan vertonen. Straks bestormen ze uit angst nog het paleis om de gouverneur met eigen ogen te kunnen zien,' zei Waljakov, en hij legde zijn hand op zijn zware sabel. 'Als u met de gouverneur klaar bent, kijk dan even naar de overvaller. Hij heeft ook uw hulp nodig.'

'Zoals u wenst.' De genezer legde zijn vingertoppen tegen

Lodriks slapen en sloot zijn ogen.

Een donkergroen schijnsel lichtte op rond de hoofdwond van de landvoogd, die zich nu sloot. Er ontstond een korst op die plek, die na enkele ogenblikken afviel en een klein wit litteken naliet.

Het schijnsel zweefde nog een tijdje rond Lodriks hoofd, totdat de genezer zijn vingertoppen terugtrok en het groen verdween.

Waljakov vond het een griezelig gedoe, ook al deed de genezer heilzaam werk. Cerêlers waren de enige levende wezens op Ulldart die naar de wil van de goden hun magie hadden mogen behouden, tot heil van mens en dier. De prijs voor dit voorrecht was hun mismaakte gestalte. Geen enkele cerêler bereikte de schofthoogte van een kalf; hun lichaam had dikwijls vreemde proporties en hun hoofd was te groot.

Er waren maar weinig cerêlers op Ulldart. De meesten trokken zich vanwege alle spot in de verste uithoeken terug of lieten zich voor hun diensten goed betalen door de adel en de elite. Onder het volk ging het gerucht dat bijzonder machtige cerêlers zelfs de doden tot leven konden wekken, wat de lijfwacht voor een sprookje hield.

Lodrik sloeg zijn ogen op. 'Wat is er gebeurd?'

'Er is een aanslag op u gepleegd, heer,' antwoordde Stoiko. 'Maar gelukkig is het goed afgelopen, zoals u ziet.'

'Was het een Granburger?' wilde de gouverneur weten, terwijl hij voorzichtig rechtop ging zitten. Zijn hoofd zoemde hevig, maar vreemd genoeg had hij geen pijn. Het leek wel of er een zwerm bijen in zijn schedel aan het werk was. 'Ik geloof dat hij me een klap met een knuppel heeft verkocht.'

'We weten helaas nog niet wat zich precies heeft afgespeeld. Waljakov heeft hem uitgeschakeld, maar het wapen hebben we in de chaos op de markt niet kunnen vinden,' meldde de raadsman.

'Ik ga nu met de genezer naar de kerker om hem te verhoren,' excuseerde de lijfwacht zich, en hij vertrok met de cerêler.

'Het zou me verbazen als de man nog iets kan uitbrengen,' merkte Miklanowo op. 'Waljakov heeft hem halfdood geslagen. En u moet nu snel op het balkon verschijnen om u aan de Granburgers te laten zien, zodat ze weten dat u nog leeft.'

'Akkoord.' Lodrik stond op en deed een paar onzekere stappen naar de glazen deuren. Het lopen ging hem makkelijker af dan hij had gevreesd.

Toen hij het balkon op stapte en zwaaide, brak er een gejuich uit onder het volk.

'De aanslag is mislukt, zoals u ziet,' riep hij, en hij spreidde zijn armen. Het vreugdebetoon van de mensen deed hem goed. 'Geen angst, Granburgers, ik blijf voor u behouden!'

'Nou, geweldig,' bromde Jukolenko tegen Kolskoi. Ze stonden in de hal van het paleis en hoorden de woorden van de jongeman. 'Ik geloof dat ik eens moet gaan praten met die vervloekte cerêler.'

De binnenplaats stroomde langzaam leeg en de mensen trokken de stad weer in. Het oogstfeest kon extra vrolijk verdergaan.

'We treffen elkaar morgen in mijn landhuis, waarschuw de anderen,' zei Jukolenko tegen de edelen. 'We moeten ons oorspronkelijke plan nu zo snel mogelijk uitvoeren. En deze keer geen tegenslagen, geen monsters, geen cerêlers. Nu zal het lukken. Ik zal de soldaten in het geheim ontbieden.'

De mannen verlieten het paleis en gingen uiteen.

Lodrik daalde de trappen af naar de kerkers, die sinds zijn aantreden veel leger waren dan in Jukolenko's tijd. Waljakov had hem laten roepen omdat de gevangene iets interessants te melden had.

Voorzichtig betastte de gouverneur de plek die een halfuur geleden nog hevig had gebloed. Nu jeukte het nog een beetje, maar pijn had hij niet meer. De cerêlers beschikten inderdaad over goddelijke gaven.

'Heer, deze kant op.' De lijfwacht kwam hem tegemoet en bracht hem naar een kamer waar de genezer met de overvaller zat.

Aan het hemd van de blonde, bebaarde man te zien moest hij flink hebben gebloed. Dankzij de talenten van de cerêler waren de ernstigste verwondingen in zijn gezwollen gezicht nu dichtgetrokken, maar zijn neus was gebroken en hij miste een paar tanden. Waljakov had geen halve maatregelen genomen.

'De man beweert dat hij Torben Rudgass heet, kapitein is bij de Rogogardische vloot en rechtstreeks uit Hublinka komt,' onthulde de lijfwacht.

'Uit Hublinka? En wat heeft een Rogogardische piraat zo ver van huis te zoeken, midden in Tarpol?' Lodrik krabde aan zijn baard en deed geen poging zijn verbazing te verbergen. 'Zijn er te weinig schepen op zee?'

'Hij wilde u waarschuwen voor een aanslag, heer,' zei Waljakov. 'Maar ik geloof er niet veel van. Zijn verhaal is nogal verdacht en heel merkwaardig.'

'Ik ben kaper, geen piraat. Bovendien wilde ik u helemaal niet vermoorden op dat plein. Ik had niet eens een wapen bij me,' zei de gevangene onduidelijk, gehinderd door het verlies van enkele tanden. 'Echt, gouverneur Vasja, u moet me geloven!'

'Vertel me het verhaal maar bij een kop thee, zodra de cerêler met u klaar is.' Lodrik stond op. 'Dan zal ik wel beslissen of ik u geloof of niet.'

'Kun je ook tanden laten aangroeien?' vroeg Torben hoopvol aan de genezer, die spijtig zijn hoofd schudde. De Rogogarder zuchtte teleurgesteld. 'Dan moet ik de rest van mijn leven soep en havermoutpap eten. Mijn mannen zullen zich bescheuren.'

Een uurtje later zaten Lodrik, Stoiko, Miklanowo en Waljakov in de kanselarij, waar Torben geboeid naartoe was gebracht en op een stoel gezet. Zijn gezicht was nog steeds een beetje dik, maar de wonden waren dankzij de magische geneeskunst goed geheeld en ook de pijn was weg.

Een bediende schonk de mannen thee in, waarna de Rogogarder alles vertelde, vanaf het begin, over zijn belevenissen aan boord van *De Vrolijke Groet* en de *Selina*, tot aan zijn besluit om de gouverneur te gaan waarschuwen voor de plannen van de huurmoordenaar.

'Neem me niet kwalijk dat ik vrijuit spreek, gouverneur, maar u bent voor mij het beste lokaas dat ik kan bedenken.' Torben nam een slok thee. 'Ik weet zeker dat de moordenaar vroeg of laat zal opduiken, en dan ben ik er klaar voor. Toen ik u op het plein zag, wilde ik u alleen maar waarschuwen en in veiligheid brengen. U was daar een veel te eenvoudige schietschijf voor iemand met een kruisboog.' Lodrik deed of hij de triomfantelijke grijns op het gezicht van zijn lijfwacht niet zag. 'Dat ik op een haar na bijna zelf een aanslag had gepleegd, spijt me bijzonder, excellentie.' Hij wees naar het kopje. 'Kan ik misschien wat rum krijgen?'

'Die huurmoordenaar klinkt levensgevaarlijk, en als u gelijk hebt, beschikt hij over een heel arsenaal aan mogelijkheden om de gouverneur om zeep te helpen.' Stoiko ijsbeerde onrustig heen en weer.

'Maar één ding begrijp ik niet aan het hele verhaal van deze Rogogarder,' zei Miklanowo sceptisch. 'De enigen die belang hebben bij de dood van de gouverneur zijn de Granburgse edelen en brojaken. Maar die moordenaar is gesignaleerd aan de Tarpoolse westkust. Als Jukolenko of Kolskoi de opdrachtgever is, moeten ze die man – van wie we niet eens weten waar hij vandaan komt – al maanden geleden hebben ingehuurd, en dat klopt niet met het tijdsbestek. Bovendien zou Jukolenko gebruikmaken van zijn connecties in Granburg. Dus is uw verhaal niet alleen onwaarschijnlijk, meneer Rudgass, maar ook een leugen!'

'Ik lieg niet!' stoof de piraat op. 'De cerêler zei me dat de gouverneur uit Ulsar komt en de zoon is van een hoge functionaris aan het hof van de Kabcar. Stel dat een vijand aan het hof die moordenaar heeft gestuurd? Dat zou toch kunnen, of niet soms?'

Waljakov en Stoiko wisselden een blik. Lodrik sloot een moment zijn ogen en knikte. 'Dan hebben ze me dus toch gevonden.'

'Geen woord, heer!' siste Stoiko, die zich op zijn hakken omdraaide, maar de gouverneur scheen voor de waarheid te hebben gekozen.

'Daar hebt u allebei recht op,' verklaarde Lodrik. 'Miklanowo geniet toch al mijn volledige vertrouwen, en kapitein Rudgass heeft uit mijn naam al genoeg moeten verduren. Bevrijd de kaper van zijn boeien, Waljakov.'

Morrend bevrijdde de lijfwacht de piraat en stuurde de rest van de bedienden en soldaten de kamer uit.

'Dank u, excellentie,' zei Torben, en hij wreef over zijn geschaafde polsen. 'Maar om welke waarheid gaat het dan?' Ook de grootgrondbezitter keek nieuwsgierig.

'In werkelijkheid ben ik niet de zoon van een hara¢,' begon Lodrik. 'Maar eerst moet u allebei zweren dat u dit geheim zult houden.' De twee mannen knikten.

'Goed dan.' Hij legde een hand op de schouder van Miklanowo. 'U hebt de toekomstige Kabcar op weg geholpen om een goede vorst te worden, en daar ben ik u dankbaar voor.' Hij keek Torben aan. 'En u hebt die lange mars ondernomen en uw leven op het spel gezet om Tarpol, Rogogard en heel Ulldart te behoeden voor de terugkeer van de Donkere Tijd. Ook dat is met alle edelstenen van de wereld niet te belonen. Toch zal Stoiko u een oorkonde meegeven die de Tarpoolse regering verplicht u het geld voor een nieuw schip te geven – of het schip zelf.'

Torben en Miklanowo bleven een moment roerloos staan,

maar knielden toen allebei voor de Tadc.

'Nee, nee, dat is nergens voor nodig. Hier in Granburg ben ik gouverneur Vasja, en dat blijft ook zo. Sta op, alsjeblieft.' Ze richtten zich weer op, nog steeds stomverbaasd. 'Geen woord tegen Hetrál. Hij weet niets van mijn geheim en dat hoeft hij voorlopig ook niet te weten.'

'Blijft de onplezierige vraag wie uw verblijfplaats heeft verraden en u die moordenaar op uw dak heeft gestuurd,' merkte Waljakov op. 'Zolang we dat niet weten, zijn we niet veilig.'

'Maar het feit dat de gouverneur in werkelijkheid de Tadc is, schijnt verder nog niet bekend te zijn,' zei Stoiko. 'Blijkbaar heeft de opdrachtgever er ook geen belang bij om dat te onthullen.'

'Vermoedelijk uit angst voor herkenning,' meende Miklanowo. 'Wie zijn er eigenlijk op de hoogte van deze persoonsverwisseling?'

'Mijn vader en kolonel Mansk,' zei Lodrik.

'De Kabcar kunnen we in deze discussie wel uitsluiten, maar hoe staat het met Mansk?' vroeg de grootgrondbezitter en hij keek de kring rond.

'De kolonel is een loyale militair van het Tarpoolse rijk,' zei Waljakov, 'maar hij drinkt wel veel. Misschien hadden de muren oren toen hij een glaasje te veel ophad?'

'Daar komen we niet snel achter.' Stoiko begon weer te ijsberen. 'Daarom kunnen we ons beter op het belangrijkste concentreren.'

'En dat is?' De gouverneur wachtte.

'Uw veiligheid,' antwoordde Waljakov, 'en die van Ulldart, uiteraard.'

'Maar zonder de moordenaar te laten weten dat we van zijn komst op de hoogte zijn en hem verwachten,' voegde Torben eraan toe. 'Als de veiligheidsmaatregelen te duidelijk worden verscherpt, zal hij een andere manier zoeken, die wij niet ontdekken. Daar heeft hij de middelen voor. Maar als we hem een paar kansen bieden die wij zelf regisseren, kunnen we hem betrappen en misschien iets over zijn opdrachtgevers aan de weet komen.'

'Heel goed,' zei Stoiko waarderend en hij schonk de piraat eigenhandig een theekopje vol rum in. 'Waljakov, dat is een uitdaging voor jou.'

'Een uitdaging voor iedereen die bij deze charade is betrokken, zou ik denken,' bromde de lijfwacht. 'En wie zegt ons dat hij niet allang tot Granburg of misschien zelfs vermomd tot het paleis is doorgedrongen?'

'Dat zul jij dan moeten ontdekken, samen met kapitein Rudgass en je spionnen,' zei Lodrik. 'De kapitein is de enige die weet hoe de moordenaar eruitziet en hem kan ontmaskeren. En wees voorzichtig bij jullie naspeuringen.' Hij zette zijn kopje neer. 'Ik ga naar bed. Ulldrael heeft me vandaag voor de dood bewaard, dus hij zal zeker niet toestaan dat de moordenaar me vannacht nog van kant maakt. Welterusten.' De gouverneur vertrok en het gezelschap ging uiteen.

'Ik zal u uw kamer wijzen,' zei Stoiko tegen Torben. 'U wordt in de gastenvleugel ondergebracht, samen met brojak Miklanowo. Morgen laat ik een verklaring uitgeven over het misverstand van de zogenaamde aanslag. Hebt u er bezwaar tegen als we bekendmaken dat u dronken was?'

'Als dat zo is,' lachte de piraat, en hij nam in het voorbijgaan de fles rum mee, 'dan wil ik die rol vannacht toch overtuigend spelen.'

Een week lang doorzochten de spionnen en Torben het paleis, hielden de wacht bij de stadspoort en deden navraag in alle herbergen van Granburg, maar vanwege het oogstfeest was het ondoenlijk om alle vreemdelingen die naar de provinciehoofdstad waren gekomen te controleren.

In elk geval was Torben ervan overtuigd dat de moordenaar nog niet was binnengedrongen in de residentie van de gouverneur. Het personeel en de soldaten kenden elkaar allemaal te goed om een onbekende over het hoofd te zien die de moordenaar zou kunnen zijn.

Ook het doorzoeken van het gebouw leverde niets op. Met hulp van Hetrál werden alle punten extra bewaakt waar een sluipschutter met een gericht schot succes zou kunnen hebben.

Toch lag er een voelbare spanning over het paleis en zijn bewoners. Alles werd met wantrouwen bekeken, en hoewel Lodrik zijn zenuwen in bedwang probeerde te houden, merkten Stoiko, Miklanowo, Torben en Waljakov toch aan kleine gebaren en versprekingen dat hij er niet gerust op was.

De piraat droeg het uniform en de wapenrusting van een lijfwacht, met een gesloten helm die zijn gezicht enigszins voor de huurmoordenaar zou moeten verbergen. Hij was altijd in de nabijheid van de gouverneur om de moordenaar te kunnen identificeren voordat hij de kans kreeg tot actie over te gaan. Maar het wachten vrat aan de zenuwen van alle betrokkenen, zoals Waljakov al had voorspeld. De stemming werd met het uur prikkelbaarder.

Tot overmaat van ramp had een boodschapper een dag geleden bericht gebracht over een opstand in het district van de brojak Kaschenko.

De grootgrondbezitter vroeg dringend om hulp, omdat zijn kleine legertje de toestand niet meer in de hand kon houden. De opstandelingen, ongeveer duizend in getal, vernietigden alles wat op hun pad kwam en hadden al snel de grenzen van zijn landgoed bereikt. Ook de andere brojaken vreesden nu voor have en goed. En de rebellenleider wilde alleen met de gouverneur onderhandelen.

Eerst dacht Waljakov, net als iedereen in het paleis, aan een doorzichtige valstrik, maar het nieuws uit het gebied nam toe en de rest van Granburg werd onrustig.

'Ik ben er redelijk zeker van dat Jukolenko er iets mee te maken heeft.' Tijdens de thee in de kanselarij vertolkte Stoiko het algemene gevoel. De kleine kamer was hun favoriete vergaderplek geworden, omdat niemand hen daar kon afluisteren.

'Ik begrijp het ook niet.' Waljakov tuurde duister in de brandende haard. 'De mensen waren een paar dagen geleden nog zo geestdriftig over u, heer.'

'Dat bewijst dat er iemand anders achter die opstand steekt,' onderschreef Miklanowo Stoiko's verdenkingen. 'In de hele stad heerst onzekerheid over de situatie in het district van Kaschenko. Als er ooit een aanleiding tot een opstand was geweest, dan onder Jukolenko, maar niet nu.'

'Misschien denken ze dat de nieuwe gouverneur zwakker is dan de oude en wagen ze daarom hun kans?' opperde Torben, die een grog in zijn theekopje had.

'Nee, dat slaat nergens op,' vond de baardige brojak. 'Er zit meer achter.'

'Ik zou u adviseren morgen onmiddellijk een garnizoen te sturen om de opstand neer te slaan,' zei Waljakov.

Lodrik knikte. 'En ik zal zelf aan het hoofd van de troepen rijden.' De gouverneur rekte zich uit.

'Hoe wist ik dat hij dat zou zeggen?' mompelde de lijfwacht en hij dronk zijn kopje leeg. Met stemverheffing vervolgde hij: 'Eigenlijk moet ik verder mijn mond houden over de zaak, maar u ziet het toch niet helder, heer. U kunt echt niet mee. Dan zou u niet alleen uw leven, maar ook de toekomst van Ulldart op het spel zetten.'

'Maar als ik niet meega, zullen honderden soldaten en boeren sneuvelen. Dan zou al het vertrouwen dat de meeste Granburgers in mij hebben gekregen verloren gaan en moet ik de provincie voortaan net zo besturen als Jukolenko deed. En dat, Waljakov, zal niet gebeuren!' Lodrik werd boos en zijn stem schoot uit. 'Ik zeg jullie duidelijk dat ik in de toekomst geen lange discussies meer accepteer als ik iets wil. Ik neem mijn eigen beslissingen. Ik ben de gouverneur, de Tadc en de toekomstige Kabcar. Is dat goed begrepen?'

De mannen bogen. 'Ja, heer, het is duidelijk,' antwoordde Stoiko ook namens de rest, een beetje stijf. 'We waren alleen bezorgd om u. Maar misschien wordt het tijd dat u het roer helemaal overneemt. Van nu af aan zullen we ons niet meer met regeringszaken bemoeien.'

'Verdomme,' vloekte Lodrik, en hij smeet zijn kopje tegen de haard. De thee spatte alle kanten op en de scherven kletterden door de kamer. 'Ik wilde jullie niet beledigen, maar ik laat me niet langer als een klein kind behandelen. Ik weet wat er op het spel staat als ik zou sterven, maar ik ben niet van plan om in de nabije toekomst het tijdelijke voor het eeuwige te verruilen. En als dat toch gebeurt, is het Ulldraels wil.' Langzaam kalmeerde de jongeman een beetje. 'Jullie zijn mijn beste vrienden en daarom vraag ik jullie om me zo goed mogelijk te helpen, maar me niet de beslissingen uit handen te nemen. Ik moet het land leren besturen en daar hoort ook bij dat ik gevaren trotseer.' Lodrik draaide zich om en staarde in de vlammen. 'En laat me nu alsjeblieft alleen. Ik moet nadenken.'

Eén voor één verlieten ze het kantoor, totdat de gouverneur alleen achterbleef.

'Hij begint steeds meer op zijn vader te lijken, naarmate hij ouder wordt,' zei Stoiko op de gang tegen Waljakov, die instemmend knikte. 'Een echte driftkop, zoals het in de boeken staat. Ga je mee naar de bibliotheek? Dan daag ik je uit voor een partijtje schaak.'

'Geen slecht idee. We zullen binnenkort heel tactisch moeten denken,' zei de lijfwacht, en hij liep met de raadsman mee. Hetrál, die op weg was naar de gouverneur, werd door het tweetal opgevangen.

'Meester Hetrál,' – Stoiko wees hem een stoel – 'ga zitten. Schaakt u ook?'

De stomme man knikte en wapperde met zijn gestrekte hand.

'Redelijk, bedoelt u? Dan bent u beter dan ik,' zei Waljakov. 'Ik kijk wel toe. Misschien kan ik nog iets leren.'

Na twintig zetten was Stoiko verslagen. De lijfwacht stak zijn vreugde niet onder stoelen of banken en een tevreden Tûriet liet zich in de kussens zakken.

'Waar hebt u dat geleerd?' De raadsman staarde vol onbegrip naar het bord.

Hetrál stond op, pakte een atlas van Ulldart uit de kast en sloeg het koninkrijk Aldoreel op. Met zijn pink wees hij de hoofdstad aan.

'Koning Tarm heeft u leren schaken?' vroeg Stoiko ongelovig. Maar de schutter knikte.

'Vandaar uw hoffelijke omgangsvormen,' begreep Waljakov, maar de stomme man wees nu naar Tersion. De twee anderen keken hem met open mond aan.

'Waar bent u verder nog geweest?' wilde Stoiko weten.

Als antwoord legde Hetrál zijn hand op het continent en trok met zijn wijsvinger alleen een streep door Kensustria en Palestan.

'En wat hebt u daar allemaal gedaan? Hoe kwam u aan het geld voor al die reizen?' De lijfwacht krabde zich verbaasd op zijn kale schedel.

De Tûriet mimede een schot met een boog, gevolgd door applaus en een gebaar van geld tellen.

'Ik begrijp het,' zei Stoiko. 'Met uw demonstraties reist u de hele wereld af en verdient u aan de vorstenhoven uw geld. Daar zult u wel het een en ander hebben meegemaakt.'

Hetrál grijnsde breed, gaf hun een teken om te wachten en verdween een paar minuten uit de bibliotheek. Toen kwam hij terug met een kleine koffer, waaruit hij allerlei souvenirs van zijn reizen haalde, te beginnen met dankbare oorkondes van graven en andere edelen voor het neerschieten van moerasmonsters, tot eenvoudig handwerk, wimpels en een blonde haarlok.

'Kunt u nog meer dan boogschieten?' Waljakov bekeek een oorkonde uit Tersion.

Hetrál drukte de lijfwacht een waslec in zijn mechanische hand en beduidde hem dat hij aan de andere kant van de bibliotheek moest gaan, met een gestrekte arm en de munt vlak bij de wand. Stoiko knipoogde hem bemoedigend toe. Ondertussen trok de schutter iets uit zijn mouw.

Toen Waljakov zijn positie had ingenomen, gooide de Tûriet snel achter elkaar een aantal lange, dunne, metalen stiften naar het geldstuk, dat hij met de scherpe punten recht in het midden doorboorde.

'Heel indrukwekkend.' De lijfwacht liet de munt los, die nu aan de houten wand zat vastgenageld. Hetrál maakte een zwierige buiging voordat hij weer ging zitten.

'Mooi dat u nu in Granburg bent,' zei Stoiko. 'Bij gelegenheid moet u de gouverneur eens laten zien wat u kunt.'

Torben postte voor de deur van de kanselarij en praatte zachtjes met een andere wachtpost. Miklanowo was naar zijn kamer verdwenen.

De tijd verstreek.

'Hij zit daar nu al twee uur,' zei Torben tegen de andere man. 'Hij zal toch niet in slaap gevallen zijn?' Voorzichtig stak hij zijn hoofd om de deur, maar trok zich schielijk weer terug. 'Hij zit over een boek gebogen.'

De andere wachtpost geeuwde hartgrondig.

'De lucht is nogal droog, vind je niet? Wacht hier, dan haal ik wat te drinken,' zei de Rogogarder. 'Anders dan jij mag ik mijn post wel verlaten.'

'Dat komt goed uit. Ik sterf van de dorst,' zei de man dankbaar. 'Snel dan.'

De piraat maakte een sussend gebaar. 'Om deze tijd komen er

geen officieren meer langs, hooguit Waljakov, en die weet dat ik de tweede man voor de deur ben. Dus je hoeft nergens bang voor te zijn.'

'Toch zit het me niet lekker,' mompelde de soldaat, toen Torben fluitend de halfdonkere gang door liep naar de keuken.

Op de terugweg kwam hij net met een volgeladen dienblad de hoek om toen hij stemmen hoorde hij de voordeur. Zo snel als het ging met het blad in zijn handen liep hij naar de hal om te zien wat er aan de hand was.

Twee bedienden stonden tegenover een vrouw in een rode mantel.

'Wat is er?' Torben drukte een van de bedienden het blad in zijn handen en probeerde onder de capuchon van de vrouw te kijken.

'Dit is Norina Miklanowo, de dochter van brojak Miklanowo,' antwoordde de andere bediende. 'Ze wil haar vader spreken.'

Norina nieste, drukte een zakdoek tegen haar gezicht en hoestte. 'Neem me niet kwalijk dat ik zo laat nog langskom, maar het is belangrijk. Een deel van onze lijfeigenen heeft zich bij de opstandelingen aangesloten en ik moet mijn vader dringend om raad vragen,' zei ze verkouden en hees. 'Waar kan ik hem vinden? Elke minuut is kostbaar.'

'Kom maar mee,' zei Torben, en hij nam het blad weer over. 'Wat een vervelende berichten. Deze kant op.' Hij knikte naar de gang en Norina kwam met hem mee.

'Hoe gaat het met de gouverneur?' wilde ze weten. 'Ik hoorde dat een dronken man hem ernstig had verwond.'

De Rogogarder lachte. 'Dat valt wel mee. Hij is alweer op de been. Maar u klinkt erg verkouden. En dat in de zomer?'

'Ik kan slecht tegen reizen per koets,' verklaarde ze, hoestend en proestend. 'Bij een beetje tocht krijg ik al griep. Maar in dit geval had ik geen keus.' Norina snotterde even en snoot krachtig haar neus. 'Het schijnt dat de gouverneur erg veranderd is? Kan ik hem straks ook nog spreken?'

'Hij zit op de kanselarij en wil niet gestoord worden,' antwoordde Torben. 'Ik zou u niet aanraden om hem...' De piraat zweeg toen hij een vleug van Norina's zoete parfum opsnoof. Dat luchtje kwam hem op de een of andere manier bekend voor, maar door de leren voering van zijn helm kon hij het niet goed ruiken.

De vrouw merkte zijn aarzeling. 'Wat is er? Waarom zeg je niets meer, soldaat?' Van achter haar zakdoek nam ze hem scherp op.

'Het is uw parfum, vrouwe. Dat ken ik ergens van.'

'Waarschijnlijk heeft mijn vader zijn gelukssjaal bij zich. Die is in mijn parfum gedrenkt. Ik geef hem die sjaal altijd als talisman mee als hij op reis gaat,' legde Norina uit. 'Kom je nou nog, of moet ons hele gebied door jouw laksheid in de handen van dat opstandige tuig vallen?'

Torben begon argwaan te krijgen. Hij was hier nog niet zo lang, maar uit de manier waarop Miklanowo over zijn pachters sprak bleek een zeker respect, dat zijn dochter blijkbaar niet deelde. Terwijl de brojak hem toch had verteld dat zijn dochter er net zo over dacht?

Hij bleef staan om voorzichtig zijn blad op één hand te balanceren, terwijl hij met zijn andere hand zijn vizier omhoogschoof om het parfum beter te kunnen ruiken.

Weer snoof hij het zware, zoete aroma op en opeens vielen hem de schellen van de ogen.

Op hetzelfde moment draaide Norina zich om, keek hem recht in zijn gezicht en deinsde terug.

'Jij bent het, vervloekte moordenaar!' riep Torben. 'Ik dacht het al. Dat is het parfum dat je in je plunjezak had!'

'Je zult niet de kans krijgen het iemand te vertellen, kapitein Rudgass,' siste de zogenaamde Norina nu met een bekende stem.

Met een bliksemsnelle beweging wierp hij iets naar de hals van de piraat.

De Rogogarder had de tegenwoordigheid van geest om het dienblad omhoog te rukken. De twee kroezen, het brood en de kaas vielen op de grond en het bier stroomde schuimend over de vloer.

Met een doffe klap boorde de punt van het giftige mes zich een vinger lang door het hout van het blad en bleef toen steken.

'Zo makkelijk krijg je me niet te pakken,' lachte Torben en hij wierp zijn schild weg om zijn sabel te trekken. Maar als een kat sprong de moordenaar op hem af, met een dolk in zijn rechterhand.

De twee mannen sloegen tegen de grond. Hijgend lagen ze te worstelen, terwijl de Rogogarder wanhopig het mes bij zijn gezicht vandaan probeerde te wringen. Maar zijn tegenstander bleek sterker dan zijn geringe postuur deed vermoeden. De inspanning kostte Torben al zijn adem, zodat hij geen lucht meer overhad om om hulp te roepen.

Opeens liet de moordenaar hem los. Verrast schoot Torben half omhoog, en meteen kreeg hij een pijnlijke trap tussen zijn benen. Zijn maag kromp samen en hij zakte kreunend naar achteren.

Hij zag een schoenzool voor zijn ogen opdoemen, maar op het laatste moment rolde hij weg en de hak sloeg tegen de stenen.

De piraat werd omhooggesleurd en staarde in de ogen van de grijnzende moordenaar, die zijn gezicht geschminkt had. Zijn overvaller drukte hem met kracht tegen de muur en sloeg hem met zijn hoofd tegen de stenen. De helm ving wel iets op, maar de klap was nog zo zwaar dat hij half bewusteloos naar de grond zakte.

'Goedenacht, kapitein Rudgass.' De moordenaar schopte hem zo hard in het gezicht dat het kraakte. 'Je moet nooit beloften doen die je niet waar kunt maken. Maar ik hou me aan mijn woord dat ik u op de *Selina* heb gegeven.'

Weer kwam de hak van de schoen omlaag.

Er werd zachtjes op de deur van het kantoor geklopt, maar Lodrik reageerde niet.

De tweede keer klonk het dringender. Vloekend kwam de gouverneur achter zijn boeken vandaan.

Met een ruk gooide hij de deur open en zag de wachtpost staan, naast een vrouw in een rode mantel, die in haar zakdoek nieste.

'Wat is er?' blafte hij tegen de soldaat. 'En waar is Torben?'

'Excellentie, Rudgass is wat te drinken halen.' De man wees op de vrouwengestalte. 'Norina Miklanowo wilde u graag spreken.'

'Norina? Wat een prettige verrassing.' Lodrik deed een stap terug en maakte een uitnodigend gebaar. De vrouw knikte, snoot nog eens en kwam de kleine kamer binnen. Met een zwaai gooide de gouverneur de deur weer dicht.

'Waaraan heb ik de eer van dit bezoek te danken? Ik had je helemaal niet verwacht.' In gedachten kon Lodrik zich wel voor zijn kop slaan voor die opmerking. Hij had haar correct willen ontvangen, maar het klonk alsof hij een opdringerige smekeling afwees. Zou hij toch een welkomstkus kunnen wagen?

'Neem me niet kwalijk, excellentie, dat mijn stem als een knarsend wagenwiel klinkt, maar ik ben bang dat ik op weg hierheen een fikse kou heb opgelopen,' zei ze hees, en ze nieste weer. 'Een deel van onze lijfeigenen heeft zich bij de opstandelingen aangesloten en ik wilde mijn vader om raad vragen of hem overhalen om terug te komen.'

'Deze opstand begint een groter probleem te worden dan ik dacht.' Lodrik schonk Norina een kop thee in. 'Hoeveel zijn het er?' Voorzichtig probeerde hij een blik op haar gezicht te werpen, maar dat ging nog steeds schuil achter de capuchon en de zakdoek. Op de een of andere manier leek ze kleiner dan hij zich herinnerde. En waarom sloeg ze een toon aan alsof hij bijna een onbekende voor haar was?

'Ongeveer honderd man,' antwoordde Norina, en ze draaide zich om naar de haard. De landvoogd kwam naast haar staan. 'U bent zo veranderd. Als ik niet zeker wist dat u het was, zou ik u niet hebben herkend.'

'Waljakov heeft hard aan mijn conditie gewerkt.' Hij nam een slok thee. 'Het was een zware tijd, maar ik vrees dat het nog veel zwaarder gaat worden.' Hij hield het niet meer uit. 'Norina, waarom doe je alsof we elkaar nooit hebben gekust? Heb ik iets fout gedaan? En waar is de amulet die ik je gegeven heb?' Hij stak een hand uit om haar wang te strelen.

Ze trok haar hoofd weg. 'Ik heb hem nog wel, maar het is al zo lang geleden en ik was bang dat je nu misschien heel anders over ons zou denken,' zei ze hoestend. Het zilveren lepeltje viel van haar schoteltje op de grond. 'Wat onnadenkend van me.'

'Het geeft niet,' suste Lodrik en hij bukte zich snel om het lepeltje op te rapen.

In het spiegelende, glimmende zilver van de lepel zag hij een schaduw razendsnel op zijn rug afkomen. Instinctief wierp hij zich opzij.

De punt van de dolk boorde zich tussen de segmenten van het metalen pantser, diep in zijn rechterschouder, en trok een bloederige baan over het gewricht. Onmiddellijk voelde hij een felle, brandende pijn.

'Norina, ben je gek geworden?' hijgde Lodrik, terwijl hij naar de schouderwond greep. Nu pas zag hij dat het niet de dochter van zijn vriend was, die met een vervaarlijk uitziende, met bloed besmeurde dolk tegenover hem stond.

De capuchon was van het hoofd gegleden en de gouverneur keek in het gezicht van een zwaargeschminkte man, die klaarstond om weer toe te slaan.

'Wachtpost!' brulde Lodrik en hij deed een snoekduik naar de tafel waarop hij zijn sabel had neergelegd.

De deur zwaaide open, de soldaat stormde naar binnen en keek om zich heen.

De paar seconden die de man nodig had om zich te oriënteren waren voldoende voor de pijlsnelle huurmoordenaar om zijn dolk van opzij in de keel van de wachtpost te rammen. Een straal bloed spoot met een grote boog door de kamer en de man zakte rochelend in elkaar.

Lodrik had zijn sabel gegrepen en kwam nu op de moordenaar af, die behendig voor de aanval wegdook en het wapen van de dode wachtpost greep. In zijn andere hand verscheen nog een dolk.

Er ontstond een hevig gevecht, waarbij de jongeman algauw besefte dat hij het onderspit zou delven.

De techniek van zijn tegenstander deed tot Lodriks verbazing sterk denken aan die van Waljakov, die hij gelukkig kende, want anders was de strijd al snel beslist geweest.

Lodriks krachten vloeiden weg en hij voelde pijnlijke steken in zijn halfverdoofde rechterarm.

Hij trok zich terug en smeet alles naar de aanvaller wat hij vinden kon. Kasboeken, inktflesjes, kandelaars en theepotten vlogen door de lucht. Op de gang werd geroepen en naderden de eerste schreden.

'Opzij, heer!' brulde Waljakov, die plotseling in de deuropening verscheen. Lodrik liet zich vallen en hoorde bijna onmiddellijk het suizen van een afgeschoten pijl.

De moordenaar slaakte een kreet, gevolgd door het luide gekletter van metaal op metaal.

De gouverneur kwam wankelend overeind en zag zijn lijfwacht in een adembenemend duel gewikkeld met de moordenaar. Uit de linkerarm van de man stak de schacht van een pijl.

De twee mannen leverden een verbeten strijd. Ze lieten een regen van slagen op elkaar neerkomen, maar steeds weer wisten ze elkaars aanvallen te pareren.

Opeens deed de moordenaar een uitval met zijn dolk, Waljakov weerde hem af met zijn mechanische hand en greep zijn tegenstander bij de keel. De lijfwacht gaf een brul, tilde de man met gestrekte arm van de grond en smeet hem met zijn hoofd tegen de grond.

De moordenaar bleef liggen, schijnbaar verdoofd. Bloed sijpelde uit zijn mond.

Waljakov draaide zich om naar Lodrik, maar op hetzelfde moment sprong zijn vijand weer overeind en richtte zijn dolk op de nek van de lijfwacht, terwijl hij iets riep.

Waljakov voelde de aanval aankomen, dook weg en antwoordde lachend in een onbekende taal, terwijl hij om zijn as draaide en de arm van de moordenaar afhakte.

De dolk en de onderarm vlogen door de lucht, bloed spoot uit de stomp en de moordenaar zakte tegen de grond in een rode plas.

De lijfwacht kwam met een bijna demonische grijns op zijn met bloed besmeurde gezicht op Lodrik toe en ook Stoiko en Hetrál renden naar de gewonde gouverneur, die met zijn ogen draaide en tegen de grond ging.

Ulsar, hoofdstad van het koninkrijk Tarpol, late zomer 442 n. S.

Matuc voelde zich te midden van al die pracht en praal niet op zijn plaats. Ook toen hij na het overlijden van Tradja, vier jaar geleden, abt van het kleine klooster bij Tscherkass was geworden, had hij geen behoefte aan uiterlijk vertoon gekregen – blijkbaar in tegenstelling tot de leiding van de orde.

De enige die een eenvoudige pij droeg was Matuc. Alle anderen die hem druk en gewichtig passeerden droegen zulke kostbare kleren dat de abt zich afvroeg of hij niet per ongeluk op een adellijk landgoed was verzeild.

De Geheime Raad van Ulldrael had hem zonder nadere uitleg naar Ulsar ontboden. De boodschapper had alleen gezegd dat het dringend was toen hij Matuc had aangetroffen bij het voeren van de kippen – een taak die hij ook als abt niet had overgedragen omdat hij het al sinds zijn intrede in de orde had gedaan.

Een beetje verfomfaaid stond de monnik nu in de hal van de grootste Ulldrael-tempel in Tarpol en wachtte met ongebruikelijk ongeduld op wat er komen ging. De talloze schilderijen in de vergulde lijsten, portretten van de leden van de Geheime Raad, kon hij nu wel dromen.

'Als jouw geloof net zo groot is als je omvang, hoeft Ulldrael de Rechtvaardige nooit meer te twijfelen aan het vertrouwen van zijn gelovigen,' mompelde de monnik hoofdschuddend toen er een bijzonder gezette broeder voorbijkwam. 'Zou al die luxe niet de blik op de eenvoudige, mooie dingen van het leven vertroebelen?'

Nieuwsgierig peuterde hij aan een donkergeel glinsterende pilaar en hij had algauw een stukje bladgoud onder zijn nagel.

'Broeder Matuc?' zei een stem achter hem. De abt draaide zich haastig om en verborg onwillekeurig zijn hand met het snippertje bladgoud. Tegenover hem stond een monnik die hem kritisch opnam. 'Ik moet u naar de Geheime Raad brengen. Gaat u mee?'

Matuc knikte. 'Ga maar voor, broeder, dan volg ik u.'

De twee mannen beklommen enkele trappen en liepen een paar gangen en kamers door. De abt was ervan overtuigd dat het paleis van de Kabcar niet minder kostbaar kon zijn ingericht.

Al die tijd sprak zijn gids geen woord, tot de wandeling eindigde bij een zware deur.

'Hier is het, broeder. De Geheime Raad verwacht u.' De monnik stak een hand uit. 'En geef me dat bladgoud maar terug, dan zal ik het weer laten aanbrengen.'

Matuc legde blozend het snippertje in de uitgestoken hand. 'Ik dacht dat het verf was. Ik had geen idee dat we zo'n rijke orde waren.'

'We zijn niet rijk. We eren Ulldrael met gepaste luister.' Zijn gids opende de deur en maakte een uitnodigend gebaar. 'Ga uw gang, broeder.'

De abt deed een paar stappen de kamer in en de deur viel achter hem dicht.

Dikke brokaatgordijnen hielden een groot deel van het daglicht tegen, dat maar sporadisch door de kieren in de schemerige ruimte viel. Er hing een doordringende geur van wierook. De dikke walm vormde bizarre, nevelige patronen in de bundels van zonlicht.

Midden in de kamer stond een grote, lange tafel, waarachter negen bejaarde mannen in donkergele mantels zaten, die de bezoeker zwijgend aankeken. Tegenover de tafel stond een laag krukje.

Matuc had even tijd nodig om zijn ogen aan het schemerlicht te laten wennen. De rook prikte in zijn neus en hij voelde zich een beetje duizelig.

'Ulldrael de Rechtvaardige, zijn naam zij geprezen,' zei de man in het midden.

'Door alles wat leeft en adem heeft,' voltooide de abt de groet als vanzelf en hij vormde met zijn handen de cirkel als symbool voor de allesomvattende macht van de god.

'We hebben elkaar lang niet meer gezien, broeder Matuc.' De spreker stond op.

'De laatste keer was vier jaar geleden, toen ik als abt van ons kleine klooster werd aangewezen, overste.' Matuc boog zijn hoofd. 'Des te groter mijn vreugde om weer een voet in de grote tempel te kunnen zetten. Het is altijd een onbeschrijflijke ervaring voor een gelovige die in afzondering leeft. Het goud verblindt, maar bidden gaat toch altijd beter met gesloten ogen.'

De overste lachte zacht. 'Nog altijd zo'n scherpe tong, broeder? Wij willen slechts de wijze en rechtvaardige Ulldrael eren en prijzen zoals het een godheid toekomt.' Hij knikte naar het krukje voor de tafel. 'Ga zitten. We willen je een paar vragen stellen.'

Matuc gehoorzaamde.

'Het gaat om een zaak van vele jaren geleden,' begon de overste. 'Nog uit de tijd van Tradja. Je weet waarschijnlijk wat ik bedoel?'

'De ziener Caradc, neem ik aan, die ons de waarschuwing van Ulldrael de Rechtvaardige doorgaf,' antwoordde de abt. 'Tradja heeft toen de Kabcar gewaarschuwd en de Geheime Raad op de hoogte gebracht.'

De overste knikte. 'Op de hoogte gebracht, inderdaad. Maar zonder de letterlijke tekst van de boodschap. Die zou hij ons nog sturen, maar dat heeft hij helaas verzuimd. Onze bibliothecaris merkte die omissie op.' De overste ging weer zitten. 'Tradja heeft toen verklaard dat jij de enige was die de woorden van de ziener had opgevangen.'

'Ik was de enige die de boodschap van Ulldrael heeft gehoord,' bevestigde Matuc.

'Herhaal die woorden eens,' beval een monnik aan de linkerkant van de tafel kortaf.

'Pardon?' De abt keek verbaasd. Waarom zou hij een boodschap herhalen die algemeen bekend was?

'Herhaal zijn woorden, als je wilt,' zei de overste wat vriendelijker, terwijl hij zijn ellebogen op de tafel steunde en zich naar voren boog.

'Het is Ulldraels wil dat de Tadc tegen aanslagen...' begon Matuc, maar de monnik aan de rechterkant viel hem in de rede.

'Niet de samenvatting, broeder, maar wat de ziener letterlijk heeft gezegd.'

'Het is al lang geleden en ik weet niet of ik het me precies kan herinneren, maar ik zal het proberen,' antwoordde de abt.

In gedachten ging hij terug naar die verschrikkelijke gebeurtenis en zag Caradc weer in een plas bloed liggen, vechtend voor zijn leven, om de belangrijke boodschap van Ulldrael nog te kunnen doorgeven.

'Hij zei... "De Tadc, voorzichtig, doden. Tadc, doden. Donkere Tijd. Tadc, gevaar, iemand, doden. De Donkere Tijd komt terug."' Matucs stem beefde en tranen liepen hem over de wangen bij de herinnering aan de gruwelijke dood van zijn vriend. 'Dat zei hij, leden van de raad. Het staat me nog helderder voor de geest dan ik dacht.'

Het college van de Orde van Ulldrael zweeg.

De gordijnen bewogen een beetje, de rook wervelde en een

windorgel liet zachte, heldere tonen door de ruimte zweven.

'Zoals u ziet, broeders, ben ik met mijn maatregelen niet te voorbarig geweest,' sprak de overste na enige tijd. 'Het is alleen jammer dat ze, zoals ik heb gehoord, geen effect hebben gehad. Nu zal het allemaal nog moeilijker worden.' De mannen in de goudgele mantels knikten. 'Broeder Matuc, wat gebeurde er nadat de waarschuwing was overgebracht?'

'De normale rust in het klooster keerde snel terug,' antwoordde de abt, die weinig begreep van de raadselachtige opmerking van de overste tegen de andere leden.

'Je weet heel zeker dat er niets ongewoons gebeurde?'

'Nou ja, het is misschien niet de moeite waard,' zei hij na enig nadenken, 'maar een van de medebroeders is een paar dagen na Caradc' dood gevlucht. Hij was nog niet lang bij de orde en niemand kon hem zijn vlucht kwalijk nemen. Waarschijnlijk was zijn geloof nog niet zo sterk als bij ons, de anderen. O ja, en er zijn drie kippen gestorven.'

De Geheime Raad overlegde fluisterend, zodat Matuc niet kon verstaan wat er gezegd werd.

Hij voelde zich weer duizelig worden en klemde zich snel aan het kleine krukje vast om niet te vallen. De vage stemmen van de mannen galmden door zijn hoofd en zijn ogen brandden pijnlijk. Tegelijk voelde hij zich heel licht en zou hij het liefst zijn doorgegaan met vertellen en vertellen.

'Hoe zijn ze gestorven?' vroeg de overste. 'Was er iets vreemds aan hun dood?'

Matuc staarde naar de rook, die grappige figuren vormde. 'Het vreemde was dat ze kramp hadden en eieren legden die vol met bloed zaten. Wij hebben dat uitgelegd als een teken van Ulldrael, een bewijs dat hij net zo om Caradc treurde als wij.'

'En waar zijn die kippen doodgegaan?' wilde de overste weten.

'Ik weet niet waarom die dieren u zo interesseren.' De abt vond zijn duizeligheid nu toch verdacht. Zou het misschien aan de wierook liggen, die vreemd genoeg alleen in zíjn richting walmde? 'Ze lagen dood in de kamer van novice Benjawitsch en broeder Caradc. Benjawitsch was de novice die uit het klooster vluchtte.'

'Dus ze sliepen op één kamer?'

Matuc knikte. 'Ja. Hij moest de nieuweling lesgeven en hem inwijden in het leven van een monnik.' Matuc stond op, zwaaiend op zijn benen. 'Leden van de Geheime Raad, mag ik even wat frisse lucht? Ik voel me niet zo goed.'

De overste maakte een welwillend gebaar. 'Ga maar. We moeten ons toch beraden. Probeer wat uit te rusten van je reis, ga eten en slapen, en zeg je gebeden voor Caradc in de tempel. Daarna roepen we je weer.'

Matuc boog zijn hoofd, waardoor hij bijna voorover viel, en wankelde naar de deur.

Buiten wachtte de monnik die hem naar de zaal had gebracht.

'Broeder, ik zal je je kamer wijzen. Je lijkt uitgeput van de reis.'

'Dat zal het wel zijn,' mompelde Matuc en als een slaapwandelaar sjokte hij achter zijn gids aan.

Het laatste wat hij zich herinnerde was een knus wit bed waarin hij met een zucht diep wegzakte.

De volgende dag begon Matuc tegen zijn gewoonte in met een uitvoerig ontbijt, dat door de broeders van de Ulldrael-tempel naast zijn bed was neergezet. Daarna haastte hij zich naar de kapel en bracht een paar uur door met het zachtjes opzeggen van litanieën, om innerlijke rust te vinden.

Ten slotte maakte hij een wandeling door de grote, groene tuin, zonder te weten waar hij naartoe wilde. Maar noch de wandeling, noch het gebed kon zijn gedachten afleiden van zijn gesprek met de Geheime Raad, de vorige dag.

Hoewel hij zich niet alle details meer kon herinneren, wist hij nog wel dat het college de letterlijke tekst van Caradc' visioen had willen horen. En dat verwonderde hem nog steeds.

Peinzend slenterde hij langs al die heerlijk geurende bomen, met zijn armen op zijn rug, zonder op zijn omgeving te letten.

'O, hier ben je,' riep een monnik uit de verte. 'De Geheime Raad wil je onmiddellijk spreken, broeder. Ze waren al bang dat je was vertrokken.'

'Zonder te weten waar het om gaat?' mompelde Matuc. Hardop zei hij: 'Nee, nee. Ik brand van verlangen de wijze leider van onze orde weer te ontmoeten.'

'Kom dan mee. Het is dringend.'

'Het schijnt altijd dringend te zijn.' De abt volgde de monnik, die een andere weg naar de raadszaal leek te nemen dan zijn gids de vorige dag.

Tot Matucs verrassing was de overste nu alleen. Ook brandde er geen wierook. De gordijnen waren nog wel gesloten.

De man in de goudgele mantel stond op toen hij binnenkwam. 'We dachten al dat je naar huis was.'

'Ik was even de benen strekken in de tuin. Een prachtige tempelhof,' antwoordde hij.

'We zijn er ook trots op. Het bloemenzaad komt uit heel Ulldart, uit Kalisskon en Angor.'

'Dat zal een lieve duit kosten. Wij telen aardappels en rapen op onze boerderij. Daar is Ulldrael ook wel tevreden mee, geloof ik.'

'Je kunt het niet laten, is het wel, broeder Matuc?' lachte de overste. 'Maar ik vergeef het je, zoals de wijze en rechtvaardige Ulldrael het je ook vergeeft.' Hij gaf hem een teken om te gaan zitten. 'Maar ik heb je niet laten komen om over bloemen te praten.'

'Dat dacht ik al, overste,' antwoordde Matuc en hij keek demonstratief om zich heen. 'Waar zijn de andere leden van de Geheime Raad?'

'We hebben gisteren nog een besluit genomen, dus hoeft niet iedereen erbij te zijn om jou je opdracht mee te geven. De andere leden hebben het druk met hun eigen verplichtingen.'

'Met alle respect, overste, maar ik heb ook mijn verplichtingen in Tscherkass. Ik wil zo snel mogelijk terug om te zien of alles daar goed gaat,' merkte de abt op.

'Natuurlijk. Je begrijpt dat het om het visioen van Caradc gaat. Ik heb het indertijd al met Tradja besproken, maar hij kon zich de woorden niet goed herinneren. Ik vond de tekst toen ook al dubbelzinnig. Gisteren hebben we alles nog eens grondig bestudeerd en zijn tot de conclusie gekomen dat we het ook heel anders kunnen uitleggen dan jij hebt gedaan, broeder,' zei de overste koeltjes. 'Het is heel goed mogelijk dat Ulldrael de Rechtvaardige ons helemaal niet wilde waarschuwen om de Tadc voor de dood te behoeden. Integendeel, zelfs.'

Matucs mond viel open van verbazing. 'U bedoelt dat Ulldrael zou willen dat wij een...'

De overste hief zijn handen. 'Dat woord mag in deze tempel niet worden uitgesproken, ook al is het de wil van de godheid zelf. De Geheime Raad heeft besloten dat jij je over de zaak zult ontfermen.'

'En wat bedoelt de Geheime Raad met "ontfermen"?'

'Je weet heel goed wat er van je verwacht wordt,' antwoordde de overste kil. 'Als je de boodschap van Ulldrael exact had weergegeven, zou het probleem allang zijn opgelost, zonder ophef. Dus ben jij de aangewezen persoon hiervoor, omdat het door jouw nalatigheid misschien al te laat kan zijn. Vergeet niet dat de boodschap van Ulldrael al van vijf jaar geleden dateert. Als het de bedoeling was dat wij onmiddellijk tot actie waren overgegaan, dan ziet het er somber uit voor ons en alle volkeren op Ulldart! Want inmiddels is het veel moeilijker geworden om in de buurt van de Tadc te komen.' Hij boog zich naar voren. 'Maar een onschuldige monnik zal dat wel lukken.' Hij zweeg een moment. 'Broeder Matuc, ik begrijp dat je terugdeinst voor deze opdracht, maar het is onze enige kans om het continent nog voor een grote ramp te behoeden. Veel mensen zouden het visioen waarschijnlijk hebben uitgelegd zoals jij, maar het is een ernstige nalatigheid dat je de Geheime Raad niet onmiddellijk de letterlijke tekst hebt voorgelegd. We zullen zien of die fout nog kan worden hersteld.'

'En u weet zeker dat Ulldrael het zo heeft bedoeld, en niet anders?' vroeg Matuc aarzelend.

'De Geheime Raad is zeker van haar zaak, broeder Matuc. Broeder Kilinin zal jouw positie in Tscherkass zo lang waarnemen, terwijl jij een bezoek brengt aan de Tadc. Elk offer is noodzakelijk in dienst van deze zaak, broeder. Tot heil van alle bewoners van Ulldart.'

'En waar moet ik zijn?'

'Volgens mijn bronnen woont hij nu als gouverneur Vasja in Granburg,' antwoordde de overste. 'We zullen je alles meegeven wat je voor de reis nodig hebt, ook een portret van de gouverneur zoals hij er nu uitziet. Ga nu. Hoe eerder je je doel bereikt en de opdracht van de godheid hebt vervuld, des te beter het zal zijn voor Ulldart. We zullen voor je bidden.'

'Heeft de Geheime Raad al eens iemand gestuurd om zich... over de zaak te ontfermen?' wilde Matuc weten. 'Gisteren zinspeelde u daarop, als ik het goed begrijp.'

'Dat heb je goed onthouden, broeder.' De overste stak zijn handen in de wijde mouwen van zijn mantel. 'Het kan zo zijn, of misschien ook niet. Waarom is dat zo belangrijk? Jij zult de zaak nu regelen, zoals Ulldrael de Rechtvaardige het wil.'

'Voordat ik ga heb ik nog één vraag, overste.' De abt keek de man tegenover zich aan. 'Wat weet de Geheime Raad over novice Benjawitsch?'

'Daar konden al onze bronnen geen duidelijk antwoord op geven, maar wij vermoeden dat hij een verspieder was voor de aanhangers van de Geblakerde God. Sinds zijn verdwijnen schijnen de volgelingen van Tzulan zich gereed te houden. Wie weet, misschien had Caradc hem als zijn kamergenoot al eerder over het visioen verteld en heeft Benjawitsch geprobeerd hem te vergiftigen, zodat onze gestorven broeder ons niet zou kunnen waarschuwen voor de Donkere Tijd. Misschien kent hij de volledige profetie van Ulldrael.'

'Het klinkt allemaal logisch, zoals u het zegt. Ik heb nooit begrepen waarom Ulldrael de Rechtvaardige een van zijn dienaren met zo'n belangrijke boodschap zou hebben laten sterven,' gaf Matuc toe. 'Ik zal onmiddellijk op weg gaan.'

'Probeer zo min mogelijk op te vallen bij deze missie,' bond de overste hem op het hart. 'Niemand op Ulldart mag weten wat wij van plan zijn, want ik reken niet op de medewerking van de Kabcar in deze zaak. De Tadc is zijn enige erfgenaam en die wil hij zeker niet verliezen, ook al beantwoordt de jongen niet aan zijn verwachtingen. Pas na de daad zullen wij dit bekendmaken en op de waarheid zweren.'

De abt boog zijn hoofd en verliet de kamer.

Nauwelijks was Matuc verdwenen of de overste haalde een stuk perkament uit de la van zijn bureau en begon een brief te schrijven aan het paleis:

'Hooggeëerde Kabcar,

Tot mijn diepste leedwezen moet ik u meedelen dat een van de leden van mijn orde uw zoon naar het leven staat.

Ik vermoed dat hij slachtoffer is van een geheimzinnige geestesziekte en in de waan verkeert dat hij de wil van Ulldrael ten uitvoer brengt. Terwijl het juist Tzulan is die hem deze waan heeft opgedrongen.

Bescherm uw zoon met alle middelen, zodat de Donkere Tijd niet opnieuw over Ulldart kan neerdalen en de troon van Tarpol vacant komt. De Geheime Raad is al van dit ongelukkige feit op de hoogte gesteld en heeft passende maatregelen genomen.

Broeder Matuc is van gemiddeld postuur, heeft lang, donkerblond haar en draagt de donkergroene pij. Aangezien hij in verwarde toestand verkeert, zal hij zijn naam niet verborgen houden als men hem ernaar vraagt, zo vast is hij van zijn waangedachte overtuigd.

Wees op uw hoede, hoogheid.

Moge Ulldrael de Rechtvaardige u en de uwen beschermen.'

Hij ondertekende de brief, drukte er zijn zegel op en legde hem na een korte aarzeling weer in zijn la.

'Ulldrael, u weet dat dit ons moet beschermen,' zei hij zacht. 'Zodra mijn bronnen melden dat Matuc in Granburg is, zal ik de brief bij het paleis laten bezorgen om de orde van alle verdenkingen vrij te pleiten. Zo zal het geschieden.'

Het windorgel klingelde zacht in een plotselinge bries.

'Dank u, Ulldrael.' De overste stond op en verliet de kamer.

XI

'Maar in de tempels werd de voorspelling verkondigd dat de Donkere Tijd zou terugkeren als de bevolking van Ulldart niet op haar zaak zou passen. "Steeds wanneer drie cijfers in het jaartal gelijk zijn, is het gevaar dat het onheil weer over Ulldart komt het grootst," luidde de waarschuwing.

De monniken hielden de tijd bij, en als zo'n bijzonder jaar naderde, baden de geestelijken dag en nacht en zwegen de ijzeren gongs en houten gebedsklokken geen moment.

Zo ging het in het jaar 111 n. S., het jaar 222 n. S. en het jaar 333 n. S. En steeds werd de terugkeer van het Kwaad voorkomen, zonder dat de mensen daar iets van merkten. Maar terwijl de monniken trouw in Ulldrael de Rechtvaardige geloofden en zijn leer volgden, vatten de volkeren hun oude gewoonten weer op en voerden oorlogen tegen elkaar. Koninkrijken kwamen en gingen, keizerrijken ontstonden en vergingen weer tot stof. Maar ondanks al het geweld kreeg het Kwaad nooit de kans waarop het wachtte.

Ten slotte brak er een lange tijd van vrede aan en werden de mensen steeds lakser in hun geloof in Ulldrael de Rechtvaardige. Ze baden nog slechts uit gewoonte, niet uit dankbaarheid en zonder de gepaste overtuiging.

Ulldrael was zich bewust van deze laksheid van zijn kinderen en voelde ook dat het Kwaad zich gereedmaakte om weer vaste voet op Ulldart te krijgen. In 436 n. S. zond hij een boodschap aan de ziener van Tscherkass. Maar een aanhanger van Tzulan vermoordde de ziener en verhaspelde de boodschap...'

Historische Almanak van Ulldart,
deel xxi, blz. 1056

Provinciehoofdstad Granburg, koninkrijk Tarpol, late zomer 442 n. S.

Weer had Lodrik alle geluk van Tarpol. De cerêler was met de grootste moeite in staat geweest het gif waarmee de moordenaar zijn wapen had ingesmeerd onschadelijk te maken.

Toch moest de gouverneur een hele week het bed houden – een lange tijd, zeker gezien de opmars van de rebellen in de provincie.

De goden waren blijkbaar ook Torben Rudgass gunstig gezind, want zijn schedel had met een klein scheurtje de trappen van de huurmoordenaar doorstaan. Net als de gouverneur bracht de Rogogarder een week in bed door.

Ondertussen hadden de opstandige boeren wapens uit de kleinere militaire kampen in de omgeving gestolen, waarmee ze steeds gevaarlijker werden voor de brojaken.

Waljakov deed een dringend beroep op de landvoogd om eindelijk een garnizoen op de oproerlingen af te sturen om het probleem de kop in te drukken, maar Lodrik weigerde het bevel te ondertekenen. Nog altijd wilde hij persoonlijk met de aanvoerder onderhandelen.

Zodra de jongeman weer enigszins rechtop op een paardenrug kon zitten vertrok een stoet van honderd ruiters met de gouverneur, Waljakov en Stoiko naar het district van Kaschenko.

Voor alle zekerheid hield Lodrik het garnizoen paraat, om te kunnen toeslaan als de onderhandelingen verkeerd afliepen.

Torben maakte zich gereed voor zijn vertrek naar de kust en de overtocht naar Rogogard. Hetrál kreeg opdracht in Granburg te blijven en zijn ogen open te houden.

Bij de eerste rustpauze constateerde Lodrik bij het vallen van de schemering in zijn tent dat de avonden een heel stuk kouder waren geworden, hoewel de twee zonnen overdag nog voor enige warmte zorgden.

Hij werd bevangen door een vreemde onrust. Voortdurend dacht hij aan de onderhandelingen en de mogelijke strijd daarna. Het wachten was een kwelling en de witte wanden van zijn tent schenen op hem af te komen. Hij had behoefte aan frisse lucht.

De gouverneur nam een beker thee uit de samovar, stapte naar buiten en slenterde langs de kampvuren.

De sterren glinsterden als diamanten aan de heldere hemel, vormden sterrenbeelden en wierpen een mat, zilverkleurig schijnsel door de nacht.

De vier manen stonden in een flauwe boog achter elkaar. Arkas en Tulm, de twee sterren die volgens de legende vóór de schepping van de wereld de gevaarlijke, rood oplichtende ogen van Tzulan waren geweest, zweefden boven de boomtoppen van het kleine bos waarachter ze hun kamp hadden opgeslagen.

'De Geblakerde God kijkt afgunstig op ons neer,' hoorde hij een bekende, diepe stem achter zich. 'Hij benijdt ons het bestaan.'

Lodrik knikte. 'Zijn geest wacht op de kans om weer naar Ulldart te komen. Is er niet een of andere profetie die dat voorspelt, Waljakov?'

De lijfwacht dook geruisloos naast hem op. 'Ik weet niet veel van voorspellingen, heer. Ik ben soldaat, geen monnik. Ik weet alleen dat Taralea de Geblakerde God in een tweegevecht heeft verslagen en verscheurd. De ogen hing ze aan de hemel, als teken van haar triomf en een waarschuwing aan Tzulans volgelingen.' Hij legde zijn hoofd in zijn nek. 'Persoonlijk zou ik ze hebben verbrand. Allerlei fanatici putten daar nu de hoop uit dat de Geblakerde God ooit zal terugkeren, en dat is nooit de bedoeling van de godin geweest.'

Ze bleven allebei staan en luisterden naar de geluiden van de nacht. Er ritselde iets in het kreupelhout en een uiltje kraste.

'Wat denk jij? Zullen die opstandelingen met mij willen onderhandelen over een oplossing?' vroeg Lodrik, nog steeds turend naar de sterren.

'U hebt veel goeds gedaan voor de mensen in Granburg, heer. Ik denk dat ze wel willen luisteren,' zei Waljakov. 'En ik moet u mijn excuus maken.'

'Waarvoor?' vroeg de gouverneur, duidelijk verbaasd. Hij draaide zich naar de lijfwacht om.

'Toen in die herberg vroeg de waard me of u in staat zou zijn iets te veranderen,' legde de man uit.

'En jij zei nee, neem ik aan,' raadde Lodrik.

'Zo is het, heer,' gaf de lijfwacht toe. 'Maar ik moet erkennen dat u meer moed en doorzettingsvermogen bezit dan ik had gedacht.'

De gouverneur legde een hand op de schouder van de militair. 'Ik denk dat ik iedereen heb verrast die mij nog van vroeger kende – mezelf incluis. In het begin heb ik kolonel Mansk best vervloekt, maar nu geloof ik dat ik hem dankbaar mag zijn voor zijn advies aan mijn vader. Dus je hoeft jezelf niets te verwijten, vooral omdat mijn positieve verandering voor een deel ook jouw werk is.' Hij lachte. 'En ik hoop dat het hier niet bij blijft.'

Waljakov keek opgelucht, maar toch meende Lodrik nog altijd iets van een slecht geweten in de blik van zijn lijfwacht te bespeuren. 'Heer, ik heb u nog niet gecomplimenteerd met uw gevecht tegen die moordenaar. U hebt het langer volgehouden dan menige ervaren soldaat het zou hebben gered.'

'Maar ik heb hem niet verslagen, Waljakov,' wees de jongeman hem terecht. 'Dat heb jij gedaan, niet ik.' Hij keek weer naar de fonkelende sterren aan de hemel. 'Ik heb Stoiko gevraagd of hij iets kon verstaan van wat die moordenaar riep. Hij kende de taal niet. Maar jij gaf antwoord. Weet je wat Fatja ooit zei toen ze mij de toekomst voorspelde? Dat een man in mijn directe omgeving niet was wat hij voorgaf te zijn.'

'Zei ze dat? Dan was ze toch geen charlatan.' De lijfwacht ging op een omgevallen boomstam zitten en trok Lodrik naast zich. 'Wat ik u nu laat zien is een groot geheim. Maar u moet het weten.'

'Wordt dit de avond van de bekentenissen?' probeerde de gouverneur een luchtige toon aan te slaan. Met enige verwondering zag hij hoe Waljakov een paar bouten uit zijn mechanische hand schroefde. 'O, ik vraag niet naar je oorlogswonden. Die hoef ik niet te zien.'

De gouverneur hoorde een paar klikken, en met een snelle ruk verwijderde de militair zijn hand. Maar in plaats van de stomp die hij verwachtte zag Lodrik een mismaakte hand, met veel sterkere pezen en spieren dan normaal. Alle vingers waren even lang, maar de duim ontbrak.

'Wat betekent dat?' hijgde de jongeman verbaasd. 'Ik dacht dat je...'

Waljakovs gezicht stond ernstig. 'Ik ben wat ze op Ulldart een K'Tar Tur noemen, een afstammeling van Sinured.'

'Maar hoe...?'

'Laat het me uitleggen, heer,' vroeg de lijfwacht. Lodrik knikte met grote ogen.

'Ik werd drieënveertig jaar geleden geboren als zoon van een broer en zus. Ze behoorden allebei tot het Donkere Volk, de K'-Tar Tur. Ik ben opgevoed volgens alle regels van het Donkere

Volk, leerde de taal en hun manier van vechten. Maar ik kreeg er algauw genoeg van me altijd te moeten verstoppen, want zelf had ik de mensen nooit kwaad gedaan, ook al had mijn voorvader onheil over Ulldart gebracht. Al snel kwam ik erachter dat de meeste Ulldarters daar heel anders over dachten. Regelmatig moest ik me het vege lijf redden met een sprong uit een raam of in het water, maar ik hield vol. Om te beginnen schoor ik mijn hoofd kaal om niet voortdurend aan die bloedstrepen te worden herkend. Daarna liet ik deze prothese maken. Onder kolonel Mansk trad ik in dienst van het Tarpoolse leger en wist een aanstelling te krijgen bij de eenheden van uw vader. Na lange jaren van schermutselingen en duels werd ik uiteindelijk aangewezen als uw lijfwacht. Dat is mijn verhaal. U moet maar beslissen wat u ermee doet, heer. Ik ben dus niet de zoon van een koopman. Nooit geweest.'

Lodrik zweeg. Hij voelde zich zo overdonderd dat hij niet wist wat hij moest zeggen. Ook Waljakov hield zijn mond en tuurde naar de sterren.

'Iemand in mijn directe omgeving is niet wat hij voorgeeft te zijn,' herhaalde hij na een tijdje de woorden van Fatja. 'Het meisje had gelijk, maar ik was die hele voorspelling weer vergeten. Tot zopas. Jij hebt me meer dan eens het leven gered. Waarom zou ik je dan niet meer vertrouwen, alleen omdat ik nu weet dat je een K'Tar Tur bent? Het toont aan dat niet alle K'Tar Tur slecht kunnen zijn, alleen omdat de mensen dat beweren. Waarschijnlijk krijgen de meesten van jullie niet eens de kans het tegendeel te bewijzen.'

'Dat zal vaak zo zijn,' beaamde Waljakov opgelucht. 'Of dat bij die moordenaar zo was, durf ik niet te zeggen, heer.'

'Dus daarom kon jij hem verstaan,' begreep Lodrik. 'Hij sprak K'Tar Tur!'

De lijfwacht bevestigde de prothese weer over zijn mismaakte hand. 'Ik heb hem later nog onderzocht. Zijn haar was geverfd. Helaas kon hij ons niets meer over zijn opdrachtgever vertellen.'

'Hoe heet je dan echt?' De jongeman snoof aan de thee. 'Je ouders zullen je niet Waljakov hebben genoemd.'

'Nee, zeker niet,' grijnsde Waljakov. 'Het zou u moeilijk vallen die naam in mijn taal uit te spreken, maar vertaald betekent het zoiets als "Moedige Strijder". De meesten van ons volk dragen zulke namen. Waljakov heb ik zelf gekozen toen ik in het leger ging, omdat daar niet naar voornamen wordt gevraagd.'

'Interessant.' Lodrik ging in gedachten naar de avond van de aanslag terug. 'Wat riep hij toen eigenlijk – de moordenaar, bedoel ik?'

'Niets van belang. Een oude strijdkreet van het Donkere Volk, om jezelf moed in te spreken als je tegenover een gevaarlijke tegenstander komt te staan,' antwoordde de militair. 'In zijn zak vond ik trouwens een amulet zoals die door de volgelingen van Tzulan wordt gedragen.'

'En dat vertel je me nu pas?' riep de gouverneur. 'Dan weten we dus waarom hij het heeft gedaan.' Na een korte stilte voegde hij er fronsend aan toe: 'In elk geval moest het de suggestie wekken dat hij een volgeling van Tzulan was.'

'Precies, daar gaat het om in deze hele zaak. Het wekt een bepaalde suggestie, maar de werkelijkheid is anders.' Hij haalde de amulet uit zijn jas. 'Kijk, heer. Er zijn genoeg mensen onder mijn volk die in Tzulan geloven omdat ze liever ergens voor willen sterven waarvoor je toch al wordt vervolgd. En die hebben ook zo'n amulet bij zich, als bescherming. Maar dit is een heel goede vervalsing. Een gewone Tarpoler zou het verschil nooit hebben gezien, maar ik weet nog van vroeger hoe ze er echt uitzien.'

'Als de moordenaar een echte volgeling van Tzulan was geweest, zou hij ook een echte amulet bij zich hebben gedragen,' concludeerde Lodrik. 'We hebben dus te maken met een heel professionele huurmoordenaar, een K'Tar Tur, die de opdracht had mij uit de weg te ruimen en de volgelingen van Tzulan de moord in de schoenen te schuiven. Maar waarom?'

'Iemand zal wel een reden hebben om u te willen doden,' mompelde Waljakov. 'Wie zou nu wensen dat de Donkere Tijd terugkomt? Ik ken niemand die zulke ideeën heeft, behalve de Tzulan-sekte.'

'Zo loop ik van drie kanten gevaar,' merkte de gouverneur op, met iets van wanhoop in zijn stem. 'De plaatselijke adel van Granburg, de Tzulani en een grote onbekende, die de gevaarlijkste lijkt van het hele stel. En binnen drie dagen sta ik oog in oog met een klein leger van boeren die me met hun mestvorken te lijf willen gaan, hoewel ik geen idee heb waarom. Ulldrael is niet echt een grote hulp. De beste oplossing lijkt me dat ik naar Tzulan overloop en zelf de Donkere Tijd over ons afroep, vind je niet?'

Op hetzelfde moment hoorden ze een diep, langgerekt gejammer, dat de twee mannen door merg en been ging.

Lodriks nekharen kwamen overeind en een ijskoude rilling liep over zijn rug. Waljakovs hand ging naar zijn sabel.

Het leek alsof de sterren Arkas en Tulm – de ogen van Tzulan – opeens fel oplichtten met een robijnrood, vurig schijnsel.

Na dat beangstigende gehuil was het weer doodstil. Niets bewoog zich, zelfs de wind was gaan liggen. Uit het kamp klonken opgewonden stemmen.

'Heer,' fluisterde de lijfwacht, 'zeg zoiets nooit meer. Het is voor het eerst in lange tijd dat ik weer bang ben, en dat is geen goed teken.'

'Begrepen,' antwoordde Lodrik snel. 'En nu snel weer terug naar het kamp. Mijn thee is koud geworden.'

Op de derde dag van de tweede week stuitten ze op het legertje van opstandelingen, dat in een dal bivakkeerde en bezig was de voorraden aan te vullen, zoals Waljakovs verspieders meldden.

Blijkbaar wisten de boeren niets van de komst van de landvoogd, die met zijn eenheid achter de heuvel was gebleven en de situatie van bovenaf bekeek.

'Het zijn maar eenvoudige boeren, heer.' De lijfwacht richtte zich op in het zadel van Treskor en liet zijn blik over het terrein glijden. 'Niet geoefend in de strijd met zwaarden en speren. Ik zou ze met onze honderd man snel genoeg een lesje kunnen leren als u dat wilt.'

'Ze zijn wanhopig, en dat is veel gevaarlijker,' vond Stoiko, die met zijn paard links van Waljakov opdook. 'Niets is zo gevaarlijk als een mens die niets meer te verliezen heeft, Waljakov.'

Lodrik keek om zich heen. 'Zo te zien hebben ze al dagen niet meer behoorlijk gegeten of geslapen.'

'Bijna net als ik,' mompelde Stoiko en hij kroelde zijn paard achter de oren.

'Geen probleem, heer, echt niet,' verzekerde de militair nog eens, maar de landvoogd wilde er niet van weten.

'Ik heb beloofd dat ik met ze zou onderhandelen, dus dat doe ik ook. Ik wil geen onnodige verliezen, aan geen van beide kanten.' Met een lichte druk van zijn hakken zette de gouverneur zijn paard in beweging. 'Ik moet het er maar op wagen.'

'Jullie wachten hier,' beval Waljakov de soldaten en hij reed achter Lodrik aan. Stoiko volgde.

De boeren hadden de drie ruiters al snel in de gaten, stelden zich op en trokken dreigend hun wapens. Binnen een mum van tijd waren de mannen omsingeld.

'Ik ben gouverneur Vasja,' riep Lodrik. 'Wie is jullie aanvoerder?'

De menigte maakte ruimte voor een wat beter geklede boer die een zwaard aan zijn zij droeg. 'Ik ben de bevelhebber.' Er gleed een minachtend trekje om Waljakovs mond toen hij die zelfgekozen titel hoorde. 'Mijn naam is Vulju. Als u mij volgt, kunnen we in die schuur daar overleggen.'

In het houten gebouw wachtten al drie dozijn rebellen, die provisorische banken en tafels neerzetten, getimmerd uit planken, vaten en stangen.

'Heel anders dan uw ontvangstzalen, heer,' grijnsde Vulju en hij spuwde op de grond, terwijl de drie mannen afstegen.

'Voor jou is het "excellentie" of "gouverneur", vriend,' gromde de lijfwacht, met een dreigende blik in zijn staalgrijze ogen.

'Laat maar, Waljakov. Ik kom hier om te onderhandelen, niet om beleefdheden uit te wisselen,' zei Lodrik sussend en hij ging op een bank zitten die haastig was klaargezet. 'Voor dat soort gedoe hebben we thuis alle tijd, als het om pietluttigheden gaat. Maar we zijn hier niet in een officiële ontvangstzaal, zoals Vulju al zei, en de zaak is belangrijk en dringend.'

De leider van de opstandelingen knikte instemmend. 'Het lijkt u dus ernst te zijn, en als het klopt wat ik over u heb gehoord, zult u wel naar rede luisteren, gouverneur.' Het onverwachte gebruik van die titel leek een klein compliment.

'Ik sta open voor uw voorstellen,' antwoordde de landvoogd, 'maar eerst wil ik de reden weten voor deze opstand.'

'Daar durft u nog naar te vragen, in alle ernst?' Zijn mannen lachten rauw. 'Als u de afdracht niet had verhoogd zouden we allemaal tevreden zijn geweest, maar de helft van de oogst voor de gouverneur leek ons wat te veel. Onze families kunnen echt niet rondkomen van het zielige beetje dat nog overblijft, en bovendien hebben we zo geen zaaigoed meer.'

Lodrik dacht dat hij het verkeerd verstaan had. 'Heb ik de afdracht verhoogd? Tot de helft van de oogst? Voor mijzelf?'

'Kijk maar niet zo onschuldig!' Vulju sloeg nijdig met zijn vuist op de tafel. 'De belastingontvanger is met zijn mannen het hele gebied door gereden en heeft overal het nieuwe percentage geëist. Hij kon er niets aan doen, zei hij. Als hij niet meewerkte, kostte het hem zijn kop. Achttien boeren zijn wegens die belastingen terechtgesteld voordat wij eindelijk in opstand kwamen!'

Stoiko wisselde een stomverbaasde blik met de gouverneur. Waljakovs gezicht stond duister. De situatie werd dreigend en met z'n drieën waren ze niet opgewassen tegen de boeren.

'Ik zweer je bij Ulldrael de Rechtvaardige dat ik nooit zo'n afdracht heb bevolen,' zei Lodrik ten slotte. 'Haal die belastingontvanger er maar bij, dan mag hij zijn leugens in mijn gezicht herhalen, voordat ik hem laat ophangen.'

'Dat zegt hij alleen om zijn huid te redden!' riep een van de boeren en hij hief zijn speer. Waljakovs hand ging naar zijn sabel.

'Kop dicht!' beval Vulju. 'Hier is iets vreemds aan de hand. Waar is die belastingontvanger?'

'Hij houdt kantoor op het landgoed van Kaschenko,' zei een ander. 'Daar zullen we hem wel vinden.'

'Ik zal jullie een voorstel doen. Ik wacht hier met jullie, terwijl mijn raadsman Stoiko naar Kaschenko rijdt en de belastingontvanger hierheen brengt, desnoods met geweld. Wat heeft het voor zin dat ik vier belastingwetten uit Jukolenko's tijd zou terugdraaien om ze te vervangen door een veel hardere maatregel?'

Nu was het Vulju die hem verbaasd aankeek. 'U hebt belastingwetten afgeschaft? Daar hebben wij hier niets over gehoord.'

'Ik begin het te begrijpen,' mompelde Lodrik. 'Kaschenko heeft met de andere edelen en brojaken dit plannetje bedacht. Vulju, je moet me geloven als ik jou en je mannen zeg dat ik helemaal niets wist van het spelletje dat jullie landheer met je speelt. Was ik anders zo rustig naar deze schuur gekomen?'

De aanvoerder van de opstandelingen krabde aan zijn baard. 'Het ligt dus niet zo eenvoudig als het eerst leek.'

'Precies,' beaamde de landvoogd. 'En daarom zal ik...'

'Verraad!' klonk een kreet vanbuiten. De schuurdeur werd opengeworpen en een boer stormde naar binnen. 'Ze vallen ons aan! Tweehonderd ruiters en nog meer soldaten te voet. Ze komen door het dal!'

'Dat zijn niet onze mensen,' fluisterde Stoiko.

'Nee, maar dat zal ze hier een zorg zijn,' gromde Waljakov, en hij sleurde de gouverneur met zich mee, terwijl hij zijn sabel trok. 'Snel, de hooizolder op!'

'Ik wist het,' riep de boer met de speer, en hij deed een uitval naar de lijfwacht, die het wapen wegsloeg en de aanvaller met de vlakke sabel in zijn gezicht raakte. De man draaide om zijn eigen as en ging neer als een gevelde boom.

Er brak een onbeschrijflijke chaos uit in de houten schuur. Iedereen had het op de gouverneur gemunt, maar de drie mannen stelden zich dapper teweer.

Vulju schreeuwde en tierde, maar zijn mannen luisterden niet naar hem. Rondom de schuur was het suizen van pijlen te horen en de eerste doodskreten stegen op. Algauw werden het er meer.

Ondertussen hadden Lodrik, Waljakov en Stoiko de zolder bereikt en de ladder opgetrokken.

Toch probeerden de boeren in hun woede nog met alle middelen bij de drie mannen te komen. Stoiko bloedde uit een kleine wond in zijn bovenarm.

'Hoe lang kunnen we het hier uithouden?' vroeg de gouverneur, terwijl hij een opstandeling naar beneden schopte. Schreeuwend stortte de man tussen zijn kameraden terug.

'We moeten ons verdedigen totdat onze eigen mensen vanaf de heuvel een uitval doen en ons komen ontzetten,' antwoordde de lijfwacht, en hij ramde een aanvaller die aan een touw naar de hooizolder was geklommen zijn sabel in het onderlijf. 'Maar dat zal niet meevallen, heer. De meeste zorgen maak ik me eigenlijk over die anderen – waarschijnlijk Kaschenko's of Jukolenko's mannen. Die hebben veel meer militaire ervaring dan deze kerels hier.'

'Ze zullen niet gekomen zijn om ons te helpen,' veronderstelde Stoiko, die zijn hand om zijn gewonde arm klemde. 'Ik hoop dat we deze slachting overleven.'

'Als we op Ulldrael moeten rekenen, heb ik er een hard hoofd in,' zei Lodrik zacht, en hij rekende af met een overmoedige opstandeling die zich hangend aan een steunbalk hand over hand naar hen toe werkte.

Vulju had eindelijk zijn gezag hersteld en stuurde zijn mannen naar buiten om zich daar in het gewoel te storten. Een handvol bleef achter om de wacht te houden, zodat de gouverneur niet kon ontsnappen.

Waljakov sloeg een gat in de houten wand van de zolder om te zien hoe de strijd in het dal verliep.

'Het ziet er niet best uit voor die boeren.' Hij knikte naar het veld. 'De opstandelingen stellen zich zo keurig in rijen voor de ruiters op dat ze in één keer vijf man tegelijk aan hun speer kunnen rijgen. Als ze hun tactiek niet veranderen is het snel afgelopen, en dan zijn wij aan de beurt, heer.'

Lodrik keek naar buiten en zag een onvoorstelbaar bloedbad.

De lijfwacht had het goed beschreven. De geharnaste ruiters ploegden met hun lansen dwars door de mensenmassa. Het bloed spoot alle kanten op.

Als de schachten bezweken onder het gewicht, hakten de soldaten met hun sabels op de hoofden van hun tegenstanders in. De boeren renden als kippen zonder kop heen en weer en wisten alleen bij toeval een aanvaller uit het zadel te stoten of een paard ten val te brengen.

Toen de eerste aanvalsgolf van ruiters zich terugtrok, steeg er een gejuich op onder de boeren en gingen ze de 'vluchtelingen' achterna.

'Wat doen jullie nou? Wat bezielt jullie?' riep Waljakov. 'Je moet hergroeperen!'

'Help je opeens de opstandelingen?' vroeg Stoiko verbaasd.

'Nu even wel.' De strijdlust borrelde de lijfwacht in het bloed. 'Als zij het langer volhouden, schakelen ze misschien meer vijanden uit.'

Op dat moment denderde de tweede groep ruiters uit een bosje naar voren en liep de rechterflank van de rebellen onder de voet. De andere ruiters keerden om en hielden grote schoonmaak.

Inmiddels stortten ook de onbekende voetsoldaten zich in het gewoel om deel te nemen aan de ongelijke strijd.

Het angstige boerenlegertje begon uiteen te vallen. De onervaren soldaten probeerden aan de vijandelijke sabels te ontkomen, maar de tegenpartij gaf de rebellen geen kans om te vluchten. De een na de ander ging neer.

'Het zijn huurlingen.' Waljakov draaide zich om en liep naar de rand van de hooizolder. 'We moeten hier weg. Dit is door Jukolenko grondig voorbereid. In zo'n korte tijd kan hij niet zo'n strijdmacht op de been hebben gebracht.' Hij schoof de ladder weer terug en boog zich naar voren: 'Hé, daarbeneden! Jullie mensen gaan het gevecht verliezen, dus maak dat je wegkomt.' Hij klom de sporten af, gevolgd door de beide anderen.

'Maar dat zijn toch jullie soldaten?' De wachtposten hielden hun speren met twee handen omklemd. 'Maak een einde aan dat bloedbad, heer.'

'Nee, het zijn niet onze soldaten, en daarom gaan wij ervandoor. En probeer ons niet tegen te houden, want dat kost je je kop,' verklaarde Lodrik.

De boeren smeten hun wapens weg en vluchtten.

Even later zaten de drie mannen weer in het zadel.

'We rijden recht de heuvel op, zodat onze eigen mensen ons zien en ons te hulp kunnen komen. Daarna zetten we het garnizoen in om die huurlingen te grazen te nemen. Voorwaarts!' Waljakov drukte de sporen diep in Treskors flanken en stormde de schuur uit om een bres te slaan. Stoiko en Lodrik reden vlak achter hem aan.

Op het moment dat de mannen uit het houten gebouw naar buiten kwamen, denderden de Granburgse soldaten vanaf de andere kant in volle galop de heuvel af, met hun lansen gericht, om een vrije doorgang te forceren voor de gouverneur.

De huurlingen werden door die aanval totaal verrast. Een groot aantal stortte uit het zadel, maar ook enkele boeren moesten het leven laten.

Vijftig van de vijandelijke soldaten hergroepeerden zich en zetten de achtervolging in, terwijl de rest doorging met de slachting onder de opstandelingen in het kleine dal.

'Ik heb een boodschapper naar het garnizoen gestuurd,' meldde de kapitein, 'maar het zal wel even duren voordat ze hier zijn.'

'U rijdt met dertig man, de gouverneur en Stoiko naar het garnizoen. Ik neem het bevel over en probeer die huurlingen zo lang mogelijk tegen te houden,' beval Waljakov. 'En geen protesten, heer,' zei hij tegen Lodrik. 'Nu even niet. De toestand is te gevaarlijk.'

De troonopvolger knikte en gaf zijn paard de sporen, terwijl de lijfwacht achterbleef en instructies brulde.

'Ik hoop dat we hem terugzien,' zei Stoiko. 'Ik ben aan die man gewend geraakt. Ik zou zijn geschreeuw nog gaan missen.'

'Ik weet zeker dat hij het wel redt,' stelde de landvoogd hem gerust. 'Het zijn er maar vijftig. Daar zal hij geen probleem mee hebben.'

Na een paar warst wist de groep zeker dat ze hun achtervolgers kwijt waren, dankzij Waljakov.

'Het is nog maar een klein uur naar het garnizoen, heer,' zei de officier. 'U bent nu snel in veiligheid.'

Een van de soldaten riep opeens een waarschuwing, maar ook Lodrik had de ruiters op de heuvelkam, een warst naar het noorden, al ontdekt.

'Ze moeten Waljakov zijn ontlopen.' Stoiko trok een ongelukkig gezicht. 'Dat is de enige verklaring.'

'Dat denk ik ook, heer,' beaamde de officier. 'Als ze het op een gevecht hadden laten aankomen zouden ze niet hier zijn geweest. Maar geen zorg, het zijn er niet veel.'

'Ik maak me wel degelijk zorgen,' verklaarde de raadsman nadrukkelijk. Hij leek er niet gerust op. 'Zoveel gevochten als de afgelopen uren heb ik mijn hele leven nog niet.'

'En zo te zien zijn we nog niet klaar,' vulde Lodrik aan. 'Kapitein, houd de mannen gereed voor een aanval. Ik zal die huurlingen vóór zijn. Ik laat me in mijn eigen provincie niet alles welgevallen.'

In twee linies stormden de Granburgse soldaten op de vijand af, die zich in een bosje terugtrok om de eerste klap op te vangen.

De strijd ontbrandde onder een paar machtige Ulldrael-eiken. Twintig zwaar geharnaste huurlingen stonden tegenover dertig Granburgse soldaten.

Lodrik trok zijn sabel en galoppeerde met het wapen voor zich uit op de eerste de beste tegenstander af.

De huurling pareerde de aanval en draaide zich om zijn as voor een slag met zijn korte zwaard, die de gouverneur nog net kon afweren, vlak voor zijn gezicht. Lodrik maakte een hoge schijnbeweging door de lucht, maar richtte zijn aanval op het laatste moment omlaag, naar het lichaam van de man.

De huurling trapte in de schijnbeweging en stortte dodelijk gewond uit het zadel. Lodriks sabel kleurde zich rood met het bloed van zijn tegenstander.

Met een zekere fascinatie staarde de jongeman naar het vocht dat langs de kling droop en op de grond sijpelde. Hij had zijn eerste mens gedood en dat viel hem makkelijker dan hij had gedacht. Een grote bevrediging maakte zich van hem meester en een lachje gleed om zijn lippen.

'Pas op, heer!' klonk een waarschuwing uit het strijdgewoel, nog net op tijd voor Lodrik om zijn hoofd terug te trekken.

De aanval van de volgende tegenstander had hem bijna zijn kop gekost, maar het wapen raakte alleen zijn helm en maaide hem van zijn paard.

Met een klap sloeg de gouverneur tegen de grond, happend naar adem, terwijl hij sterretjes zag. Toen keek hij op. De huurling zwaaide met een vervaarlijk uitziende hellebaard.

Hij wist de klap af te weren, maar zijn arm trilde. Een regen van slagen daalde op de gouverneur neer. Hij greep zijn sabel in twee handen om de doldrieste, maar goed gerichte aanvallen af te weren.

'Ulldrael, help me!' fluisterde Lodrik, maar de huurling lachte.

'Niemand kan je nu nog helpen, gouverneur. Dit wordt je laatste dag op Ulldart. En ik kan mijn beloning incasseren bij Jukolenko!'

Als Ulldrael de Rechtvaardige verzaakt, kan Tzulan me misschien helpen, dacht de landvoogd wanhopig. 'Tzulan!' schreeuwde hij uit volle borst.

Een langgerekt, onmenselijk gehuil, dat Lodrik al eerder had gehoord, klonk uit de diepte van het woud.

Eén moment viel het gevecht stil en luisterde iedereen naar dat afschuwelijke gejank.

Maar nu huiverde de jongeman niet meer, zoals die nacht, tien dagen geleden. Het geluid leek zelfs vertrouwd en bekend.

Zijn tegenstander stond als verstijfd, en daar maakte Lodrik gebruik van.

'Dank u, Tzulan,' fluisterde hij, terwijl hij zijn sabel diep in de buik van de man stootte en hem tot aan zijn borstkas opensneed. 'Die is voor u, Geblakerde God.' Weer klonk het gehuil, en de gouverneur lachte.

Met een snelle stap stond hij al voor de volgende, door angst verlamde huurling en hakte hem zijn hoofd af. Het bloed spatte over Lodrik heen. 'En dat is nummer twee voor u, Tzulan! Ze zullen u allemaal toebehoren.'

De Tarpolers ontwaakten het eerst uit hun verdoving en zetten de strijd voort, maar de wilskracht van de huurlingen leek gebroken. Veertien vijanden sneuvelden, de rest gaf zich over.

Lodrik leek in een soort bloeddorstige trance te verkeren. Hij hakte naar alles wat in zijn buurt kwam en de Granburgse soldaten hadden het alleen aan Stoiko te danken dat de gouverneur niet zijn eigen mensen neermaaide.

'Heer! Bent u waanzinnig geworden? Kom tot uzelf. We hebben de slag gewonnen,' riep de raadsman bezwerend.

Met een verwarde uitdrukking op zijn gezicht liet de jongeman zijn wapen zakken.

'Is het voorbij?' hijgde hij. Het zweet droop van zijn verhitte voorhoofd.

'Ja, heer. U hebt dapper gestreden. Waljakov zal trots op u zijn als hij het hoort,' zei Stoiko. 'Maar steek nu uw sabel weg en was het bloed van uw gezicht, want bij die lucht raakt u door het dolle heen, schijnt het.'

Lodrik liet zich op de grond vallen en staarde naar de gekartelde, bloederige kling van zijn wapen. 'Dus zo voelt het om mensen te doden, Stoiko. Heel gevaarlijk. Het geeft je het gevoel dat je een onbeperkte macht over het leven van anderen hebt.' Hij sloot zijn ogen. 'Daar mag ik niet aan wennen, dat is niet goed.'

De soldaten verzorgden provisorisch hun eigen gewonden, terwijl de kapitein voorzichtig naar Stoiko en de gouverneur toe kwam. 'Excellentie, we moeten weer verder naar het garnizoen. Misschien zijn er nog meer vijanden onderweg.'

'Laat ze maar komen!' riep Lodrik, en hij kwam overeind. In zijn ogen brandde een griezelig vuur. 'Ik ben voor niemand bang. Iedereen is sterfelijk.'

'Net als u en ik, heer,' merkte de raadsman zachtjes op. 'Daarom moeten we naar het garnizoen. U bent doodmoe, net als de mannen.'

'Mij best.' De gouverneur stak zijn sabel in de schede en slingerde zich op zijn paard. 'Neem de gevangenen mee, dan kunnen we ze verhoren.'

'En de gewonde vijanden?' wilde de kapitein weten.

'Laat maar liggen,' beval Lodrik op kille toon. 'Ze kunnen verrekken.'

De stoet zette zich in beweging, in de richting van het garnizoen, maar er heerste een onheilspellende stilte onder de mannen. Iedereen had de woorden van de gouverneur tijdens het gevecht gehoord.

XII

'En de profetie werd al die jaren gehoord en begrepen en de zoon van de Kabcar behoed en beschermd, opdat hem niets zou overkomen en Ulldart niet opnieuw door de Donkere Tijd zou worden overvallen. De vorst van Tarpol verzon een list om zijn zoon voor het gevaar te redden en hem tegelijk tot een waardige Kabcar op te leiden.

De jongeling die door het lot was uitverkoren vertrok onder een valse naam naar de Tarpoolse provincie Granburg om daar als gouverneur het handwerk van regent te leren. Hij groeide op en ontwikkelde zich tot een wijze, rechtvaardige landvoogd, die zich tegen de edelen en brojaken verzette.

Boze krachten vonden hem en stuurden een moordenaar om de jongeling te doden, zodat eindelijk de Donkere Tijd opnieuw kon aanbreken. Maar de aanslag mislukte.'

Historische Almanak van Ulldart,
deel xxi, blz. 1057

Dorenaia, provincie Ker, late zomer 442 n. S.

Matuc slenterde langs de groene oever van de Repol en vloekte zoals hij nog nooit in zijn leven als monnik had gedaan. De missie van de Geheime Raad, ook al kwam die van Ulldrael zelf, had hem in ernstige problemen gebracht. Hoe moest hij de Tadc elimineren? Hij was geen soldaat, geen goede leugenaar en hij had een grote hekel aan intriges.

Een mens doden, om het hele continent voor rampen te behoeden, zou misschien verenigbaar zijn met zijn geweten, als hij van de kwestie overtuigd was geweest. Maar dat was hij allerminst.

Er bestonden nu twee verklaringen voor het visioen, die allebei even plausibel leken. Heimelijk hoopte hij vurig op een teken van Ulldrael, maar ook de godheid was niet scheutig met aanwijzingen.

De rivieraak *Wjierck*, waarop hij voor de reis passage had geboekt, naderde de uitlopers van de provincie Granburg, maar nog altijd had hij geen goed plan bedacht.

Matuc bleef in de schaduw van een Ulldrael-eik staan en staarde naar de boot, die werd gelost.

Tot zijn verdriet legde de rivierschipper bij elke kleine post aan om passagiers aan boord te nemen en vracht op te pikken.

De *Wjierck* nam alles mee wat de oude schuit kon vervoeren: hout, graan, erts, kolen, vee en mensen.

Ondanks al die vertragingen was de Repol nog altijd de snelste manier van reizen. De monnik zou nog vroeg genoeg op een ezel moeten overstappen, want helaas stroomde de machtige rivier niet door Granburg.

Een gedaante die zwaarbepakt naar de boot liep, trok zijn aandacht.

De geelbruine pij tot op de enkels had dezelfde snit als de zijne, maar de gestikte linnen halsdoek die de onbekende over de schouders droeg hoorde niet bij het Ulldrael- of Kallistra-geloof. Hoe hij zijn geheugen ook pijnigde, hij kon geen godheid bedenken bij wie die kleuren en symbolen pasten.

Geïnteresseerd slenterde hij naar de gestalte toe, die een capuchon over het gezicht droeg, totdat hij vlak achter hem stond.

'Ulldrael zij met u,' groette hij, en hij wachtte vol spanning op een reactie.

De gedaante draaide zich om en Matuc keek in de vorsende, gouden ogen van een vrouw. Haar huid had een glanzende, zandkleurige tint, en haar donkergroen glinsterende haar onder de capuchon deed de monnik aan schaduwgras denken.

'Moge Lakastra, god van de zuidenwind en de wetenschap, u op het juiste pad leiden,' antwoordde ze na een onderzoekende blik.

Gefascineerd keek Matuc naar haar haren en haar huid, tot hij merkte dat hij stond te staren.

'Vergeef een dienaar van Ulldrael zijn gebrek aan hoffelijkheid. Ik stond sprakeloos,' verontschuldigde hij zich blozend. 'Mijn naam is broeder Matuc en ik behoor tot de Orde van Ulldrael.'

'Ik weet van welk geloof u bent. Dat is duidelijk te zien aan uw pij.' Ze glimlachte, en de monnik zag haar spitse hoektanden. 'In Kensustria kennen wij de verschillende goden van Ulldart wel enigszins.' Ze sloeg haar capuchon terug, legde haar rechterhand tegen haar borst, ter hoogte van haar hart, en stak de nog steeds verblufte Matuc haar linker toe. 'Ik ben Belkala, priesteres van Lakastra, god van de zuidenwind en de wetenschap. Ik kom uit Kensustria en ik reis in vrede.'

Matuc, die zich weer enigszins hersteld had, schudde haar de hand. 'Vandaar dat ongewone uiterlijk, voor Tarpol. Wat brengt u zo ver van huis?'

'Ik ben onderweg om de leer van Lakastra te verbreiden.' De vrouw zette haar spullen op de steiger, blijkbaar voorbereid op de lange woordenwisseling die deze opmerking wel moest uitlokken.

De nieuwsgierigheid op het gezicht van de monnik sloeg om in verholen vijandigheid. 'U wilt wát?'

'Ik wil de Repol afvaren om met de verbreiding van mijn geloof te beginnen,' herhaalde ze vriendelijk. 'Hebt u daar iets op tegen?'

Natuurlijk had hij daar iets op tegen, maar hij voelde weinig voor een religieus twistgesprek hier op de steiger. In elk geval niet voordat hij wat meer over haar afgod wist.

'O nee, integendeel. U moet me zeker meer vertellen over...'

'Lakastra,' zei Belkala behulpzaam.

'... over Lakastra, ja. Ik heb nog nooit een priesteres uit het verre Kensustria gezien en ik vermoed dat die kans zich niet elke dag zal voordoen.'

De schipper kwam terug van de kleine post en liep naar hen toe.

'Aha, mijn passagiers kennen elkaar al. Dan hoef ik jullie niet meer voor te stellen. Maar ik moet helaas melden dat het vertrek nog even is uitgesteld. Als ik nu de romp niet laat repareren, zinkt die schuit straks naar de bodem.' Hij keek Belkala nieuwsgierig aan.

'En dat betekent?' zuchtte Matuc, die erop wachtte of de man de priesteres bij haar haren zou grijpen om te voelen of ze echt waren.

'Dat ik teer en een paar nieuwe planken moet opduikelen,' antwoordde de schipper, en hij spuwde in het water. 'Maar vanavond zal alles wel klaar zijn, dus kunnen we morgen in alle vroegte verder varen.' Behulpzaam pakte hij de bagage van de priesteres en bracht die aan boord.

'Dan stel ik voor dat we samen op de handelspost gaan eten, zodat ik u iets over mijn god kan vertellen,' zei de priesteres. Matuc knikte.

De vrouw was een begenadigd spreker, moest de monnik onder de eenvoudige maaltijd vaststellen. Ze kon niet alleen een goed verhaal vertellen, maar ook handig discussiëren – een gevaarlijke combinatie, constateerde Matuc.

Kensustria, dat de meeste Tarpoolse boeren nog voor een legende hielden omdat er zoveel sprookjes over het land en zijn bewoners bestonden, was een natie met een kastenstelsel, die na een omwenteling van enkele jaren geleden door het leger werd geregeerd. Daarna volgden de geleerden en handwerkslieden, vervolgens de boeren en priesters, en helemaal onderaan de onvrijen. Elke kaste onderscheidde zich door zijn eigen rechten en zijn verschijningsvorm, soms zelfs door het postuur van de kastenleden.

Dat wist Matuc allemaal al, omdat de monniken in de loop der eeuwen wel wat informatie over de geheimzinnige en merkwaardige Kensustrianen hadden verzameld. Dus bracht hij het gesprek tegen de avond op de godsdienst.

'Ulldrael heeft ons bevolen zijn nagedachtenis in ere te houden en alle mensen te helpen voor zover het in ons vermogen ligt,' begon hij. Zijn wangen gloeiden een beetje door de wijn.

Belkala knikte. 'U hebt armenhuizen ingericht, heb ik gehoord, en u zorgt voor de zieken en de zwakken. In de landbouw, de wetenschap en het gebed eert u uw god. Zo is het toch?'

'Ja. En wat doet u, om uw god tevreden te stellen?' Matuc zwaaide met zijn lege wijnkroes, in de hoop dat de waard het zou zien en hem nog eens bij zou schenken. Hij discussieerde nu eenmaal beter als hij zich wat moed had ingedronken, en hoewel hij dat punt inmiddels wel had bereikt kon een extra beker geen kwaad.

'Dat is al de eerste fout die u maakt,' glimlachte de priesteres, die nog geen druppel alcohol gedronken had. 'Wij hebben niet één god – of zeven, zoals u – maar een heleboel. In Kensustria kennen we meer dan honderd goddelijke wezens, maar ze worden niet allemaal vereerd. Iedereen zoekt de god met wie hij zich het meest verwant voelt.'

'Maar dan moet de priesterkaste wel heel erg groot zijn,' zei de monnik verbaasd. In gedachten zag hij al horden Kensustriaanse zendelingen in Tarpol neerstrijken. De waard bracht nog een kroes wijn en verdween weer.

'O nee. Sommige goden zijn heel geliefd, andere krijgen nauwelijks aandacht. Lakastra bijvoorbeeld staat bij geleerden en het gewone volk in hoog aanzien, omdat hij vooruitgang brengt, vooral ook in de landbouw. Dankzij de inspiratie van de god hebben wij methoden ontwikkeld om graan sneller en minder ingewikkeld te kunnen dorsen,' vertelde ze. 'Als de aanhang van een god een bepaalde omvang krijgt, komt er een tempel en worden er priesters gekozen onder de gelovigen.'

'Het kan dus gebeuren dat een god tientallen jaren niet belangrijk was, maar opeens weer bekend wordt omdat hij om een of andere reden meer aanhang heeft gekregen?' vroeg Matuc een beetje verbaasd, terwijl hij nog een slok wijn nam. Misschien dronk hij meer dan goed voor hem was.

'Zo is het.' Belkala glimlachte weer. 'Maar in het algemeen kent Kensustria een stabiel pantheon van twintig goden. Lakastra maakt daar al meer dan vijfduizend jaar deel van uit.' Er klonk enige trots in haar stem.

'Aha,' zei de monnik, en hij loerde naar haar boezem. 'Vindt u het niet gevaarlijk om in uw eentje rond te trekken en in een vreemd land een godheid aan te prijzen die niemand kent? Stel dat boze boeren u willen opknopen – wat Ulldrael de Rechtvaardige verhoede – omdat u onbedoeld hun schutspatroon hebt beledigd? Wat dan? Komt uw Lakastra u dan te hulp of bent u bereid te sterven voor uw geloof?' Hij boog zich naar voren. 'Er zullen zelfs domme mensen zijn die u voor een vampier hielden als ze uw hoektanden zagen, en u daarom ter plekke zouden onthoofden en verbranden.'

'Helaas ken ik de Tarpoolse sagenwereld niet zo goed, dus ben ik u dankbaar voor die waarschuwing, broeder Matuc.' Ze boog even het hoofd, haar gouden ogen lichtten op en vormden een prachtig contrast met haar donkergroene haar. 'Bovendien kan ik heel goed op mezelf passen, dat verzeker ik u.'

'Maar dat is geen antwoord op mijn vraag,' zei Matuc. Hij probeerde haar in de val te lokken. Haar ontwijkende antwoord zag hij als een eerste teken van onzekerheid.

'Nou, ik denk dat mijn god me wel zou helpen. Misschien komt hij zelfs persoonlijk. Doet Ulldrael dat ook?'

'Natuurlijk,' zei de monnik snel, hoewel hij daar diep in zijn hart niet zo zeker van was.

'U liegt, broeder.' De priesteres glimlachte fijntjes en pakte haar glas water. 'Hebt u Ulldrael wel eens gezien?'

Matuc aarzelde. Het gesprek nam een wending die hem niet beviel.

'Nee, dat niet. Er zijn maar heel weinig mensen in Tarpol die die eer ten deel is gevallen. Meestal geeft hij zijn boodschappen door via bijzondere leden van onze orde. Zieners, zoals wij ze noemen.' Met moeite onderdrukte hij een boer, die zich gorgelend een weg door zijn slokdarm naar boven baande en op uitbreken stond.

'Ziet u, ik ben mijn god al eens tegengekomen, daarom sta ik zo sterk in mijn geloof. Je zou het zelfs wéten kunnen noemen, in plaats van geloven. Geldt dat voor u ook? Hoe weet u bijvoorbeeld dat Ulldrael die boodschappen stuurt? Zou het geen andere god kunnen zijn – misschien zelfs een Kensustriaanse god?'

De monnik had het gevoel dat iemand hem de grond onder zijn voeten wegsloeg. Zijn hoofd gloeide. 'Maar de zieners zelf zeggen dat...'

'Die mannen hebben wel iets gezien, maar bewijzen hebben ze niet, of wel?' Haar hardnekkige lachje vond hij nu wel arrogant en provocerend.

'U durft te twijfelen aan de boodschappen van Ulldrael?' Matuc sprong op, rood van woede en alcohol. 'Dat is een onvoorstelbare godslastering!'

De schaarse gasten in de handelspost keken verbaasd om naar de boze monnik. Zulk gedrag waren de mensen niet gewend van kloosterlingen.

'Kalm nou maar, broeder,' zei Belkala sussend. 'Ik wil uw god en uw geloof niet beledigen. En wij kunnen ook niets bewijzen, als u dat geruststelt. Ik wilde alleen maar...'

'Maar u hebt het wel gedaan, priesteres! U hebt het geloof en onze god beledigd! Dat is een schandaal!' De opgewonden, aangeschoten monnik greep zijn kroes en sloeg ermee naar Belkala.

De vrouw deinsde terug, pakte Matucs pols en weerde de slecht gerichte aanval af.

De kracht van zijn eigen actie bracht de niet meer geheel nuchtere monnik uit zijn evenwicht. Hij viel languit over het houten tafeltje, dat onder zijn gewicht bezweek.

Versuft draaide hij zich op zijn rug en staarde de vrouw aan.

Belkala legde weer haar rechterhand tegen haar hart en stak Matuc de linker toe om hem overeind te helpen.

'Nogmaals mijn verontschuldigingen, broeder. Ik wilde u niet beledigen.'

De mannen in de gelagkamer waren overeind gekomen en stonden nu dreigend om de Kensustriaanse priesteres heen.

'Grijp haar!' beval Matuc, terwijl hij met moeite weer op de been krabbelde. 'Ze heeft Ulldrael belasterd.'

Sterke handen grepen de priesteres, trokken haar armen op haar rug en bonden haar polsen met een grof stuk touw.

'Wat doen we met haar, broeder?' vroeg de waard, met moordlust in zijn ogen.

'Hang haar op!' De monnik keek haar vijandig en met bloeddoorlopen ogen aan. 'Geen enkele fatsoenlijke Tarpoler mag nog door haar beledigingen worden gekwetst.' Hij boog zich naar voren. 'Nu zullen we zien of uw god u hieruit kan redden.'

'U bent dronken, Matuc,' riep ze vertwijfeld. 'U begaat een grote fout!'

Lachend duwden de mannen de priesteres naar buiten, sleurden haar naar een Ulldrael-eik, wierpen een lus om een dikke tak en legden de ziedende Belkala een strop om haar hals. Een onvoorzichtige helper beet ze zo hard in zijn hand dat het bloed eruit spoot. Haar scherpe hoektanden hadden zelfs een pees doorboord en de man deinsde jammerend terug. Een ander sloeg haar met de onderkant van zijn toorts in haar gezicht. 'Smerige bloedzuiger!'

Matuc drukte zijn hand tegen de pijnlijke ribben die hij aan zijn val had overgehouden. 'Trek haar omhoog.'

Het touw spande zich en de voeten van de vrouw verloren het contact met de grond.

Belkala dreigde te stikken en hapte rochelend naar adem, terwijl om haar heen een luid gejoel en geschreeuw opsteeg.

De mannen verlustigden zich in de pijnlijke doodsstrijd van de vrouw uit Kensustria. Ze gingen er zo in op dat ze de nieuwkomer pas zagen toen hij hun aandacht trok.

'Stop!' riep een gebiedende stem.

Een ruiter in een schitterende wapenrusting leidde zijn paard naar de lichtcirkel van de fakkels.

Zilver spiegelde het glanzende metaal, dat een schijnsel wierp over de geschrokken gezichten van de mannen. De indrukwekkende helm die het gezicht van de ruiter bedekte, met een pluim van zwart paardenhaar, was versierd met gravures. Het schild aan zijn zijde toonde twee gekruiste zwaarden, met daaronder zijn persoonlijke wapen. Aan het zadel van het gepantserde rijdier hing een imposante selectie van verschillende wapens en in zijn hand rustte een zware, dubbelloops kruisboog.

'Wat gebeurt hier?'

Als verlamd staarden de mannen naar de ruiter. Ze lieten het touw los en de priesteres viel op de grond, waar ze hoestend bleef liggen.

Matuc herkende het wapen onmiddellijk en vloekte binnensmonds. Voor hem stond een lid van de Hoge Zwaarden, een van de drie ridderorden die de in Tarpol zeldzame godheid Angor vereerden.

In de verte naderde het geluid van talloze paardenhoeven en het volgende moment doken nog meer soldaten op, die naast de ruiter stopten en hun kruisbogen gereedhielden. De helpers van de monnik weken terug.

'Ik vroeg jullie wat hier gebeurt!' bulderde de ridder en hij richtte zijn wapen op de waard.

'Heer, het is mijn schuld niet, heer!' stamelde de man. Al zijn ondernemingslust was opeens verdwenen. 'De monnik zei dat we die vrouw moesten opknopen, omdat ze Ulldrael had beledigd. Vergeef het ons, heer.'

De kruisboog werd nu op Matuc gericht. 'Jij hebt op mijn grondgebied bevel gegeven tot een executie? Wat is je naam?'

'Ik ben abt Matuc van de Orde van Ulldrael en ik verdedig de eer van mijn god, de schepper en beschermer van het continent Ulldart,' antwoordde hij met stemverheffing, terwijl hij probeerde recht op zijn benen te blijven staan. 'Wie bent u, dat u het waagt een monnik te bedreigen?'

'Ik ben Nerestro van Kuraschka, lid van de Orde der Hoge Zwaarden, die in dienst van de god Angor staat, voor wie wij leven, strijden en sterven. Dit is mijn land, monnik, waarop je je bevindt. Dus bepaal ik wie hier wordt gedood of in leven blijft.'

'Maar zij komt uit Kensustria en ze wil hier de leer verbreiden van een afgod die ze aanbidt,' protesteerde Matuc.

'Ik dien Angor, niet Ulldrael,' viel de ridder hem bits in de rede. 'Voor mij is zij niet minder dan jij. Ik duld geen onrecht, zoals jij dat in je haast wilde begaan. Bovendien kom je zelf niet van hier, want in een cirkel van veertig warst is hier geen klooster te vinden waar jij abt zou kunnen zijn. Je bent hier te gast, monnik.' Hij knikte naar een van zijn mannen, die afsteeg en naar Belkala liep om haar van haar boeien te bevrijden. 'En een straalbezopen gast, zo te zien.'

'Wilt u een godslasteraar vrijlaten?' riep de Ulldrael-priester verontwaardigd, terwijl hij een stap naar voren deed, waardoor hij gevaarlijk begon te wankelen.

'Ze heeft niet míjn god belasterd, maar de jouwe, als je dat vergeten was.' Nerestro richtte zich tot de andere mannen. 'En jullie verdienen straf voor die lichtvaardige daad.' Hij schoot de waard een pijl in zijn dijbeen, vlak boven de knieschijf. De man ging kermend neer. 'Ik verwacht geen dank voor mijn genade.'

Matuc stapte woedend op de priesteres toe. Zijn bedoelingen waren meer dan duidelijk.

'Je vergist je, monnik,' waarschuwde de ridder. 'Nog één stap naar die vrouw en je kunt een week in mijn kerker doorbrengen.'

'Als u haar niet wilt straffen, moet ik het doen.' Vastberaden, met de moed van een dronkenman, liep hij door. Een soldaat versperde hem de weg.

'Ik heb het gevoel dat je niet goed begrijpt wat het betekent om gast te zijn en je als zodanig te gedragen. Dat moet je dan maar leren.'

Nerestro wees naar de monnik, die door zijn mannen onmiddellijk in zijn kraag werd gegrepen en geboeid.

'U bent ook uitgenodigd op mijn kasteel. Ik denk niet dat u nog een nacht in het gezelschap van dit gespuis wilt doorbrengen. Uw bagage wordt gehaald,' zei hij tegen de doodsbleke Belkala, die een buiging voor hem maakte. Haar hals vertoonde een dikke rode striem van het touw.

'Waard, als ik nog één keer last van je heb, verdwijnt de volgende pijl in je linkeroog,' zei Nerestro bij wijze van afscheid, en hij wendde zijn strijdros. 'Dat geldt voor jullie allemaal.'

De stoet zette zich in beweging. De priesteres en de monnik liepen achteraan, omringd door het gevolg van de ridder.

'Het schijnt dat Lakastra me toch te hulp is geschoten. Hoe staat het met u? Bent u in ongenade gevallen bij Ulldrael?' vroeg Belkala hees, terwijl ze het bloed uit haar mondhoek veegde.

Matuc snoof slechts en gaf geen antwoord. Maar diep in zijn dronken binnenste stelde hij zich dezelfde vraag.

De burcht Angoraja, provincie Ker, 220 warst van Granburg, late zomer 442 n. S.

Matuc werd niet wakker van een lichtschijnsel of een geluid, maar omdat zijn hoofd dreigde te barsten. Zo'n koppijn had hij nog nooit gehad, en de smaak in zijn mond was meer dan smerig. Kreunend kwam hij overeind en nam zijn hoofd in zijn handen.

De lucht om hem heen rook niet veel beter dan zijn eigen adem, en ook de aanblik van de omgeving liet veel te wensen over.

Langzaam drong het tot hem door dat hij op een vochtige bundel stro zat, in een kleine, kale, onvriendelijke cel, met mos op de sijpelende muren. Meubels waren er niet.

Voor hem stond een kruik met water. Het enige licht kwam van een bijna opgebrande kaars die elk moment kon doven.

Wanhopig probeerde hij zich de gebeurtenissen van de vorige avond te herinneren, maar hij wist alleen nog dat hij woedend op Belkala was geworden. Hij had haar toch niet vermoord, dronken als hij was, zodat hij hier nu zat?

Langzaam en voorzichtig kwam hij overeind en liep naar de met ijzer beslagen deur.

'Hallo,' riep hij zwak. Dat ene woord, dat tegen de stenen muren weergalmde, bezorgde hem al hevige hoofdpijn. 'Ik ben wakker. Hoort iemand me? Waar ben ik?'

Geen enkele reactie. Opeens was het aardedonker toen de kaarsvlam doofde.

De monnik vond op de tast zijn strozak terug, legde zijn bonzende hoofd op de koele steen en liet het water over zijn voorhoofd druppelen. Hij kon niets anders doen dan wachten tot iemand zich om hem zou bekommeren.

Met elke druppel die op de harde vloer viel kwam er weer iets van zijn geheugen terug. Hij had de priesteres willen slaan en de mannen opgehitst om de vrouw op te knopen.

Zachtjes steunend begon hij een gebedscyclus aan Ulldrael, om de god om vergiffenis te smeken. Het laatste waaraan hij nu behoefte had was Ulldraels goddelijke toorn.

Eindelijk hoorde hij het geluid van een sleutel in het slot. Zware grendels werden teruggeschoven en het verblindende licht van een fakkel viel Matucs cel binnen.

'Ben je uitgeslapen, monnik?' vroeg een geamuseerde stem. Zware laarzen kwamen dichterbij, met een doordringend geluid van metalen plaatjes en ringen die langs elkaar heen schoven. Een krachtige hand greep hem onder zijn oksel en hij werd overeind gesleurd. 'Mijn heer wil je spreken.'

Een paar mannen in maliënkolders duwden hem meer of minder onzacht een eindeloze rij trappen op naar boven. Ze staken een opvallend schone binnenplaats over, waar manschappen werden getraind, en daarna volgden nog twee steile trappen en twee grote ruimten, totdat ze voor een brede, eikenhouten deur stonden. Zijn bewakers klopten even aan en stapten naar binnen.

Dit moest de wapenzaal van het kasteel zijn, wist Matuc.

De muren hingen vol met zwaarden, goedendags, grote en kleine strijdbijlen en andere, vreemde hulpmiddelen die een ridder nodig kon hebben om een tegenstander te doden. Daartussen zag Matuc schilden met uiteenlopende wapens, in verschillende toestand. De een glansde als nieuw, andere waren licht beschadigd en twee of drie werden alleen nog door ijzerbeslag bijeengehouden.

Het meest adembenemend vond de monnik de verzameling vlaggen, standaards en vaandels die aan een balustrade hingen. Hoewel hij iets wist van heraldiek, waren er toch maar vier bij die hij herkende. Waar de andere ook vandaan kwamen, niet van Ulldart.

In het midden van de wapenzaal stond een bijna gitzwarte tafel met negen stoelen.

Aan het hoofd zat een zwaargeharnaste man die Matuc halverwege de dertig schatte. Zijn rechterhand rustte op de met juwelen bezette greep van een zeldzame Aldorelische sabel, in zijn linker hield hij een zilveren bokaal. Zijn donkerbruine haar was boven op zijn hoofd maar een vingertop lang, de rest was afgeschoren. Des te opvallender was zijn lange, ingevette en blondgeverfde baard, die bijna tot op zijn borst viel.

Naast hem zat Belkala, die geen pogingen deed de rode striemen in haar hals te verbergen. Blijkbaar waren ze net in gesprek, want ze draaiden zich kribbig naar de mannen om.

De ridder keek op. 'Je bent weer nuchter, hoop ik?'

'Nuchter genoeg om u en Belkala in alle deemoedigheid om vergiffenis te vragen,' antwoordde Matuc, en hij sloeg zijn ogen neer. 'Ik had te veel gedronken, maar dat is geen excuus voor mijn gedrag.'

'Ik vond ons gesprek aanvankelijk wel interessant,' zei de priesteres hees. Spreken kostte haar nog moeite. Met een snelle beweging streek de vrouw uit Kensustria haar schouder-lange donkergroene haar weg. 'Maar het nam een heel onaangename wending.'

'Voor het geval je mijn naam bent vergeten, en dat zou ik bijna geloven: ik ben Nerestro van Kuraschka, ridder van de Orde der Hoge Zwaarden en dienaar van de god Angor. Ik ben heer over een gebied van veertig warst rond deze burcht en over iedereen die daar woont. Ik stel de wetten en ik spreek hier recht.' Hij stond op en wees naar de stoel naast zich. 'Ga zitten, zodat we kunnen overleggen over een gepaste straf voor je gedrag.'

De monnik liep langzaam naar de aangewezen stoel en vroeg zich af hoe hij zich hieruit zou kunnen redden.

Bij iedere plaatselijke edelman in Tarpol zou hij er met een milde bestraffing van afgekomen zijn, maar uitgerekend op het grondgebied van een koppige ridder uit een orde die zich weinig aan Ulldrael gelegen liet liggen moest hij in een dronken bui over de schreef zijn gegaan.

'Je wordt ervan beschuldigd dat je het volk hebt opgehitst en je hand hebt opgeheven tegen deze vrouw, zonder dat daar enige reden voor was.' De bruine ogen bleven vorsend op het gezicht van de monnik rusten. 'Wat heb je daarop te zeggen en wat zou een afdoende straf kunnen zijn?'

'Wat mij betreft,' zei Belkala, 'zou ik tevreden zijn met een oprechte verontschuldiging. Hij wist niet wat hij deed. Daarvoor was hij gisteravond veel te dronken.'

Matuc lachte dankbaar. 'Ik bied u mijn verontschuldigingen aan en Ulldrael is mijn getuige dat het me diep spijt, met alle oprechtheid die een monnik kan opbrengen. Ik beloof u hierbij plechtig dat ik nooit meer een druppel wijn, bier of jenever zal drinken.' De priesteres knikte.

'Goed. Die Lakastra van jou moet een heel vergevingsgezinde god zijn, als hij zo snel tevreden is.' Nerestro tikte met de schede van zijn zwaard op de vloer. 'Maar Angor is dat niet en de wetten van Tarpol zijn ook niet mals. Aangezien je een monnik bent, en waarschijnlijk zelfs abt van een klooster, zal ik je niet te hard vallen, ook omdat de wijn vermoedelijk een grote rol speelde in je misdragingen.' Het harde gezicht van de ridder draaide zich naar Matuc toe. 'Daarom zul je slechts een jaar in mijn kerker doorbrengen, in plaats van levenslang. Ik verwacht geen dank voor mijn genade.'

Belkala keek minstens zo verbaasd als de monnik.

'Heer, u moet niet denken dat ik de straf voor mijn daad niet wil uitzitten, maar ik heb een dringende missie voor mijn orde te vervullen,' begon Matuc voorzichtig, terwijl hij scherp op de reacties van de ridder lette.

'Dat had je eerder moeten bedenken,' antwoordde Nerestro en hij gebaarde met zijn bokaal. 'Ik heb de wet al genoeg versoepeld. Bij een nog lichtere straf zou Angor zeer ontstemd zijn.'

'Maar in het andere geval kunt u de toorn van Ulldrael over u afroepen, heer,' gooide de monnik het over een andere boeg. Hij mocht in geen geval een jaar in deze burcht gevangenzitten. Hij moest zo snel mogelijk verder om zijn missie uit te voeren en het koninkrijk te redden voordat het te laat was. 'Mijn opdracht is van groot belang.'

'Voorzichtig, monnik,' bromde de man. 'Je begeeft je op heel glad ijs.'

'Begrijpt u niet, heer,' drong Matuc aan, 'dat u me respijt moet geven? Laat me mijn missie volbrengen en ik zal vrijwillig naar uw kerker terugkeren. Maar zet me nu niet vast, ik smeek het u.'

'Wie garandeert mij dat je terugkomt? Ulldrael?' snoof Nerestro. 'Een eed op je god zegt mij weinig en ik laat je niet op Angor zweren. Niet in dit geval.'

Belkala keek de wanhopige monnik peinzend aan. Haar gouden ogen glinsterden in het licht van de langzaam ondergaande zonnen en straalden als geslepen barnsteen. Ze voelde dat er achter zijn gesputter en het verhaal over zijn missie meer stak dan Matuc wilde toegeven. Welk geheim probeerde de vertwijfelde man te verbergen?

Iets dergelijks ging de ridder blijkbaar ook door het hoofd. 'Wat is dat voor een dringende missie waar je het over hebt? Misschien heb ik er begrip voor en gun ik je respijt.'

Matuc klemde zijn lippen op elkaar. 'Vergeef me, heer, maar ik mag er niet over spreken.'

'Kijk dan nog maar één keer naar de ondergaande zonnen.' Nerestro wees met zijn bokaal naar het raam, waardoor het zonlicht naar binnen viel. 'Want je zult er voorlopig niet meer van kunnen genieten.' De man liep naar de deur en riep de soldaten. 'Ik wens je een aangenaam verblijf in mijn kerker. Mijn gevangenen worden heel goed behandeld, laat dat je een geruststelling zijn.'

De soldaten namen de monnik, die een meer dan verslagen indruk maakte, tussen zich in en verlieten de wapenzaal.

'En wat u betreft, u mag mijn gast blijven zolang als u wilt.' De ridder draaide zich naar Belkala toe.

'U bent heel grootmoedig tegenover een onbekende,' bedankte de priesteres hem.

'Dat spreekt vanzelf, want ik kan het me veroorloven.' Nerestro staarde peinzend naar de vlaggen. 'Hebt u enig idee wat die monnik tot elke prijs geheim wil houden? Eerlijk gezegd begrijp ik die houding niet erg.'

De vrouw uit Kensustria kauwde nadenkend op haar onderlip. 'Zou u vrijwillig iets over de zaken van uw orde vertellen?' De man schudde zijn hoofd. 'Dan hebt u het antwoord op uw vraag.'

'Laten we ergens anders over praten.' De kwestie leek Nerestro nu te vervelen. 'Vertel me eens wat meer over uw land, dat hier toch als een soort legende wordt beschouwd.'

'Ik neem aan dat u meer in militaire zaken geïnteresseerd bent dan in cultuur en wetenschap,' glimlachte de knappe vrouw. 'Maar ik kan u helaas niet veel wijzer maken. Ik ben priesteres, zoals u weet.'

'Er worden de wonderbaarlijkste verhalen verteld over uw soldaten en hun wapens. Weet u misschien wat meer over hun oorlogstuig? Als Lakastra de god is van de wetenschap, kunt u daar toch wel iets over zeggen?' probeerde de ridder.

'U vraagt toch niet toevallig naar het geheim van het onblusbare vuur?' zei de priesteres schalks.

'Als u het toevallig bij de hand hebt, zou ik geen nee zeggen. Ik heb gehoord dat het zelfs stenen kan verbranden.'

'Dat is een fabel,' lachte ze, 'die we graag in stand houden om onze vijanden schrik en angst aan te jagen. Maar dat geheim wordt door onze militaire kaste streng bewaakt. Voor al hun oorlogsmachines en werktuigen hebben ze hun eigen bouwers, die weinig met Lakastra van doen hebben. Mijn wetenschap ligt op een ander terrein. Zo kan ik uw boeren vertellen hoe ze meer opbrengst uit hun akkers kunnen halen.'

'Dat is ook veel waard, maar minder nuttig voor de krijgsbibliotheek van de Orde der Hoge Zwaarden,' zei Nerestro teleurgesteld.

Belkala kwam naast hem staan. 'Wat zijn dat voor vlaggen en vaandels? U hebt toch maar één familiewapen, neem ik aan?'

'Ze zijn in de loop der eeuwen door mijn voorvaders veroverd.' De man wees trots naar de schilden. 'Voor iedere verslagen vijand in een toernooi. Zelf heb ik er tot nu toe zevenennegentig aan toegevoegd.'

'En hoe vaak bent u daarbij uit het zadel gestoten?'

'Acht keer maar. Twee keer raakte ik zwaargewond, verder waren het maar vleeswonden of onschuldige breuken,' antwoordde Nerestro fier. 'De volgelingen van Angor kunnen heel wat incasseren.'

'En als u was gedood?' vroeg Belkala geïnteresseerd.

'Dan zou ik in Angors gevolg zijn opgenomen en had ik hem met mijn dood passend geëerd.'

'Klopt het dat uw orde maar hoogst zelden naar de wapens grijpt? Ik kan het nauwelijks geloven als ik die verzameling zwaarden zie.'

'Dat klopt, voor een deel.' Hij schoof haar stoel aan. 'Ga zitten, dan zal ik het u rustig uitleggen.' De ridder nam de stoel naast haar. 'Wij, de volgelingen van Angor, betuigen onze god ons respect door een meesterlijke beheersing van onze wapens. We strijden in toernooien ter ere van Angor, waarbij de vaardigheid van de deelnemers het belangrijkst is, of ze nu het zwaard, de goedendag, de strijdknots, de lans of de speer gebruiken. Normaal eindigt zo'n duel als een van beiden opgeeft of bewusteloos raakt. Als een deelnemer tijdens het gevecht sneuvelt, dan treedt hij toe tot het gevolg van de godheid, de hoogste eer die een lid van de orde te beurt kan vallen.'

'Maar stel dat u in een hinderlaag wordt gelokt of door struikrovers overvallen?'

'Wij leven om Angor te dienen, niet om ons met gewoon gespuis bezig te houden. Daar hebben wij onze manschappen voor. Of onze afstandswapens. Pas in het uiterste geval zou ik zelf naar mijn zwaard of strijdbijl grijpen. Maar dan vecht ik ook voor mijn leven, want alleen de dood in het duel is eervol.' Hij boog zijn hoofd. 'Begrijp me niet verkeerd. Als ik word uitgedaagd, zal ik niet terugdeinzen als het me een waardige of interessante strijd toeschijnt. Maar dan wel om te overleven.'

'Uw wapenrusting is heel ongewoon.' Belkala's blik dwaalde over de metalen onderdelen. 'De meeste soldaten in Tarpol dragen een eenvoudig borstkuras.'

'Als wij voor onze god verschijnen, doen we dat met pracht en praal. Alleen bedelaars sterven in linnen en jute,' antwoordde Nerestro verachtelijk, en hij streek over zijn ingevette baard. 'Een kwestie van eer, anders niet.'

'Anders niet? Ik hoor het al. U vertoont raakvlakken met onze eigen krijgers,' zei de priesteres.

'Hoe denkt u dan over de strijd?'

'Ik zou zeggen dat de verhouding tussen onze priesters en onze militairen ongeveer net zo innig is als uw relatie met de Orde van Ulldrael,' antwoordde ze diplomatiek. 'We kennen elkaar, hebben een zeker wederzijds respect, maar mijden al te veel contact.'

'Wat zijn uw verdere plannen?' De ridder keek haar in haar gouden ogen voordat zijn blik nogal suggestief omlaag gleed over haar mantel.

'Ik wil vannacht hier nog blijven, in uw kasteel, om daarna zo snel mogelijk verder te reizen naar het noorden en Lakastra's kennis en geloof te verbreiden.'

'Dat is een lange reis, helemaal in uw eentje.' Er gleed een verleidelijk lachje over zijn markante gezicht. 'U bent een priesteres van de wetenschap. Wilt u iets nieuws leren zolang u nog op mijn kasteel logeert?'

Belkala leek verrast door zo'n openhartig en rechtstreeks voorstel.

'Hoe komt u op het idee dat u mij nog iets zou kunnen leren?' antwoordde ze gevat, terwijl ze zich enigszins oprichtte. 'Bovendien ben ik priesteres.'

'Wat heeft dat ermee te maken? Ik ben lid van een ridderorde, maar toch zie ik graag een vrouw in mijn sponde,' antwoordde de ridder grijnzend.

'Ik zal erover nadenken,' beloofde ze, hoewel ze heimelijk wel iets voelde voor een kort avontuur. Toch vond ze de man een beetje te veel van zichzelf overtuigd. Het zou wel iets te maken hebben met het lidmaatschap van de orde en zijn militaire mentaliteit. 'Goedenacht.'

'O, dat hangt helemaal van u af,' nam hij afscheid van de vrouw uit Kensustria toen ze naar de deur liep en de wapenzaal verliet.

Voordat ze zichzelf wat afleiding zou gunnen wilde ze eerst antwoord op een vraag. En daarvoor moest ze naar de kerker van het kasteel.

Ze trof Matuc geknield in gebed. Met gevouwen handen en gesloten ogen mompelde hij zachtjes voor zich uit. Pas toen de cipier met veel lawaai de zware grendel terugschoof draaide de monnik zijn hoofd om en keek naar de deur.

'Komt u genieten van uw triomf?' Hij liet zijn hoofd hangen. 'Ik ben bang dat ik meer dan in ongenade ben gevallen, nu Ulldrael me in een kerker laat wegkwijnen.'

'Zie het als een test.' De priesteres knielde naast hem. 'Maar misschien kan ik u helpen uit dit hol vandaan te komen, als u me vertelt wat uw missie precies inhoudt.'

De monnik staarde gefascineerd in het barnsteen van haar ogen. Dieper en dieper drong er iets zijn gedachten binnen, een zachte fluistering in zijn hoofd, een vriendelijke, warme hand die zich om zijn ziel sloot – net als toen hij nog een kind was en zijn moeder hem liefdevol over zijn haar had gestreken of hem in haar armen had genomen om hem te troosten. Een gevoel van vertrouwen en geborgenheid.

'Ik moet het continent voor een groot gevaar behoeden,' zei hij zacht.

'Dat is een heel zware opgave voor één mens.' Belkala's stem klonk zacht en begripvol. 'Je kunt me vertrouwen, Matuc. Wat is die opdracht?'

'Ik moet de Tadc doden om de terugkeer van de Donkere Tijd af te wenden.' Eindelijk kon hij er met iemand over praten. 'De overste en de Geheime Raad hebben besloten dat de profetie op die manier moet worden uitgelegd,' zei de monnik, oneindig opgelucht.

Belkala zuchtte diep. 'En jij bent overtuigd van je missie?'

Matuc aarzelde. 'Zo goed als.'

'Wij hebben ook van die profetie gehoord, maar er precies het omgekeerde in gelezen. Hoe kan dat?'

'We weten nu dat er zich in het klooster een verspieder van de Tzulani bevond. Waarschijnlijk heeft hij de ziener gedood nadat hij de letterlijke boodschap had gehoord, zodat niemand anders iets zou ontdekken over het onheil dat de Tadc over het continent zou aanrichten,' antwoordde Matuc en hij vertelde Belkala het hele verhaal en wat er sindsdien gebeurd was.

Een uur lang was hij aan het woord.

De vrouw uit Kensustria luisterde zonder hem maar één keer in de rede te vallen. Met elke zin leek de frons op haar voorhoofd dieper te worden.

Toen de monnik uitgesproken was, legde ze geruststellend haar hand op zijn schouder.

'Ik zal je helpen, Matuc. Ik zal Lakastra om hulp vragen om je uit deze cel te halen. Samen kunnen we dan de terugkeer van de Donkere Tijd verhinderen. Als het werkelijk waar is wat je me vertelt, zal mijn godheid me niet in de steek laten.'

'Maar waarom helpt Ulldrael me niet?' Matuc sloeg wanhopig zijn ogen neer. Tranen stroomden over zijn wangen.

De priesteres stond op. 'Dat kan ik je ook niet zeggen. Bid maar verder, misschien geeft jouw god je dan een teken.' En ze verliet de kerker.

Apathisch keek Matuc hoe zijn tranen op de stenen vloer druppelden en tussen de naden verdwenen.

Steeds meer slonk zijn vertrouwen in zijn schutspatroon, die zich blijkbaar niet veel om de belangen van zijn continent bekommerde.

Provinciehoofdstad Granburg, koninkrijk Tarpol, late zomer 442 n. S.

De warme wind joeg de geel-zwarte, van regen zwangere, wolken hoog langs de hemel boven het grote plein.

Dreigend stapelden ze zich op, verstrengelden zich met elkaar en verduisterden de beide zonnen, zodat het al laat in de avond leek en niet kort na het middaguur. Het machtige onweer hing voelbaar in de lucht, maar weigerde zich te ontladen.

Het bleekgele schemerlicht bracht een onheilspellende sfeer met zich mee en een doodse stilte daalde neer over de stad. Zelfs de dieren in de stallen gaven geen kik. Het enige geluid was het fluiten van de wind door de vensterluiken, over de daken van de huizen en om de hoeken van de straten.

Wasilji Jukolenko liet zijn blik over het plein dwalen, waar zich minstens duizend mensen hadden verzameld om hem te zien.

Burgers van de stad, boeren uit de omgeving, kooplui en enkele edelen, die tot voor kort nog om zijn gunst hadden geijverd, liepen nu te hoop. Met een minachtend lachje keek hij op hen neer.

De ketenen waarmee zijn armen op zijn rug waren gebonden sneden pijnlijk in zijn vlees en de linkerhelft van zijn gezicht brandde als vuur na tien of twaalf klappen van zijn bewakers.

Zijn behandeling als edelman en voormalige gouverneur liet te wensen over, vond hij. Bij zijn aanhouding, een paar dagen geleden, waren hem alle dure kleren afgenomen die hij bezat. In zijn ondergoed was hij in een stinkende, vochtige kelder gesmeten, totdat hij door een paar dronken soldaten vol leedvermaak in elkaar was geslagen en op de wagen naar het schavot gehesen. De kar was dwars door de stad gehobbeld, langs de zwijgende bewoners, die hem aanstaarden met van haat vervulde blikken. Zijn bewind was definitief voorbij.

Nu stond hij dan op het kleine platform, drie meter boven de hoofden van de toeschouwers, geflankeerd door vier soldaten die de komst van de jonge gouverneur afwachtten.

Nog meer wagens kwamen aanrijden. Ze brachten de gemaskerde beul met zijn gezellen, maar ook Kaschenko en tien andere edelen en grootgrondbezitters, die hadden deelgenomen aan de samenzwering tegen de gouverneur.

Een voor een werden de gevangenen door de beulsknechten de smalle ladder naar het schavot op geduwd en naast Jukolenko opgesteld.

De ex-gouverneur toonde geen enkele reactie en staarde naar de wolken. In zijn hart hoopte hij dat de scherprechter niet al te dronken was, zodat hij aan één klap genoeg zou hebben voor de onthoofding. Pijn kon hij niet verdragen.

Hoefgetrappel klonk over de keitjes en even later verscheen de gespierde gestalte van Waljakov aan het hoofd van een geharnaste groep ruiters. In het midden reed de gouverneur, kaarsrecht, met zijn hand losjes op zijn rechterbeen.

Als iemand anderhalf jaar geleden tegen Jukolenko had gezegd dat deze snotneus hem ooit ter dood zou brengen zou hij waarschijnlijk hartelijk hebben gelachen. Maar er bestond geen enkele gelijkenis meer tussen het dikke, huilerige kind dat hier was gearriveerd en de zelfverzekerde jongeman die nu in het zadel van zijn zwarte paard zat. De afgelopen maanden had Vasja zich ontpopt tot een tegenstander die je gemakkelijk kon onderschatten – die hij had onderschat.

De groep reed naar de voet van het plankier, steeg af op een luid bevel van Waljakov en stelde zich in een dubbele rij voor het schavot op.

Langzaam beklom Vasja het plankier, met zijn zwaargebouwde lijfwacht op zijn hielen. Boven gekomen trok hij een vel perkament uit zijn mouw en wendde zich tot het publiek.

'De edelen Kaschenko, Mekuce, Paole, Dobric en Jukolenko, alsmede de brojaken Kilic, Dujorev, Lusckoje, Regoc, Cobradin, Woijec en Iguckin, zijn schuldig bevonden aan een samenzwering tegen mij, Vasja, de rechtmatige koninklijke gouverneur, en daarmee tegen de Kabcar zelf. Al hun bezittingen, have en goed, vervallen aan de Kabcar. De samenzweerders zelf zijn veroordeeld tot de dood door langzame verwurging.' Er steeg een gemompel op onder de menigte. Die straf werd meestal alleen uitgesproken tegen gewone moordenaars. 'De voormalige gouverneur Jukolenko heb ik het voorrecht verleend om door het zwaard te sterven. Het vonnis zal op staande voet worden voltrokken.'

De gouverneur knikte naar de scherprechter, die zijn knechten bevel gaf tot de terechtstelling van de eerste elf gevangenen.

De doodsstrijd van de mannen nam lange, pijnlijke minuten in beslag. Met tussenpozen werden de leren koorden wat losser gedraaid, zodat de edelen wanhopig naar adem konden happen, voordat hun keel opnieuw werd dichtgesnoerd.

Eindelijk stampte de beul duidelijk hoorbaar met zijn voet op het houten plankier, het teken voor de laatste akte van het gruwelijke schouwspel, dat door de Granburgers zwijgend werd gadegeslagen.

Ook nu duurde het nog lang voordat het laatste gerochel was verstomd. De elf mannen waren dood.

De donder rolde over het plein, als voorbode van het noodweer. Een bliksemschicht flitste langs de hemel en sommige mensen krompen geschrokken ineen.

'Granburgers!' schalde de stem van de gouverneur over hun hoofden. 'Dit onvoorstelbare verraad en de jarenlange uitbuiting van deze provincie op kosten van onschuldige burgers is nu echt voorbij. Met de dood van de laatste samenzweerders breekt een nieuwe tijd van gerechtigheid aan, die ik lang heb voorbereid.' De eerste regendruppels vielen uit de wolken en kletterden op de keitjes. De wind wakkerde aan en rukte aan het blonde, schouderlange haar van de jongeman, in wiens ogen een hartstochtelijk vuur brandde.

Toen de scherprechter met zijn zwaard op Jukolenko afstapte, versperde de gouverneur hem de weg en stak zijn hand uit.

'Als bevestiging dat zo'n onbeschaamde tirannie en terreur zich nooit meer zullen herhalen zal ik de terechtstelling zelf ten uitvoer brengen.' Meer dan ooit voelde Lodrik de blikken van de menigte op zich gericht.

Aarzelend overhandigde de scherprechter hem het beulszwaard.

Vastberaden greep de gouverneur het heft in twee handen en draaide zich om naar de edelman, die hem verbijsterd aanstaarde.

'Ik hoop dat u goed genoeg heeft leren vechten om in één keer mijn hals te doorklieven,' zei Jukolenko zacht.

'Wie zegt dat ik dat wil?' De jongeman genoot van de plotselinge angst van de man tegenover hem. 'Zelfs als ik meer dan één poging nodig heb, moet je dat maar zien als een late genoegdoening.'

Hij tilde het zwaard loodrecht omhoog, tikte heel even de nek van de rechtopstaande Jukolenko aan om zijn slag te bepalen en draaide toen zijn bovenlichaam om genoeg kracht te zetten om de huid, de spieren en de botten door te hakken. Lodrik richtte zijn ogen strak op de aangewezen plek en zwaaide het staal met al zijn kracht.

De slag was zuiver gericht. Het zwaard gleed als boter door de wervels en kwam in een fontein van bloed vlak onder de kin weer naar buiten.

Jukolenko's hoofd vloog met een grote boog door de lucht en landde met een klap op de natgeregende planken. Zijn torso zakte door de knieën en klapte naar voren. Het bloed spoot nog steeds uit zijn hals en kleurde Lodriks grijze uniform dieprood. Donkere strepen liepen hem over het gezicht.

Nog altijd waagde de menigte het niet te jubelen of te roepen.

Zwijgend hief de gouverneur het zwaard naar de hemel en wees met zijn andere hand naar het nog altijd stuiptrekkende lijf van de edelman.

Glinsterend schoot een oranjerode bliksemschicht uit de pikzwarte wolken omlaag en sloeg krakend en knetterend in de punt van het omhooggestoken wapen.

Een gloeiende vlecht van rossig licht likte langs Lodriks arm, breidde zich stervormig uit en omhulde de jongeman secondelang. Het licht drong in zijn mond, zijn neus en zijn oren en deed zijn ogen fonkelen als de helderste sterren, totdat de schitterende stralen eindelijk weer doofden.

Geluidloos zakte Lodrik naast de dode op het platform in elkaar en verroerde zich niet meer. De regen die op hem neerviel verdampte sissend en er steeg rook op uit zijn kleren.

Zelfs Waljakov, die het schouwspel ontzet had gadegeslagen, stond verstijfd. Alle Granburgers staarden als verlamd naar hun gouverneur, die door de bliksem was getroffen.

De donderklap was nog maar nauwelijks verstorven toen de vingers die het zwaard omklemd hielden begonnen te trillen en het weer stevig vastgrepen. Heel langzaam hees Lodrik zich op zijn knieën, steunend op het wapen, en kwam onzeker overeind.

Nog altijd steeg er hete waterdamp op waar de regen in contact kwam met de gouverneur. De wolken stoom werden meteen door de wind afgevoerd.

De mensen die op de eerste rij hadden gestaan lieten zich op hun knieën vallen. Woorden als 'wonder' en 'Ulldraels hulp' gonsden door de menigte.

Lodrik liet zijn zwaard vallen en bekeek bevend van opwinding zijn hand, waarop geen enkele brandplek zichtbaar was.

Voorzichtig betastte hij zijn lichaam, maar hij had nergens pijn. Hij voelde alleen een licht gekriebel in zijn hoofd en hij had een waas voor zijn ogen.

Na een paar seconden kon hij weer helder zien. Iedereen om hem heen lag op de knieën.

Langzamerhand kwam hij tot zichzelf en begreep dat hij zoeven een onbegrijpelijk wonder had meegemaakt.

'Tzulan, de Geblakerde God, wilde me met zijn bliksem vernietigen!' riep Lodrik in vervoering. Opeens was hij zich bewust van een onvoorstelbare macht die door zijn aderen stroomde. Zijn bloed scheen te koken en alles aan hem was heet als vuur, zonder dat het hem deerde. 'Maar Ulldrael heeft mij zijn beschermende hand boven het hoofd gehouden.' Hij liet het publiek zijn onbeschadigde handen zien. 'Kijk! De macht van het Kwaad kon mij niet treffen. Ulldrael zij dank!'

De Granburgers kwamen aarzelend overeind. Toen klonken de eerste toejuichingen, en de mensen scandeerden zijn naam, net als die eerste keer bij het oogstfeest.

Maar nu wilde de jongeman niet naar beneden om zich onder het volk te mengen. Hij was ervan overtuigd dat hij hoger stond dan zij. Het volk hoorde daar, aan zijn voeten. Het was een heerlijk gevoel van macht.

'Heer, u moet uitrusten, ook al lijkt het of de bliksem u niet heeft gedeerd,' fluisterde Waljakov hem in het oor. 'Voor alle zekerheid zal ik een cerêler laten komen om u te onderzoeken.'

Lodrik raapte het met bloed besmeurde beulszwaard op en hief zijn armen.

Het gejuich zwol aan en overstemde zelfs de donder. Opeens leken de regen, de storm en het onweer de Granburgers niets meer uit te maken, zo geestdriftig waren ze over hun gouverneur, die door Ulldrael persoonlijk was beschermd.

'Alles wat in de herbergen wordt geschonken is voor mijn rekening!' riep hij. 'De dood van Jukolenko moet passend worden gevierd.' Hij zwaaide nog eens, draaide zich om en daalde samen met zijn lijfwacht het plankier van het schavot af.

Toen hij in het zadel zat, stak hij zijn zwaard uitdagend weer naar de zwarte wolken omhoog en reed zo in een triomftocht van het plein.

Het noodweer barstte met volle kracht los zodra Lodrik met zijn soldaten in het paleis was teruggekeerd. Zware buien kletterden op de provinciehoofdstad neer, wasten het stof van de daken en spoelden drek en afval door de goten.

Zonder iets te zeggen liep de gouverneur naar de ontvangstkamer, gooide de manshoge ramen open en tuurde gefascineerd naar de bliksem, die overal insloeg. Zo'n geweld, dat bomen spleet, huizen in brand zette en stenen verbrijzelde, had hij ongedeerd overleefd!

De wind deed de gordijnen en wandkleden wapperen, maar de jongeman lette er niet op. Hij had alleen oog voor de schitterende energieën die met korte, onregelmatige tussenpozen de duisternis doorkliefden. Bij elke ontlading werd het voortdurende gekriebel in zijn hoofd wat sterker, alsof het met de bliksem in verbinding stond.

Er was iets in hem veranderd. Hij rook scherper dan anders en zachte geluiden hoorde hij net zo duidelijk alsof hij vlak naast de bron stond.

'Heer?' klonk het vragend vanaf de deur.

Waljakov en Stoiko aarzelden even, maar kwamen toen naast de troonopvolger van Tarpol staan.

'Heer, de cerêler wacht in uw kleedkamer om u nader te onderzoeken,' zei zijn raadsman. 'We willen zeker weten dat u niets mankeert.'

'Ik voel me uitstekend,' antwoordde Lodrik, in gedachten verzonken. 'Betaal hem maar voor zijn moeite en stuur hem weer naar huis als de storm is gaan liggen.'

'Maar ik sta erop...' begon Stoiko.

De gouverneur draaide zich op zijn hakken om. 'Ik had jullie een bevel gegeven, weet je nog? Jullie twijfelen niet meer aan mijn beslissingen en jullie geven me geen orders meer!' Hij deed een stap naar zijn raadsman toe. 'Dus hou op met je betutteling, anders vergeet ik mezelf nog eens!' In het halfdonker van de ontvangstkamer zagen de twee mannen hoe de ogen van hun beschermeling steeds feller oplichtten, diepblauw.

Voor het eerst in zijn leven deinsde Waljakov terug. Instinctief sloot zijn mechanische hand zich om de greep van zijn sabel. Ook Stoiko kromp onwillekeurig ineen en maakte snel een buiging.

'En nu wegwezen!' Lodrik wees met het bloederige beulszwaard naar de deur. 'Geef de scherprechter een paar waslec voor zijn wapen. Ik hou het zelf, omdat het me goede diensten heeft bewezen.' De mannen verdwenen.

De jonge landvoogd draaide zich weer om naar de bliksem en vroeg zich af waar dat trekkerige gevoel in zijn vingertoppen vandaan kwam. Het leek wel alsof iets zich uit alle macht naar buiten probeerde te wringen om zich te ontladen en dingen te vernietigen. Met de grootste moeite had hij zich zopas kunnen beheersen. Het zou nog wel even duren voordat hij de effecten van die ontzagwekkende energie had overwonnen.

Heel langzaam kalmeerde hij wat na zijn emotionele uitbarsting, waarvan hij nu al spijt had.

'Ik heb u onrecht gedaan, Ulldrael, toen ik aan u twijfelde en tegen mijn vrienden schreeuwde. Ze zijn alleen maar bezorgd om me,' mompelde hij. 'Vergeef me en help me een goede vorst van Tarpol te worden.'

Voorzichtig deed hij het raam dicht, trok de gordijnen en wandkleden recht en verliet de ontvangstkamer om Waljakov en Stoiko zijn welgemeende excuses te maken. Ook dat met bloed besmeurde uniform moest zo snel mogelijk uit. De metaalachtige stank maakte hem misselijk.

De burcht Angoraja, provincie Ker, 220 warst van Granburg, late zomer 442 n. S.

Nerestro stond in zijn slaapkamer om zijn wapenrusting uit te trekken. Een handig systeem van leren koorden, haken en ogen maakte het de ridder mogelijk zich in noodgevallen zelf van zijn ingewikkeld opgebouwde metalen harnas te ontdoen – een groot voordeel als hij bij een gevecht in een rivier terecht zou komen.

Het had een aantal jaren en het leven van enkele ordebroeders gekost voordat de smeden deze aanpassingen eindelijk beheersten. Een gewone Tarpoler moest een heel leven werken om zo'n harnas te kunnen betalen, aangenomen dat hij daartoe het recht zou krijgen.

Binnen enkele ogenblikken had hij zich verlost van het zware metaal, dat zijn gewicht van circa honderdtien kilo nog met dertig kilo vergrootte. Gewone soldaten zouden niet in staat zijn in zo'n zware wapenrusting nog behoorlijk de strijd aan te gaan, zeker niet als het lang ging duren, maar voor een lid van de Orde der Hoge Zwaarden behoorde dat tot de dagelijkse praktijk.

Alle onderdelen en de maliënkolder werden overzichtelijk aan een standaard gehangen en de wapens in een houten rek gestoken voordat de ridder, nog gekleed in een zachte, dubbelgeweven tuniek die de druk van het metaal moest opvangen, naar de schrijn liep waarin hij het Aldorelische zwaard bewaarde.

Zo'n wapen bezaten zelfs de meeste koningen en vorsten van Ulldart niet. Hij beschermde het dan ook als zijn eigen leven.

Deze zwaarden, waarvan er maar eenentwintig op het hele continent bestonden – veertien in handen van Angor-volgelingen – waren met legenden omgeven. Hun lemmet, van zuiver iurdum, versmolten met andere metalen die allang niet meer in de onderaardse lagen en groeven te vinden waren, kon marmer, basalt en elk type ijzer verbrijzelen zonder een schrammetje op te lopen. De hals of het bovenbeen van een mens vormde geen enkele hindernis, zelfs niet met de bescherming van een harnas.

De laatste twee Aldorelische zwaarden – gesmeed tegen Sinured het Beest en de sterkste van allemaal, volgens de kronieken van de orde – moesten nog ergens op Ulldart verborgen liggen. Een daarvan te vinden was het hoogste aardse geluk dat Nerestro zich kon voorstellen.

Voorzichtig nam hij het zwaard uit de schrijn, hield het lemmet in twee handen en kuste de bloedgoot. Minutenlang bleef hij in die houding zitten, voordat hij het wapen behoedzaam weer opborg.

Een felle lichtstraal schoot door het venster, versplinterde het glas en verblindde de totaal verraste Nerestro, die beschermend zijn hand voor zijn ogen sloeg.

De gestalte van een sterke, reusachtige krijger in volle wapenrusting zweefde door de kamer en luide muziek – dreunende trommels, fanfareklanken en koorzang – vulde de ruimte.

Met gespreide benen stond de schitterende krijger, die met zijn helm bijna tot aan het plafond reikte, voor de ridder en strekte zijn hand uit naar de schrijn. Het zwaard lichtte op, maakte zich uit zijn houder los en zweefde langzaam naar de onbekende toe.

'Ik ben Angor, god van de oorlog, de strijd en de jacht, de rechtschapenheid en het fatsoen!' dreunde de stem als een machtige golf op Nerestro toe. De ridder keek op en staarde in vervoering naar de door licht omgeven gestalte. 'Ik ben hier om u een missie op te dragen, Nerestro van Kuraschka. Als u daarin slaagt, zult u worden beloond met roem, eer en het machtigste van alle Aldorelische zwaarden.'

'Beveel, heerser van de strijd! Ik leef om u te dienen.'

'De monnik in uw kerker is onderweg voor het heil van het continent en in opdracht van Ulldrael. Maar hij heeft een sterke hand nodig om hem bij zijn zware beproeving te ondersteunen. Daarom zult u hem escorteren en ervoor zorgen dat hem geen kwaad geschiedt.'

Het zwaard begon te glinsteren. 'Ik heb uw wapen gezegend met een goddelijke kracht, zodat het u kan beschermen tegen alle gevaren die u zult ontmoeten op uw reis met de monnik. Als u deze missie tot een goed einde brengt, zal ik u, Nerestro van Kuraschka, als dank en uit waardering het machtigste van alle Aldorelische zwaarden ten geschenke geven.' Het wapen vlijde zich in Nerestro's uitgestrekte hand. 'Vertrek zo snel als mogelijk is.'

De lichtstraal werd sterker, zo fel dat de ridder zijn ogen sloot en zich moest afwenden. Toen hij weer opkeek was Angor verdwenen.

'Ik zal alles doen om u niet teleur te stellen, heerser van de strijd,' fluisterde Nerestro vol ontzag.

Niemand in het kasteel had verder iets van de verschijning van de god gemerkt, zoals Nerestro de volgende dag vaststelde. De reden moest wel zijn dat hij als enige was uitverkoren om met de god in verbinding te treden.

Belkala was niet aan het ontbijt en evenmin bij het middageten. Ze voelde zich niet goed, zoals ze door een bediende liet doorgeven.

In plaats van de priesteres zat Matuc nu aan tafel en werkte gulzig zijn eten naar binnen. Volledig verrast was hij door de bewaarders uit zijn cel gehaald en naar de wapenzaal van de kasteelheer gebracht om met de ridder te eten. Na twee dagen water en brood was dat een welkome afwisseling, hoewel hij nog niet wist wat voor spelletje zijn rechter met hem speelde.

'Ik neem aan dat jouw god je op de hoogte heeft gebracht?' zei Nerestro na een tijdje. 'We vertrekken morgenvroeg. Zoveel tijd heb ik wel nodig om een escorte samen te stellen en voorbereidingen te treffen voor de reis.'

Matuc hield op met eten. 'Op de hoogte gebracht? Waarvan?'

'Je wordt gezegend door je god en je weet het niet eens?' zei de ridder verwonderd. 'Dat is pas een echte test.'

De monnik keek verbaasd, veegde zijn handen af aan zijn pij en boog zich naar voren. 'Waar hebt u het over? En wat voor reis gaat u ondernemen?'

'Niet ik, maar wij,' corrigeerde de ander hem. 'Vannacht is Angor aan mij verschenen met de opdracht om jou bij je geheimzinnige missie te ondersteunen. Omdat ik de details niet ken, moet je me bij gelegenheid maar zelf vertellen waar onze reis naartoe gaat.'

'Angor is aan u verschenen? Met de boodschap dat u mij beschermen moet?' Matuc liet zich tegen de stoelleuning zakken. 'Over goddelijke samenwerking gesproken!'

'Zeg dat wel. Hoewel het me in het begin nogal vreemd voorkwam, moet ik eerlijk zeggen,' gaf Nerestro toe. 'Maar als het heil van het continent op het spel staat, aarzel ik geen seconde.'

'Wat weet u over mijn missie?' informeerde de monnik.

'Niets,' antwoordde de man, met zijn hand op de knop van zijn zwaard. 'En dat interesseert me ook niet. Ik en mijn escorte zullen ervoor zorgen dat je veilig aankomt – waar dan ook – om je missie te volbrengen.'

'We reizen verder in de richting van Granburg, de hoofdstad van de provincie. De rest zien we onderweg dan wel,' zei Matuc opgelucht. Net als hij scheen Angor te hebben geaarzeld om de ridder de ware reden van de reis, een moordaanslag op de Tadc, te verraden.

'Dat lijkt me geen probleem. Ik zal een schip regelen om sneller op te schieten. Kun je paardrijden?'

'Ja, zolang het niet nodig is om in volle galop over hindernissen te springen of andere toeren uit te halen,' antwoordde de monnik.

'Je kunt dus in het zadel blijven. Met paardrijden heeft dat weinig te maken.' Nerestro keek de geestelijke strak aan. 'Laat één ding duidelijk zijn: aan je straf zul je niet ontkomen. Zodra je je missie hebt volbracht, ga je met mij mee terug naar het kasteel om je tijd vol te maken, broeder.'

'Ik had ook niets anders verwacht,' antwoordde Matuc een beetje teleurgesteld, omdat hij heimelijk op gratie van Angor had gehoopt. Want hoewel Ulldrael hem geen tekens zond, hielp hij hem toch via een omweg, in de gedaante van de ridder.

Weliswaar kwam de samenwerking tussen de god van de wetenschap en die van de oorlog hem wat ongebruikelijk voor, maar daaruit bleek wel hoe dringend zijn opdracht was.

'Hoeveel man gaan er met ons mee?'

'Ik zal twintig van mijn beste ridders en schildknapen meenemen,' antwoordde Nerestro. 'Zo'n groep is klein genoeg om snel te kunnen reizen en groot genoeg om met alle gespuis af te rekenen. Wie ons een strobreed in de weg legt zal daar ernstig spijt van krijgen.'

Matucs stemming was opperbest. Bijna niets zou hem nog kunnen tegenhouden. 'En hoe snel kunnen we zijn?'

De ridder dacht even na. 'Mijn paarden zijn onvermoeibaar, dus reken ik op ongeveer drie weken, als het weer geen streep door de rekening haalt. En als jij zelf die lange ritten volhoudt, natuurlijk.'

'Ik zal wel moeten, ik heb geen keus.' De monnik at snel door.

'Eén ding zeg ik je meteen, om misverstanden te voorkomen.' Nerestro schepte vlees en groente op. 'Ik accepteer geen bevelen van je, ik kom je niet je eten brengen en ik ben niet je bediende. Ik zal je beschermen, zoals het mij goeddunkt, niet meer en niet minder.'

'Ik had het me niet anders voorgesteld,' reageerde de monnik beledigd.

'Gelukkig maar.' De ridder stak zijn tegenzin niet onder stoelen of banken.

'Ik weet wat u denkt,' begon Matuc na een tijdje. 'U ziet me aan voor een domme monnik, die niet alleen de verkeerde god aanbidt maar ook nog hulp van Angor heeft gekregen terwijl hij eigenlijk in een kerker hoort.'

'Goed gezien.' Nerestro proostte. 'Ik heb zelfs een lichte afkeer van je, maar dat zal me er niet van weerhouden je met mijn leven te verdedigen.'

'Heel geruststellend. Kunnen we niet een soort wapenstilstand sluiten?'

'Dat heb ik al gedaan.' De ridder veegde het vet van het vlees uit zijn baard. 'Anders zou ik niet met je op reis gaan voordat je je gerechte straf hebt uitgezeten.'

De deur ging open en een duidelijk aangeslagen Belkala kwam binnen. Haar beige huid leek mat en dof, haar groene haar hing warrig op haar schouders. 'Goedemorgen.'

'Middag, zeg maar,' antwoordde Matuc vriendelijk. 'Een onrustige nacht gehad?'

'Niet dat ik weet,' mompelde de kasteelheer. 'Ik was er niet bij.'

'Ja, ik kon niet slapen.' Heel voorzichtig, alsof ze van porselein was, ging de vrouw op een stoel halverwege de tafel zitten en laadde vijf dikke plakken vlees op haar bord. De groente keurde ze geen blik waardig.

'Hebben Kensustrianen zoveel vlees nodig?' vroeg de monnik.

Ook Nerestro keek een beetje verbaasd naar die berg. Heel bewust had de priesteres het vlees genomen dat vanbinnen nog rauw en bloederig was.

'Ja. Als ze honger hebben,' antwoordde Belkala kortaf en ze stak een groot stuk in haar mond. Heel even kreeg Matuc een visioen van een Kensustriaanse vrouw die kwijlend op een lap rauw vlees aanviel en het met haar scherpe hoektanden aan stukken scheurde.

Na de derde lap bewogen haar kaken wat minder snel, maar toch nam ze nog drie stukken, waarvoor ze zich wat meer tijd gunde.

'Ik zag dat er op de binnenplaats voorbereidingen werden getroffen voor een reis,' zei ze. 'Gaat u uw gevangenen verhuizen? Of waarom mag broeder Drankneus hier anders zitten?'

'Die naam zal ik onthouden,' lachte Nerestro en hij streek een punt in zijn lange, blondgeverfde baard, die dankzij het vet keurig in model bleef. 'Broeder Drankneus en ik gaan samen op reis, in opdracht van de goden. Ik zal hem op zijn tocht naar Granburg escorteren.'

'Ik geloof mijn oren niet!' stoof Belkala verontwaardigd op. 'Hij heeft geprobeerd me te vermoorden en u reist met hem mee om hem te beschermen?' Ze hoestte demonstratief en bracht haar hand naar haar hals, waar nog altijd de striem van het touw te zien was, terwijl ze Matuc heimelijk een knipoog gaf. Het duurde even voordat hij begreep dat ze een toneelstukje opvoerde voor de kasteelheer.

De ridder kneep zijn ogen tot spleetjes. 'Het is een opdracht van Angor persoonlijk. Als de monnik zijn missie heeft volbracht, zal hij nog een jaar in mijn kerker moeten doorbrengen, welke heldendaden hij in de tussentijd ook mag verrichten.'

'Dan ga ik mee,' verklaarde de vrouw uit Kensustria. 'Ik moet toch die kant op, zoals ik al zei, en zo kan ik erop toezien dat u hem niet al te erg vertroetelt.'

'Ik moet zeggen dat uw verontwaardiging me nogal verbaast, omdat u het zelf in eerste instantie bij een verontschuldiging wilde laten.' Nerestro keek haar doordringend aan. 'Waarom bent u opeens van mening veranderd?'

'Ik was er net aan gewend dat hij een harde, maar passende straf zou krijgen,' verdedigde de vrouw zich. Haar huid had opvallend snel zijn prachtige tint weer teruggekregen. 'Neem me niet kwalijk dat ik zo uitviel.'

De ridder maakte een sussend gebaar. 'Het doet er niet toe. Ik vroeg het me alleen maar af.' Hij keek naar haar lege bord. 'Hebt u genoeg gegeten, of moet ik nog meer vlees laten komen? Die koe schijnt u te hebben gesmaakt.'

'Een eigenaardigheid van ons volk,' glimlachte Belkala verontschuldigend. 'Als we ons niet goed voelen eten we veel vlees om weer op krachten te komen.'

'Daarin onderscheidt u zich niet erg van andere volkeren op Ulldart.' Nerestro stond op. 'Wilt u me nu verontschuldigen? Ik moet nog een paar dingen regelen om te voorkomen dat het kasteel tot een verwaarloosde puinhoop vervalt zodra ik uit het zicht ben.' En zwierig verliet hij de wapenzaal.

'U hebt hem een fraai toneelstukje voorgetoverd,' zei Matuc na een tijdje, met een geluidloos applaus.

'Lag het er niet te dik bovenop?' De vrouw uit Kensustria grijnsde van oor tot oor. 'Maar als ik niet had tegengesputterd zou het nog verdachter zijn geweest, denkt u niet?'

'U hebt niet toevallig ook met Angor gesproken?'

'Ik? Hoe dan? Ik ben van het verkeerde geloof. Maar ik heb wel Lakastra om hulp gebeden, en hij schijnt Ulldrael en Angor te kennen, anders had hij geen goed woordje voor u kunnen doen. Er zijn dus toch raakvlakken tussen de hemelen, of wat denkt u?'

'Daar lijkt het wel op, als het waar is wat u zegt,' antwoordde de monnik voorzichtig. 'In elk geval sta ik bij u in het krijt, want ik ga er maar van uit dat ik mijn voorlopige redding uit die kerker aan uw bemiddeling te danken heb.'

'Geen sprake van,' wuifde de priesteres zijn dankbetuiging weg. 'Per slot van rekening ligt Kensustria ook op Ulldart, net als Tarpol. We zullen het onheil samen afwenden.'

'Daar twijfel ik niet meer aan,' glimlachte Matuc.

'Dat zie ik voor het eerst, geloof ik.' En ze duidde op zijn omhoogwijzende mondhoeken. 'Het staat u goed. Dat zou u vaker moeten doen.'

'Ik had er helaas niet veel gelegenheid toe, maar ik beloof u dat ik zal oefenen,' lachte de monnik. 'Wat een geluk dat die mannen u toen niet hebben opgeknoopt.'

'Heel vriendelijk van u.' Belkala nam het laatste stuk vlees van de schaal en at het op.

XIII

'Ondertussen stapelden de bewijzen zich op dat Tzulans geest al zijn krachten verzamelde om in het jaar 444 n. S. een nieuwe poging te wagen. Weer klonken dag en nacht de tempelgongs en houten gebedsklokken in de tempels van Ulldrael, om Ulldrael de Rechtvaardige te eren en zijn hulp af te smeken. De monniken bezagen de voortekenen met grote zorg, terwijl de volgelingen van de Geblakerde God zich opmaakten om toe te slaan.

Er hing onheil in de lucht, zoals iedereen in Tarpol en op heel Ulldart kon bespeuren.'

Historische Almanak van Ulldart,
deel xxi, blz. 1058

Noordwestkust van Tarpol, 24 warst van Ludvosnik, koninkrijk Tarpol, late herfst 442 n. S.

'Het ziet eruit als een Tarpoolse oorlogsschoener.' Janko, een van de ongeveer twintig vissers die zich op de kademuur hadden verzameld, liet de hand waarmee hij zijn ogen had beschut weer zakken en draaide zich naar een jongen toe die met grote ogen naar het naderende schip staarde. 'Ga de rechter halen. Er moeten hoge officieren aan boord zijn.'

Zwijgend stonden de mannen op de muur en zagen hoe het snelle schip door het water sneed. Steeds groter werd de boeg, de talloze zeilen van de tweemaster bolden op in de wind en droegen de schoener naar het vissersdorp.

De oude rechter kwam puffend aanlopen. Plechtig had hij de sjerp omgedaan waaraan zijn officiële ambt herkenbaar was. De jongen had hem in zijn grijze mantel moeten helpen.

'Hoeveel man heeft zo'n schoener aan boord?' wilde de jongen weten.

'Soldaten? Tussen de vijftig en de honderd,' schatte Janko en hij spuwde in het water.

'En wat willen ze hier?'

'Heeft een van jullie iets gesmokkeld?' vroeg de rechter en hij keek nijdig de kring van onschuldige gezichten rond.

'Wat zouden we dan moeten smokkelen, rechter? Er is helemaal niets,' antwoordde Janko grijnzend.

'Nee, nee. Wat moet die machtige boot dan hier?'

'Misschien willen ze naar Ludvosnik, maar hebben ze verkeerd genavigeerd,' grapte de visser. De anderen lachten.

'Het lachen zal jullie wel vergaan als de soldaten het dorp binnenkomen om jullie huizen te doorzoeken,' voorspelde de rechter. Hij trok aan de pruik die hij uit zijn jaszak had gehaald en op zijn dunne haar gezet.

Ondertussen had de schoener bijna de kust bereikt. De zeilen werden gereefd, het schip manoeuvreerde de provisorische haven binnen en liet het anker zakken. Vier lange sloepen, met meer dan twintig mannen en een flinke lading aan boord, zetten koers naar de steiger, waar ze even later aanlegden.

Alle schepelingen droegen een lichte leren wapenrusting over ruime, warme wollen jassen in de meest uiteenlopende kleuren. De aanvoerder, een zongebruinde man met kortgeknipt blond haar en een lange, gevlochten baard, stapte de wrakke steiger op, gevolgd door vijf gewapende mannen. Over zijn wapenrusting droeg hij een lange Palestaanse officiersjas, die vol met gaten zat.

'Ze zien er helemaal niet uit als koninklijke officieren,' fluisterde Janko tegen de rechter, die bij het zien van het Palestaanse uniform wit wegtrok. Een eind verderop lag immers nog het wrak van de Palestaanse koopvaarder die bijna een jaar geleden op de rotsen was gelopen. Hoe moest hij dat de Palestaan en zijn mannen uitleggen?

De vissers achter hem hokten wat meer bij elkaar en zochten naar iets waarmee ze zich desnoods tegen de gehate handelaren zouden kunnen verdedigen.

De aanvoerder bleef voor de rechter staan, zette zijn handen in zijn zij en keek hem afwachtend aan. Toen hief hij zijn linkerhand op en gaf de oorlogsschoener een teken. Aan de hoofdmast schoot de Rogogardische vlag omhoog, trots wapperend in de stevige wind. Een zucht van verlichting steeg op onder de vissers.

'Ik ken u toch ergens van?' begon de rechter voorzichtig.

'Ik zoek Laja,' antwoordde de onbekende. 'Ik kom mijn belofte inlossen die ik haar bijna een jaar geleden heb gedaan. Ik hoop dat het goed met haar gaat?'

'Natuurlijk!' De rechter sloeg zich tegen zijn voorhoofd, waardoor zijn pruik in zijn nek gleed en daar als een dood dier bleef bungelen. 'U bent de Rogogardische piraat die ze heeft verzorgd.'

'Kaper,' verbeterde Torben en hij grijnsde zijn overgebleven tanden bloot. 'Wij Rogogarders zijn kapers.' Hij wenkte de andere mannen met de kisten, die even later keurig op het nabijgelegen dorpsplein werden opgestapeld. Een van zijn mensen gaf hem een kleiner kistje.

'Jullie hebben me toen opgevangen en goed voor me gezorgd. Nu ben ik terug en breng ik voor iedereen iets mee.' De kisten gingen open. 'De mooiste Palestaanse waren: zijden stoffen, wol, serviezen, olie, sieraden en nog veel meer – wat een heel stel Palestanen toch nooit meer nodig heeft. Het is voor jullie.'

Terwijl de vissers in gejuich uitbarstten en hun families erbij haalden, liep Torben de straat door naar Laja's huis, waar hij schijnbaar een eeuwigheid had gelegen totdat zijn wonden waren genezen.

Toen hij voor de deur stond trok hij de uniformjas uit en wikkelde het kistje erin. Hij had nog maar nauwelijks aangeklopt of de grendel werd teruggeschoven en de deur geopend.

'Wie ben je en wat wil je? En waarom schreeuwen ze zo bij de haven? Hebben de mannen een walvis gedood?' Ze kneep haar bruine ogen halfdicht. 'Ik ken jou toch?' Opeens begon de oude dame te stralen, klapte in haar handen en klemde de kaper lachend aan haar boezem. 'Bij Ulldrael! Je bent dus toch teruggekomen, Torben!'

Voorzichtig tilde de Rogogarder Laja in de lucht. 'Ja, ik ben terug. En ik heb iets voor je meegebracht.' Hij zette haar zachtjes weer neer.

'Dat pak ik binnen wel uit. Je moet me alles vertellen.' Ze trok hem het huis in en zette water op voor thee.

'Nu begrijp ik ook wat er in de haven aan de hand is,' zei ze, terwijl ze het water op de theeblaadjes goot. 'Je hebt werkelijk aan de Palestanen gedacht, zie ik.' Ze tikte op de gescheurde uniformjas. 'Weer eentje minder van die heren.'

'Een páár minder, voordat ik die jas te pakken had,' grijnsde Torben en hij nam de mok thee in beide handen. 'Kijk nou maar wat ik voor je heb meegenomen.' Hij sloeg haar vriendelijke, verweerde gezicht gade, dat opeens een jeugdige, meisjesachtige gloed had gekregen.

Ze pakte het kistje uit en opende de twee slotjes. Voorzichtig haalde ze de inhoud tevoorschijn en hield die tegen het licht. Het was dezelfde jurk met groen en donkergeel borduurwerk zoals zij nu droeg, maar van de beste kwaliteit, uit de mooiste stof. En op de bodem van het kistje lagen bijpassende broches, ringen en halssnoeren.

Laja glimlachte stil. 'Dat is meer dan ik heb verdiend, Torben.' Ze streek met haar handen liefdevol over de stof.

'Ik hoop dat hij past. De naaister moest het met mijn aanwijzingen doen.' Hij reageerde niet op haar dankbetuigingen, maar nam een slok thee en verheugde zich in zijn hart over de ontroering van de vrouw die zijn leven had gered.

'En vertel me nu alles wat je sindsdien hebt meegemaakt,' zei ze, terwijl ze een sterk naar alcohol ruikend drankje in de hete thee gooide.

De middag ging heen met de verhalen en belevenissen van de Rogogarder. Maar over de geheime identiteit van de gouverneur gaf hij nog niets prijs. Ondertussen stuurde hij zijn mannen terug naar de *Grazie,* zoals ook zijn nieuwe schip weer heette, en gaf hun de rest van de dag vrij.

Geboeid luisterde Laja naar de woorden van de kaper, leunend op haar stok, zonder hem te onderbreken. Tegen de avond stond ze op om de kaarsen aan te steken, omdat de dagen alweer snel korter werden. De winter kwam eraan.

'Je hebt echt een heleboel meegemaakt,' zei ze ten slotte. 'Maar wanneer ben je je tanden kwijtgeraakt? Je klinkt als een oud besje.'

'Dat heb ik te danken aan de lijfwacht van de gouverneur.' Dat onaangename detail had Torben liever verzwegen, maar het zou zijn reddende engel toch zijn opgevallen, dus kon hij het rustig vertellen. Hij wees naar de zeven snij- en hoektanden die hij nog overhad. 'Ik neem aan dat ik daarmee bij de Rogogardische dames weinig succes zal hebben.'

Laja lachte. 'Het valt nauwelijks op, zolang je je mond maar dichthoudt,' meende ze. 'Ik zal lekker eten voor ons koken. Wanneer reis je weer verder en wat zijn je plannen, tandeloze kaper?'

'Tandeloos misschien wel, maar ik kan nog behoorlijk van me afbijten. Ik weet het niet,' gaf hij antwoord op haar vraag. 'De zee op. Verder naar het zuiden wemelt het van de Palestanen, daar zal ik er wel weer een tegenkomen. De buit verkoop ik liever in het noorden, in Rundopâl. Daar zijn Palestaanse zaken heel gewild, vooral als ze voor Rogogardische prijzen worden verkocht. Misschien kan ik iets regelen met die moedige Agarsijnse handelaren die zich in het gebied hebben gewaagd. Als escorte, zogezegd.'

'In elk geval wens ik je veel geluk,' zei Laja oprecht en ze schepte hem een bord bouillon met grote brokken vlees op.

'Die geur ken ik nog goed. Daarmee heb je me weer op de been gekregen, is het niet?' Torben snoof luidruchtig en nam met zichtbaar genoegen zijn eerste lepel.

'En je hoeft nauwelijks te kauwen, want het vlees is mals als boter,' voegde ze er met een veelbetekenend lachje aan toe.

Provinciehoofdstad Granburg, koninkrijk Tarpol, begin van de winter 442 n. S.

Het was stil in de nachtelijke bibliotheek van het paleis. Enkel de wind ruiste in de haard en drukte de vlammen neer.

'De mannen maken zich nog altijd zorgen, Stoiko.' Waljakov pakte zijn paard en sloeg de toren. 'Ze zijn niet vergeten wat de gouverneur in dat gevecht met Jukolenko's huurlingen heeft geroepen. En ze hebben het gehuil gehoord.'

De raadsman knikte. 'Het ging me door merg en been, maar de enige die er geen last van had was Lodrik. Geloof me, ik ben net zo ongerust als iedereen.' Hij nam een slok van zijn kruidenwijn. 'Hij heeft Tzulan aangeroepen en hulp gekregen. En dat tussen de Ulldrael-eiken.' Stoiko verplaatste zijn dame en sloeg het paard van Waljakov.

'Ik heb tegen de mannen gezegd dat het een moerasmonster was dat zo huilde in de nacht en tijdens het gevecht,' zei de lijfwacht mismoedig. 'Laten wij dat ook maar geloven. Per slot van rekening heeft Ulldrael hem later tijdens die terechtstelling weer geholpen.' Hij keek naar het geblokte bord. 'Ik heb geen zin meer. Jij wint toch altijd.'

'Maar je bent wel beter geworden sinds je kijkt hoe Hetrál speelt,' zei de raadsman bemoedigend. Hij leunde naar achteren op zijn stoel en tuurde in de vlammen van de haard. 'Weet je wel zeker dat het Ulldrael was die hem voor de bliksem heeft behoed?'

'Zoals ik al zei, daar moeten we gewoon van uitgaan. Wat heeft die vage boodschap van de ziener anders voor zin?'

Ze zwegen allebei, zonder elkaar aan te kijken, uit angst dat ze de twijfel in de ogen van de ander zouden zien.

'Ik heb natuurlijk met Lodrik gesproken en hij schaamt zich nogal voor dat incident in het bos. Hij heeft ook geen verklaring voor de razernij die hem plotseling overviel. Dat gehuil heeft hij zogenaamd niet gehoord en zijn woorden tijdens het gevecht kan hij zich niet meer herinneren – zegt hij,' zuchtte Stoiko na een tijdje.

'Zo maakt hij er zich wel heel simpel van af.' Waljakov legde zijn mechanische hand in zijn schoot en de andere op de leuning. 'Ik vind het nog gevaarlijker dat hij plezier heeft gekregen in het doden, zoals duidelijk te zien was bij die executie. Hij heeft zijn voorliefde ontdekt, en ik hoop dat hij die weet te beheersen voordat hij er zelf het slachtoffer van wordt.'

'Je moet je lessen maar anders inrichten. Misschien meer gericht op uithoudingsvermogen dan op vechttechniek?' De raadsman keek hem vragend aan.

'Wil je beweren dat mijn lessen de oorzaak zijn?' De lijfwacht schudde zijn hoofd. 'Als dat zo is, kan ik er nu niets meer aan doen. Maar waarom lichtten zijn ogen na die executie blauw op, toen hij zo tekeerging tegen ons?'

'Als gevolg van die blikseminslag, zou ik denken.'

'Echt? Ik hoop vurig dat Ulldrael hem verder zal beschermen en dat er eindelijk rust komt in deze ellendige provincie.'

'Het zijn vreedzame tijden in Tarpol,' merkte Stoiko op. Hij zag de verbaasde blik van de militair. 'Nou ja, misschien niet in Granburg, maar in de rest van Tarpol wel. In elk geval zijn er geen buurlanden met oorlogsplannen,' voegde hij eraan toe.

'Dat heb ik heel anders gehoord,' wierp Waljakov tegen. 'De provincie Worlac wil nog altijd onafhankelijkheid en zou wapenleveranties krijgen uit Borasgotan. Daar wil Borasgotan natuurlijk iets voor terug, en ik vrees dat hun leider niet voor een grootschalige oorlog terugdeinst. Bovendien heeft onze goede buurman Hustraban een begerig oog op de baronie Kostromo laten vallen, als ik je aan de woorden van de vasruca mag herinneren. Dat klinkt allemaal niet vredelievend. Als die twee landen een verbond sluiten – wat Ulldrael of welke god ook moge verhoeden – ziet het er voor Tarpol niet best uit.'

'Een grootschalige oorlog dus,' zei Lodrik, die onopgemerkt in de deuropening was verschenen en het laatste deel van de discussie had gehoord.

De mannen wisselden een snelle blik.

'Ja, heer, helaas. Het zijn nog maar geruchten en de Tarpoolse geheime dienst weet natuurlijk meer dan ik. De Kabcar zal wel goed voorbereid zijn, mocht een van de buurlanden snode plannen koesteren,' besloot de lijfwacht na een korte aarzeling.

'Wij lossen onze geschillen al tientallen jaren op met tweegevechten of kleine schermutselingen.' De gouverneur kwam dichterbij. 'Het zou een schending zijn van de duizendjarige vrede die de landen hebben gesloten.'

'De situatie in Borasgotan is niet ideaal,' merkte Waljakov op. 'Mijn bronnen zijn de gewone mensen in Granburg, dagloners en kooplui, die over de grens komen. De meeste burgers gaat het wel goed, maar ik hoor ook verhalen dat de vorst zijn geduld met de baronie Jarzewo heeft verloren. Daarom schijnen er nu jonge, sterke mannen te worden geronseld voor de commando-eenheden. Maar een van de Ontariaanse kooplui heeft een kamp met meer dan duizend vrijwilligers gezien. Dat lijkt geen commando-eenheid meer.' Hij wreef over zijn kale hoofd. 'Bovendien zijn er voortdurend wagens onderweg naar de ertsmijnen in het noorden van het land. Dat erts kan natuurlijk ook worden gebruikt voor de wapenproductie.'

'De andere landen zouden ons toch te hulp schieten?' Lodrik ging bij de haard zitten.

'Als ze zich aan het akkoord houden, ja.' Stoiko blies op zijn kruidenwijn om hem af te koelen. 'Maar de diplomatieke betrekkingen zijn de laatste jaren wat verwaarloosd. Uw vader neemt zelden de tijd voor dat soort zaken, zoals u weet.'

'In elk geval hebben we in Granburg nu de zaak onder controle,' veranderde Waljakov van onderwerp. 'De mannen die u in dat bos hebben overvallen bleken uiteindelijk Jukolenko's eigen mensen en geen huurlingen, zoals we eerst dachten. En ze hebben tegen hem getuigd. Een groot succes, zou ik denken.'

'Dat komt ervan, als je lansknechten niet vertrouwt,' lachte Lodrik. 'Als ze me te pakken hadden gekregen zou ik hier niet meer hebben gezeten. Goed dat Ulldrael me te hulp kwam.'

'Ja, gelukkig dat de Rechtvaardige en Wijze met zijn beschermende hand ter plekke was,' zei de raadsman zacht.

'Ik vond het al zo vreemd dat hij meteen twee huurlingeneenheden in dienst zou hebben genomen, alleen om mij uit de weg te ruimen,' merkte de landvoogd op.

'Hoewel het een uitgekiend plan was,' vond de lijfwacht. 'Met die zogenaamde belastingverhoging hitste hij de boeren op, die pas met u wilden onderhandelen toen zijn mensen hun dat in het oor hadden gefluisterd. Tijdens die onderhandelingen vielen de troepen aan en hoopte Jukolenko dat de boeren u zouden doden.'

Stoiko dronk van zijn wijn. 'En laten we eerlijk zijn, het was ook bijna gelukt. Voor de zekerheid had hij nog een paar eigen mensen in de buurt geposteerd, die u om zeep konden helpen als de boeren in gebreke bleven. En door het neerslaan van de opstand zou Jukolenko de held van het Tarpoolse hof zijn geweest. Het is alleen triest dat daarvoor zoveel onschuldige mensen moesten sterven.'

'Het was een grote fout om zijn eigen mensen te sturen,' zei Lodrik. 'Maar we mogen blij zijn om die stommiteit. Stel je voor dat hij alle bewijzen tijdig had kunnen vernietigen, dan was alleen Kaschenko de klos geweest. Nu zijn we voorgoed van hem, van Kaschenko en nog tien andere edelen verlost. Op samenzwering tegen een koninklijke beambte staat nog altijd de doodstraf.' De mannen lachten.

'Hoorde u het gejubel van de Granburgers?' Stoiko grijnsde. 'Ik had nooit gedacht dat Jukolenko zo gehaat was bij de bevolking.'

'De mensen juichten vooral voor hun nieuwe gouverneur. En het zal nog wel even duren voordat de overige edelen en brojaken van de schrik zijn bekomen,' peinsde Waljakov. 'Kolskoi konden we helaas niets maken. Dat skelet zal een gevaar voor ons blijven. De vrouw van Jukolenko vatte het nogal kalm op dat ze nu straatarm is. Heeft Norina zich over de nieuwe bezittingen ontfermd?'

'Ik weet het niet,' antwoordde Lodrik. 'Ik zie haar pas weer over drie weken, als ze haar vader komt halen.'

'Ze is een heel knappe meid,' glimlachte Stoiko veelbetekenend, 'en volgens mij heeft ze uw hart gestolen.'

'Nou, dat weet ik niet, hoor,' zei de landvoogd, en hij bloosde. 'Ik heb haar pas een paar keer gezien, maar...'

'U mist haar toch niet, na die paar korte bezoekjes? Of is er in die bibliotheek meer gebeurd dan alleen maar boeken lezen?' vroeg de lijfwacht ongelovig.

Stoiko keek stomverbaasd. 'Daar weet ik helemaal niets van. Bent u uw hart verloren? Dus de dame heeft indruk gemaakt.'

'Het zou best kunnen, hoewel ik het soms zelf niet goed begrijp, omdat ze me de eerste keer nog een dikzak vond.'

'En daar had ze gelijk in,' lachte de raadsman fijntjes.

Lodrik hoorde het niet eens, want er was een dromerige blik in zijn ogen gekomen toen hij aan Norina dacht. 'Ze heeft zwart haar, dat heel lekker ruikt, haar ogen zijn diepbruin en zo bijzonder gevormd. Ik zou me er uren in kunnen verliezen.'

'Verliefd dus, heer,' grijnsde de lijfwacht. 'Ze is toch een kop groter dan u? Dan moet u bij het zoenen op een krukje gaan staan, anders wordt het niks.' Hij lachte hartelijk om zijn eigen grap.

'Nee, dat hoeft niet,' ontglipte het de jongen, en hij genoot van de vragende blikken van de mannen. 'Wat doet Torben, onze Rogogardische kaper, op dit moment?'

'Goed dat u me eraan herinnert, heer. Vanochtend kwam er een bericht van hem aan u, uit Tularky,' meldde de nog steeds verbaasde Stoiko, en hij reikte Lodrik een envelop aan over het schaakbord. 'Hebt u haar echt gekust?'

De gouverneur deed alsof hij niets hoorde, verbrak het zegel en las de boodschap. 'Jullie krijgen de groeten,' vatte hij de inhoud samen. 'Hij gaat met zijn nieuwe schip meteen weer Palestanen kapen.'

'Ik wens hem veel geluk. We hebben toch veel te danken aan die piraat, ook al heeft hij meer Tarpoolse wetten overtreden dan Jukolenko en zijn trawanten bij elkaar.' Stoiko dronk zijn beker kruidenwijn leeg. 'In elk geval krijgen de Tarpolers op deze manier nog goedkope spullen.'

'Kan hij nog wel kauwen zonder tanden?' vroeg Lodrik en hij keek Waljakov vorsend aan.

'Ik heb mijn excuses gemaakt,' verdedigde de lijfwacht zich. Hij had de toespeling meteen begrepen. 'Een paar keer zelfs. Ik kon toen ook niet weten dat hij geen aanslag wilde plegen. Ik heb hem een hamer gegeven om zijn eten in stukken te slaan.'

Hetrál kwam de bibliotheek binnen en maakte een zwierige buiging.

'Aha, onze meesterschutter uit Tûris,' zei Stoiko, en hij boog zich meteen naar Lodrik toe. 'Hij kan ook heel goed met werpmessen overweg, wist u dat, heer?'

'Nee. Kunnen we een demonstratie krijgen?' vroeg de landvoogd.

Waljakov keek geschrokken op toen de schutter Lodrik een munt in zijn hand drukte en hem beduidde naar de andere hoek van de kamer te lopen.

'Is dat nou wel een goed idee, heer?' vroeg hij voorzichtig.

'Ik heb vertrouwen in die man,' stelde Lodrik hem gerust en hij hield het geldstuk in de lucht.

Maar Hetrál schudde zijn hoofd en wees naar zijn mond. Gehoorzaam klemde de jongeman de waslec loodrecht tussen zijn lippen.

De lijfwacht legde zijn mechanische hand op de greep van zijn sabel.

Opeens was de gemoedelijke stemming in de bibliotheek verdwenen, om plaats te maken voor een merkwaardige, tastbare spanning.

'En als hij nu toch bij Kolskoi op de loonlijst staat?' fluisterde Waljakov tegen Stoiko, die met samengeknepen ogen alles volgde.

Langzaam hief Hetrál zijn arm en tuurde geconcentreerd naar zijn doel. Ook de raadsman kreeg nu argwaan.

Met een onnavolgbare beweging wierp de schutter de vlijmscherp geslepen metalen pen. Met een zacht gesis floot hij door de kamer. Lodrik slaakte een kreet en trok zijn hoofd terug.

Met één sprong stond de lijfwacht naast de Tûriet en greep hem bij zijn keel. De mechanische hand bracht de sabel al omhoog.

'Laat hem los, Waljakov,' beval de gouverneur. 'Er is niets gebeurd. Ik schrok alleen.'

De munt was in de lengte doorboord en tegen de houten wand genageld.

Hetrál liep inmiddels rood aan en tikte de reusachtige lijfwacht op zijn arm als teken dat hij los wilde. Met een nijdig gemompel liet de lijfwacht hem weer zakken. De schutter hoestte even.

'Neem me niet kwalijk,' verontschuldigde Waljakov zich korzelig. 'Ik dacht dat u de gouverneur uit de weg wilde ruimen. U hebt ook voor Kolskoi gewerkt, en toen ik de landvoogd hoorde schreeuwen, dacht ik...'

Hetrál maakte een bezwerend gebaar, liep naar de tafel en schonk zich een beker wijn in die hij in één teug leegdronk. Toen stak hij zijn middelvinger naar de lijfwacht op en liet zich in een stoel vallen.

'Een fantastische worp, Hetrál,' riep Lodrik enthousiast in de pijnlijke stilte. 'Kun je mij dat ook leren?'

De schutter zocht een vel papier, doopte de pen in de inkt en schreef iets op dat hij met een grijns aan Stoiko overhandigde.

'Met hém daar als schietschijf,' las hij het antwoord op.

De lijfwacht moest er bulderend om lachen. 'Ik ben blij dat u mijn excuus accepteert.'

Door Waljakovs zware lach duurde het even voordat ze hoorden dat er dringend op de deur werd geklopt.

Een uitgeputte boodschapper, geflankeerd door twee soldaten, kwam ongevraagd de kamer binnen en bleef naast Stoiko staan.

'Neem me niet kwalijk, hoge heren, excellentie, maar ik heb een belangrijk bericht voor Stoiko Gijuschka.' En hij gaf de raadsman een leren, verzegelde tas, die onder het stof en het vuil zat. 'Een boodschap uit Ulsar.'

De raadsman stuurde de boodschapper weg, opende de tas en las het bericht aandachtig door.

Heel langzaam liet hij het papier toen zakken en keek van Waljakov naar Lodrik.

'Wat is er?' vroeg de gouverneur. 'Word ik teruggeroepen naar het hof?'

'Ja, maar het is anders dan u denkt, heer.' Stoiko liet zich op een knie zakken en boog zijn hoofd voor de jongeman. 'De Kabcar is dood. Leve de Kabcar.'